LES VILAINS
PETITS CANARDS

BORIS CYRULNIK

LES VILAINS PETITS CANARDS

ÉDITIONS
ODILE JACOB

Remerciements

Ce livre n'est pas tombé du ciel, il a été écrit par plusieurs centaines d'auteurs. J'ai essayé de les citer dans la bibliographie en bas de page et dans un récapitulatif en fin d'ouvrage.

Je tiens à mettre en lumière d'autres co-auteurs discrets qui sont restés dans l'ombre et sont pourtant à l'origine de plusieurs passages de ce livre.

La Ligue française pour la santé mentale avec Claude Leroy et Roland Coutanceau a permis la réalisation d'un grand nombre de travaux, de plusieurs voyages sur les lieux du fracas, et de nombreuses rencontres entre chercheurs et praticiens internationaux.

La Fondation pour l'enfance, grâce à la bienveillante attention de sa présidente, Madame Anne-Aymone Giscard d'Estaing aidée au début de l'aventure par Marie-Paule Poilpot, a permis les échanges d'expériences entre universitaires, médecins, sociologues, psychologues, éducateurs et responsables de l'Aide sociale à l'enfance en Europe.

Madame Claire Brisset, défenseure des enfants, a bien voulu m'inviter dans son équipe et me donner l'occasion de faire vivre le concept de résilience.

Le professeur Michel Manciaux, après avoir découvert avec le professeur Michel Strauss l'incroyable phénomène de l'enfance maltraitée, travaille aujourd'hui à trouver des solutions pour prévenir cette catastrophe et aider les petits blessés à reprendre leur développement.

Stephan Vanistendael qui s'occupe si bien du BICE (Bureau international catholique de l'enfance) à Genève, a été un des premiers en Europe à travailler à l'idée de résilience et à s'engager auprès des enfants blessés.

Jacques Lecomte m'a souvent donné la parole avant de prendre à son tour la plume pour dire que le bonheur était quand même possible.

La CCE (Commission centrale de l'enfance) ne sait pas à quel point ses enfants, aujourd'hui grandis, ont participé à la résilience.

Les fondateurs du groupe d'éthologie humaine, Albert Démaret auteur du premier livre d'éthologie clinique en langue française, les professeurs Jacques de Lannoy, Jacques Cosnier, Hubert Montagner, Jean Lecamus, Claude Bensch et Pierre Garrigues ont su mettre au point les méthodes d'observations éthologiques si longues à réaliser et si faciles à raconter.

Merci aux étudiants du diplôme inter-universitaire d'éthologie de l'université de Toulon-Var et aux doctorants qui ont tant travaillé et m'ont demandé de les juger. Je les ai tellement appréciés, qu'un grand nombre d'entre eux se retrouveront cités dans le texte, ce qui est bien normal.

Merci au professeur Bernard Golse qui, en reprenant le flambeau de la WAIMH (World Association Infant Mental Health) avec le professeur Michel Soulé, poursuivra le travail du professeur Serge Lebovici qui a favorisé les échanges entre la psychanalyse et l'éthologie.

Merci au professeur Michel Lemay (Montréal, Québec) qui a découvert les pistes de la résilience depuis plus de vingt ans, au professeur Michel Tousignant (Montréal, Québec) qui a souligné l'importance des pressions sociales, aux professeurs Charles Baddoura (Beyrouth, Liban), Violetta Stan (Timisoara, Roumanie), Maria Eugenia Villalobos, Maria Eugenia Colmenares, Lorenzo Balegno (Cali, Colombie), Badra Mimouni (Oran, Algérie) et Jean-Pierre Pourtois (Mons, Hainaut, Belgique) qui ont su créer tant de belles rencontres et ont eu le courage d'aller sur le terrain pour aider les enfants blessés de l'âme.

Et merci à ceux qui, en travaillant à l'idée de résilience avec l'Association française de recherche en éthologie clinique et anthropologique, constituent un milieu d'échange intellectuel et amical si enrichissant : Jacques Colin, Roselyne Chastain, Sylvaine Vannier, Michel Delage, Claude Beata, Stanislas Tomkiewicz, Philippe Brenot, Isabelle Guaïtella, Antoine Lejeune, Dominique Godard, Angelo Gianfrancesco, Norbert Sillamy et beaucoup d'autres auxquels je pense sans les nommer.

Merci à ceux qui ont fabriqué ce livre : Florence, ma femme qui a fortement participé à ma propre résilience et Gérard Jorland qui, en accompagnant mot à mot le manuscrit a limité le nombre de fautes.

Et merci à Odile Jacob qui a veillé sur la conception de ce livre et qui s'inquiétera de son devenir.

INTRODUCTION

« *Il se dirigea alors vers eux, la tête basse, pour leur montrer qu'il était prêt à mourir. C'est alors qu'il vit son reflet dans l'eau : le vilain petit canard s'était métamorphosé en un superbe cygne blanc...* »

d'après Hans Christian Andersen (1805-1875)
Le Vilain Petit Canard

« Je suis née à l'âge de vingt-cinq ans, avec ma première chanson. »

– Avant ?

– Je me débattais.

« Il ne faut jamais revenir
Au temps caché des souvenirs...
Ceux de l'enfance vous déchirent [1]. »

L'instant fatal où tout bascule tranche notre histoire en deux morceaux.

– Avant ?

– « J'ai dû me taire pour survivre. Parce que je suis déjà morte, il y a longtemps – J'ai perdu la vie autrefois – Mais je m'en suis sortie, puisque je chante [2]. »

– Sortie ? Il y a donc une prison, un lieu clos d'où l'on peut s'évader – La mort n'est pas sans issue ?

---

1. BARBARA, 1968, *Mon enfance* (chanson).
2. BARBARA, 1964, *Paris-Match*, 21 décembre, cité *in* : BELFOND J.-D., 2000, *Barbara l'ensorceleuse*, Christian Pirot.

Quand on est mort,
et que surgit le temps
caché des souvenirs

Genet a sept ans. L'Assistance publique l'a confié à des paysans du Morvan : « Je suis mort en bas âge. Je porte en moi le vertige de l'irrémédiable... le vertige de l'avant et l'après, l'épanouissement et la retombée, une vie misée sur une seule carte [3]... »

Un seul événement peut provoquer la mort, il suffit de peu. Mais quand on revient à la vie, quand on naît une deuxième fois et que surgit le temps caché des souvenirs, l'instant fatal devient sacré. La mort n'est jamais ordinaire. On quitte le profane quand on côtoie les dieux, et lorsqu'on retourne chez les vivants, l'histoire se transforme en mythe. D'abord, on meurt : « J'ai fini par admettre que j'étais mort à l'âge de neuf ans... Accepter de contempler mon assassinat, c'était me constituer cadavre [4]. » Puis, quand à ma grande surprise, la vie s'est réchauffée en moi, j'ai été très intrigué par « le divorce entre la mélancolie de mes livres et mon aptitude au bonheur [5] ».

L'issue qui nous permet de revivre serait donc un passage, une lente métamorphose, un long changement d'identité ? Quand on a été mort et que revient la vie, on ne sait plus qui l'on est. On doit se découvrir et se mettre à l'épreuve pour se donner la preuve qu'on a le droit de vivre.

Quand les enfants s'éteignent parce qu'ils n'ont plus rien à aimer, quand un hasard signifiant leur permet de rencontrer une personne – une seule suffit – pour que la vie

---

3. Sartre J.-P., 1952, *Saint Genet. Comédien et martyr*, Gallimard, p. 12-13.
4. Castillo M. del, 1998, *De père français*, Fayard, p. 12.
5. *Ibid.*, p. 22.

revienne en eux, ils ne savent plus se laisser réchauffer. Alors, ils manifestent des comportements surprenants, ils prennent des risques exagérés, ils inventent des scénarios ordaliques comme s'ils souhaitaient se faire juger par la vie, pour se faire acquitter.

Un jour, le petit Michel a réussi à s'échapper de la cave où son père le jetait après l'avoir battu. Dehors, il s'est étonné de ne rien ressentir. Il voyait bien que le beau temps rendait les gens souriants, mais au lieu de partager leur bien-être, il s'étonnait de sa propre indifférence. C'est une marchande de fruits qui a réchauffé l'enfant. Elle lui a tendu une pomme et, sans même qu'il l'ait demandé, lui a permis de jouer avec son chien. L'animal a manifesté son accord et Michel, accroupi sous les cageots, a entrepris une affectueuse bagarre. Après quelques minutes de grand plaisir, le garçon a ressenti un sentiment mêlé de bonheur et de crispation anxieuse. Les voitures filaient sur la route. L'enfant a décidé de les frôler comme un torero se fait effleurer par les cornes du taureau. La marchande l'a injurié et lui a fait la morale en lui lançant à la tête des explications tellement rationnelles qu'elles ne correspondaient en rien à ce que l'enfant éprouvait.

« Je m'en suis sorti », s'étonnent les résilients qui après une blessure ont réappris à vivre, mais ce passage de l'ombre à la lumière, l'échappée de la cave ou l'issue du tombeau nécessitent de réapprendre à vivre une autre vie.

La sortie des camps n'est pas la liberté[6]. Quand la mort s'éloigne, la vie ne revient pas. Il faut la chercher, réapprendre à marcher, à respirer, à vivre en société. Un des premiers signes de la dignité retrouvée fut le partage de la nourriture. Il en restait si peu dans les camps que les survivants avalaient en cachette tout ce qu'ils pouvaient trouver.

---

6. FISCHER G.-N., 1994, *Le Ressort invisible. Vivre l'extrême*, Seuil, p. 185.

Quand les geôliers se sont enfuis, les morts-vivants ont fait quelques pas dehors, certains ont dû se glisser sous les barbelés parce qu'ils n'osaient pas sortir par la porte puis, ayant constaté la liberté après avoir palpé le dehors, ils sont rentrés au camp, ils ont partagé quelques croûtons afin de se prouver qu'ils s'apprêtaient à redevenir des hommes.

L'arrêt de la maltraitance n'est pas la fin du problème. Retrouver une famille d'accueil quand on a perdu la sienne n'est que le début de la question : « Et maintenant, que vais-je faire avec ça? » Ce n'est pas parce que le vilain petit canard trouve une famille cygne que tout est liquidé. La blessure est écrite dans son histoire, gravée dans sa mémoire, comme si le vilain petit canard pensait : « Il faut frapper deux fois pour faire un traumatisme [7]. » Le premier coup, dans le réel, provoque la douleur de la blessure ou l'arrachement du manque. Et le deuxième, dans la représentation du réel, fait naître la souffrance d'avoir été humilié, abandonné. « Et maintenant, que vais-je faire avec ça? Me lamenter chaque jour, chercher à me venger ou apprendre à vivre une autre vie, celle des cygnes? »

Pour soigner le premier coup, il faut que mon corps et ma mémoire parviennent à faire un lent travail de cicatrisation. Et pour atténuer la souffrance du deuxième coup, il faut changer l'idée que je me fais de ce qui m'est arrivé, il faut que je parvienne à remanier la représentation de mon malheur et sa mise en scène, sous votre regard. Le roman de ma détresse vous touchera, la peinture de mon orage vous blessera et la fièvre de mon engagement social vous forcera à découvrir une autre manière d'être humain. À la cicatrisation de la blessure réelle, s'ajoutera la métamorphose de la représentation de la blessure. Mais ce que le petit canard mettra longtemps à comprendre, c'est que la cicatrice n'est jamais sûre. C'est une brèche dans le développement de sa

---

7. FREUD A., 1936, *Le Moi et les mécanismes de défense*, PUF.

personnalité, un point faible qui peut toujours se déchirer sous les coups du sort. Cette fêlure contraint le petit canard à travailler sans cesse à sa métamorphose interminable. Alors, il pourra mener une existence de cygne, belle et pourtant fragile, parce qu'il ne pourra jamais oublier son passé de vilain petit canard. Mais, devenu cygne, il pourra y penser d'une manière supportable.

Ce qui signifie que la résilience, le fait de s'en sortir et de devenir beau quand même, n'a rien à voir avec l'invulnérabilité ni avec la réussite sociale.

La gentillesse morbide du petit rouquin

On m'avait demandé d'examiner un garçon de quinze ans dont les comportements paraissaient surprenants. J'ai vu arriver un petit rouquin à la peau blanche, vêtu d'un lourd manteau bleu à col de velours. En juin, à Toulon, c'est un vêtement surprenant. Le jeune évitait mon regard et parlait si doucement que j'ai eu du mal à entendre un discours cohérent. On avait évoqué la schizophrénie. Au fil des entretiens, j'ai découvert un garçon très doux et très fort. Il habitait dans la basse ville deux pièces à deux étages différents. Au premier, sa grand-mère mourait lentement d'un cancer. Au deuxième, son père alcoolique vivait avec un chien. Le petit rouquin se levait très tôt, faisait le ménage, préparait le repas de midi, puis filait au lycée où il était bon élève mais très solitaire. Le manteau, pris dans l'armoire du père, permettait de cacher l'absence de chemise. Le soir, il faisait les courses, n'oubliait pas le vin, lavait les deux pièces où le père et le chien avaient commis pas mal de dégâts, surveillait les médicaments, donnait à manger à son petit monde, puis la nuit, quand le calme était revenu, il s'offrait un instant de bonheur : il étudiait.

17

Un jour, un copain de lycée s'est présenté au rouquin pour lui parler d'une émission culturelle, entendue sur France-Culture. Un professeur d'une langue lointaine les a invités au café pour bavarder de ça. Le petit rouquin est rentré chez lui dans ses deux pièces dégoûtantes, éberlué, abasourdi de bonheur. C'était la première fois de sa vie qu'on lui parlait amicalement et qu'on l'invitait au café, comme ça, pour traiter d'un problème anodin, intéressant, abstrait, tellement différent des épreuves incessantes qui remplissaient sa vie quotidienne. Ce bavardage, ennuyeux pour un jeune normalement entouré, avait pris pour le rouquin l'importance d'un éblouissement : il était donc possible de vivre dans l'amitié et dans la beauté des réflexions abstraites. Cette heure passée dans un bistrot agissait en lui comme une révélation, un instant sacré qui fait naître dans l'histoire un avant et un après. D'autant que l'intellectualisation lui offrait non seulement l'occasion de partager quelques minutes d'amitié, de temps à autre, mais surtout la possibilité d'échapper à l'horreur constante qui l'entourait.

Quelques semaines avant le bac, le petit rouquin m'a dit : « Si par malheur je suis reçu, je ne pourrai pas abandonner mon père, ma grand-mère et mon chien. » Alors, le sort a manifesté une ironie cruelle : le chien s'est enfui, le père l'a poursuivi en titubant, s'est fait renverser par une voiture, et la grand-mère en bout de course s'est éteinte à l'hôpital.

Libéré de justesse de ses contraintes familiales, le petit rouquin est aujourd'hui un brillant étudiant en langues orientales. Mais on peut imaginer que si le chien ne s'était pas enfui, le jeune homme aurait été malgré lui reçu au bac et, n'osant abandonner sa misérable famille, aurait choisi un petit métier pour rester auprès d'eux. Il ne serait jamais devenu un universitaire voyageur, mais probablement il aurait préservé quelques îlots de bonheur triste, une forme de résilience.

Ce témoignage me permet de proposer ce livre articulé autour de deux idées. D'abord, l'acquisition de ressources internes a permis de façonner le tempérament doux et pourtant dur au mal du petit rouquin. Peut-être le milieu affectif, dans lequel il avait baigné au cours de ses premières années, avant même l'apparition de sa parole, avait-il imprégné dans sa mémoire biologique non consciente, un mode de réaction, un tempérament, un style comportemental qui, au cours de l'épreuve de son adolescence, aurait pu expliquer son apparente étrangeté et sa douce détermination.

Plus tard, quand le petit rouquin a appris à parler, des mécanismes de défense se sont constitués dans son monde intime, sous forme d'opérations mentales qui permettaient de diminuer le malaise provoqué par une situation douloureuse. Une défense peut lutter contre une pulsion interne ou une représentation, comme lorsqu'on a honte d'avoir envie de faire du mal ou quand on est torturé par un souvenir qui s'impose en nous et qu'on emporte où qu'on aille [8]. On peut fuir une agression externe, la filtrer ou la tamponner, mais quand le milieu est structuré par un discours ou par une institution qui rendent l'agression permanente, on est contraint aux mécanismes de défense, au déni, au secret ou à l'angoisse agressive. C'est le sujet sain qui exprime un malaise dont l'origine se trouve autour de lui, dans une famille ou une société malade. L'amélioration du sujet souffrant, la reprise de son évolution psychique, sa résilience, cette aptitude à tenir le coup et à reprendre un développement dans des circonstances adverses, nécessite dans ce cas de soigner l'alentour, d'agir sur la famille, de combattre les préjugés ou de bousculer les routines culturelles, croyances

---

8. Laplanche J., Pontalis J.-B., 1973, *Vocabulaire de la psychanalyse*, PUF, p. 109.

insidieuses où, sans nous en rendre compte, nous justifions nos interprétations et motivons nos réactions.

Si bien que toute étude sur la résilience devrait porter sur trois plans.

1 – L'acquisition des ressources internes imprégnées dans le tempérament, dès les premières années, au cours des interactions précoces préverbales, expliquera la manière de réagir face aux agressions de l'existence, en mettant en place des tuteurs de développement plus ou moins solides.

2 – La structure de l'agression explique les dégâts du premier coup, la blessure ou le manque. Mais c'est la signification que ce coup prendra plus tard dans l'histoire du blessé et dans son contexte familial et social, qui expliquera les effets dévastateurs du second coup, celui qui fait le traumatisme.

3 – Enfin, la possibilité de rencontrer des lieux d'affection, d'activités et de paroles que la société dispose parfois autour du blessé, offre les tuteurs de résilience qui lui permettront de reprendre un développement infléchi par la blessure.

Cet ensemble constitué par un tempérament personnel, une signification culturelle et un soutien social explique l'étonnante variabilité des traumatismes.

La créativité des mal-partis

Quand le tempérament a été bien charpenté par l'attachement sécure d'un foyer parental paisible, l'enfant, en cas d'épreuve, aura été rendu capable de partir en quête d'un substitut efficace. Le jour où les discours culturels s'appliqueront à ne plus considérer les victimes comme des complices de l'agresseur ou des proies du destin, le sentiment d'avoir été meurtri se fera plus léger. Quand les professionnels seront moins incrédules, goguenards ou moralisateurs, les blessés entreprendront des processus de réparation beaucoup plus tôt qu'aujourd'hui. Et quand les décideurs sociaux accepteront de disposer simplement autour des mal-partis quelques lieux de créations, de paroles et d'apprentissages sociaux, on sera surpris de voir qu'un grand nombre de blessés parviendra à métamorphoser leurs souffrances pour en faire une œuvre humaine, malgré tout.

Mais si le tempérament a été désorganisé par un foyer parental malheureux, si la culture fait taire les victimes et les agresse encore une fois, et si la société abandonne ses enfants qu'elle considère comme foutus, alors les traumatisés connaîtront un destin sans espoir.

Cette manière d'analyser le problème permet de mieux comprendre la phrase de Tom : « Il y a des familles où l'on souffre plus que dans les camps de la mort. » Puisqu'il faut frapper deux fois pour faire un traumatisme, on peut comprendre que la souffrance n'y est pas de même nature. Dans les camps, c'est le réel qui torturait : le froid, la faim, les coups, la mort visible, imminente, futile. L'ennemi était là, repéré, extérieur. On pouvait retarder la mort, dévier le coup, atténuer la souffrance. Et l'absence de représentation, le vide de sens, l'absurdité du réel rendait la torture encore plus forte.

Quand le jeune Marcel, à l'âge de dix ans, est revenu des camps, personne ne lui a posé la moindre question. Il a gentiment été reçu dans une famille d'accueil où il est resté silencieux pendant plusieurs mois. On ne lui demandait rien, mais on lui reprochait de se taire. Alors il a voulu raconter. Il s'est arrêté bien vite, en voyant sur le visage de ses parents les mimiques de dégoût que son histoire provoquait. De telles horreurs existaient, et l'enfant qui en parlait les évoquait dans leur esprit. On peut tous réagir ainsi : vous voyez un enfant, vous le trouvez mignon, il parle bien, vous échangez gaiement avec lui, et soudain il vous dit : « Tu sais, je suis né d'un viol, c'est pour ça que ma mère m'a toujours détesté. » Comment voulez-vous continuer à sourire ? Votre attitude change, vos mimiques s'éteignent, vous vous arrachez quelques mots inutiles pour lutter contre le silence. C'est tout. Le charme est rompu. Et quand vous reverrez l'enfant, c'est à ses origines violentes que d'abord vous penserez. Vous le stigmatiserez peut-être, sans le vouloir. Le simple fait de le voir évoquera une représentation de viol et le sentiment, ainsi provoqué, fera naître en vous une émotion qui vous échappera.

Tout de suite après son récit, Marcel constata que sa famille d'accueil ne le regardait plus de la même manière. On l'évitait, on lui parlait en phrases courtes, on le tenait à distance. C'est là que désormais il aurait à vivre pendant plus de dix ans, dans une relation morne et dégoûtée.

Le camp avait duré un an et la peur et la haine lui avaient permis de ne pas tisser de lien avec ses bourreaux. Ces hommes-là constituaient une catégorie claire, fascinante comme un danger qu'on ne peut pas quitter des yeux, mais dont on se sépare avec soulagement. Ce n'est que plus tard qu'on découvre avec étonnement que même lorsqu'on se libère de ses agresseurs, on les emporte en nous, dans notre mémoire.

Peu à peu sa famille d'accueil devenait agressive, méprisante plutôt. Marcel regrettait et se sentait coupable, il n'aurait pas dû parler, c'est lui qui avait provoqué tout ça. Alors pour se racheter, il est devenu trop gentil. Et plus il était gentil, plus on le méprisait : « Gros lard », disait la mère à l'enfant squelettique, et elle l'accablait de corvées inutiles. Un jour où l'enfant se lavait tout nu dans la cuisine, elle a voulu vérifier si, à l'âge de onze ans, un petit garçon

22

pouvait avoir une érection. Elle a provoqué la chose avec beaucoup de sérieux, puis s'en est allée, laissant Marcel hébété. Quelques jours plus tard, c'est le père qui a tenté sa chance. Là Marcel a osé se débattre et a repoussé l'homme. C'est dans un tel milieu que désormais l'enfant avait à vivre. Il entendait les voisins chanter les louanges de sa famille d'accueil qui « n'était pas obligée de faire tout ça » et qui donnait beaucoup à l'enfant : « Ce qu'ils font pour toi, tes vrais parents ne l'auraient jamais fait. » Marcel devenait morne et lent, lui qui avait été si vif et bavard. À qui raconter ça ? Qui pourrait le sauver ? L'assistante sociale était poliment reçue. Elle restait sur le palier, posait deux ou trois questions et s'en allait en s'excusant du dérangement. Marcel dormait sur un lit de camp, sous la table de la cuisine et travaillait beaucoup. On le battait tous les jours maintenant, on l'insultait à chaque phrase, mais ce dont il souffrait le plus, c'était des remarques humiliantes : « Abruti... Face d'âne... » remplaçaient son prénom. En fait, c'était une étrange souffrance, un accablement douloureux plutôt : « Hé, abruti, va laver la salle de bains... Hé, face d'âne, c'est pas encore fait ? » Pour ne pas trop souffrir et rester gentil avec ces gens qui faisaient tant pour lui, il fallait s'appliquer à devenir indifférent.

À peu près à la même époque, Marcel s'est remis à penser au camp qu'il croyait avoir oublié. Curieusement, le souvenir en était recomposé. Il se rappelait le froid, mais il n'avait plus froid. Il savait qu'il avait eu terriblement faim, mais sa mémoire n'évoquait plus l'énorme tenaille glacée de la faim. Il comprenait qu'il avait échappé à la mort, mais il n'avait plus peur et même s'amusait de l'avoir feintée. Chaque fois qu'il était humilié par une bourrade méprisante ou par un surnom avilissant, chaque fois qu'il sentait son corps s'alourdir de tristesse et ses paupières se gonfler de larmes intérieures, il évoquait le camp. Alors, il éprouvait une sensation d'étrange liberté en pensant aux horreurs qu'il avait eu la force de surmonter et aux exploits physiques que son corps avait été capable de réaliser.

Le camp qui, dans le réel, l'avait tant fait souffrir, devenait supportable dans sa mémoire, et lui permettait même de lutter contre le sentiment de désespoir avilissant que provoquait aujourd'hui la maltraitance insidieuse.

On ne souffre pas plus dans certaines familles que dans les camps de la mort, mais quand on y souffre, le travail de la mémoire utilise le passé pour y imprégner son imaginaire, afin de rendre supportable le réel actuel.

La représentation du passé est une production du présent. Ce qui ne veut pas dire que les faits de mémoire sont faux. Ils sont vrais comme sont vrais les tableaux réalistes. Le peintre, rendu sensible à certains points du réel, les reproduit sur la toile en les mettant en valeur. Sa représentation du réel parle de son interprétation où tout est vrai et pourtant recomposé.

Les éclopés du passé
ont des leçons à nous donner

Quand le père de Richard est mort, sa mère a disparu. Ce n'est pas qu'elle avait abandonné ses enfants, mais quand on en a huit, il faut partir très tôt le matin pour faire les ménages et rentrer le soir, épuisée. C'est donc la sœur aînée qui a pris en main la maisonnée. Après chaque dépense excessive comme le loyer ou les vêtements, le repas du soir n'était plus assuré. La seule solution qu'a trouvée cette grande fille de quatorze ans fut de faire une chorale. Toute la petite famille, avant la tombée de la nuit, partait chanter dans les cours des immeubles du XXe arrondissement de Paris. La chorale était sympathique et les plus petits se précipitaient pour ramasser les pièces de monnaie qui allaient offrir le dîner. Quarante ans plus tard, la grande sœur est devenue une grande dame qui pouffe de rire en se rappelant l'événement. Les petits en gardent un souvenir de fête mais une sœur, encore aujourd'hui, souffre de l'humiliation d'avoir été obligée de mendier, alors que sa mère se tuait à la tâche.

Il serait intéressant de comprendre comment l'histoire de chacun de ces enfants, le développement de leur personnalité a pu utiliser un même fait pour en faire des représentations si différentes.

Faire un projet pour éloigner son passé, métamorphoser la douleur du moment pour en faire un souvenir glorieux ou amusant, explique certainement le travail de résilience. Cette mise à distance émotionnelle est rendue possible par les mécanismes de défense coûteux mais nécessaires, tels

– le déni : « Ne croyez pas que j'aie souffert » ;

– l'isolation : « Je me rappelle un événement dénué d'affectivité » ;

– la fuite en avant : « Je milite sans cesse pour empêcher le retour de mon angoisse » ;

– l'intellectualisation : « Plus je cherche à comprendre, plus je maîtrise l'émotion insupportable » ;

– et surtout la créativité : « J'exprime l'indicible grâce au détour de l'œuvre d'art. »

Tous ces moyens psychologiques permettent de réintégrer le monde quand on a été chassé de l'humanité. La tentation de l'anesthésie diminue la souffrance, mais engourdit notre manière d'être humain ; ce n'est qu'une protection. Il suffit d'une seule rencontre pour réveiller la flamme et revenir parmi les hommes dans leur monde, palpable, goûtable et angoissant. Parce que revenir chez soi n'est pas un retour au doux foyer, c'est une épreuve supplémentaire. La honte d'avoir été victime, le sentiment d'être moins, de ne plus être le même, de ne plus être comme les autres, qui eux aussi ont changé pendant qu'on n'appartenait plus à leur monde. Et comment leur dire ? À son retour du goulag, Chalamov écrit à Pasternak : « Qu'allais-je trouver ? Je ne le savais pas encore. Qui était ma fille ? Et ma femme ? Sauraient-elles partager les sentiments dont je débordais et qui auraient suffi à me faire supporter encore vingt-cinq ans de prison [9] ? »

Une longue durée est nécessaire pour étudier la résilience. Quand on observe quelqu'un pendant une heure ou quand on le côtoie pendant trois ans, on peut prédire ses réactions. Mais quand on étudie la longue durée d'une existence, on peut prédire... des surprises !

La notion de cycle de vie rend possible la description de chapitres différents d'une seule et même existence. Être nourrisson, ce n'est pas être adolescent. À chaque âge nous sommes des êtres totaux qui habitent des mondes différents. Et pourtant le palimpseste qui réveille les traces du passé fait resurgir les événements que l'on croyait enfouis.

On ne réussit jamais à liquider nos problèmes, il en reste toujours une trace, mais on peut leur donner une autre vie, plus supportable et parfois même belle et sensée.

« *J'ai marché, les tempes brûlantes*
Croyant étouffer sous mes pas
Les voix du passé qui nous hantent
Et reviennent sonner le glas [10]. »

Dès l'âge de quatorze ans, en pleine guerre, Barbara ne cesse d'écrire. Elle déclame ses poèmes et chante déjà assez

---

9. CHALAMOV V., 1991, *Correspondance avec Pasternak et Souvenirs*, Gallimard, p. 183, *in* : FISCHER G.-N., 1994, *Le Ressort invisible*, *op. cit.*
10. BARBARA, 1968, *Mon enfance* (chanson).

26

bien [11]. En pleine clandestinité, alors qu'on meurt autour d'elle, l'adolescente découvre de minuscules plaisirs : « [...] la partie de cartes, à l'abri, dans la chambre du fond et l'excitation des départs à la sauvette, des "y a la Gestapo [12]". »

Dans la même situation beaucoup d'autres se sont effondrés, blessés à vie. Par quel mystère Barbara a-t-elle pu métamorphoser sa meurtrissure en poésie ? Quel est le secret de la force qui lui a permis de cueillir des fleurs sur le fumier ?

À cette question, je répondrai que le façonnement précoce des émotions a imprégné dans l'enfant un tempérament, un style comportemental qui lui a permis lors de l'épreuve de puiser dans ses ressources internes. À cette époque où tout enfant est une éponge affective, son entourage a su stabiliser ses réactions émotionnelles. Sa mère, ses frères et sœurs et peut-être même son père qui, à ce stade du développement de la fillette n'était pas encore un agresseur, ont donné au nouveau-né une habitude comportementale, un style relationnel qui, dans l'adversité, lui a permis de ne pas se laisser délabrer.

Après les deux fracas de l'inceste et de la guerre, il a bien fallu que la grande fille mette en place quelques mécanismes de défense : étouffer sous ses pas les voix du passé qui la hantent, renforcer la part de sa personnalité que l'entourage accepte, sa gaieté, sa créativité, son grain de folie, son beau grain de folie, son aptitude à provoquer l'amour. Sa souffrance doit rester muette pour préserver ses proches. On ne peut pas être celle qui n'a pas été, mais on peut donner de soi ce qui rend les autres heureux. Le fait d'avoir été blessée la rend sensible à toutes les bles-

---

11. Belfond J.-D., *Barbara l'ensorceleuse, op. cit.*, p. 15.
12. Barbara, 1998, *Il était un piano noir*, Fayard.

sures du monde et l'invite au chevet de toutes les souf-frances [13].

> « *Avec eux j'ai eu mal*
> *Avec eux j'étais ivre.* »

Cette force qui permet aux résilients de surmonter les épreuves donne à leur personnalité une coloration parti-culière. Une trop grande attention aux autres, et en même temps, la peur de recevoir l'amour qu'ils provoquent :

> « *C'est parce que je t'aime*
> *Que je préfère m'en aller.* »

Ces blessés triomphants éprouvent un étonnant senti-ment de gratitude : « Je dois tout aux hommes, ils m'ont accouchée. » Le dernier cadeau que je peux leur faire, c'est le don de moi et de mon aventure : « Je m'en suis sortie, puisque je chante [14]. »

Les éclopés du passé ont des leçons à nous donner. Ils peuvent nous apprendre à réparer les blessures, à éviter cer-taines agressions et peut-être même à comprendre com-ment on doit s'y prendre pour mieux épanouir tous les enfants.

Il faut apprendre à observer
afin d'éviter la beauté
vénéneuse des métaphores

Le simple fait de constater qu'il est possible de s'en sortir nous invite à aborder le problème d'une autre

---

13. Paraphrases de plusieurs chansons de Barbara.
14. BELFOND J.-D., *Barbara l'ensorceleuse*, *op. cit.*

manière. Jusqu'à présent, la question était logique et facile. Quand l'existence donne un grand coup, nous pouvons en évaluer les conséquences physiques, psychologiques, affectives et sociales. L'ennui de cette réflexion logique, c'est qu'elle est inspirée par le modèle des physiciens qui est à l'origine de toute démarche scientifique : si j'augmente la température, l'eau va se mettre à bouillir; si je frappe cette barre de fer, elle va se casser au-dessus d'une certaine pression. Cette manière de penser l'existence humaine a largement fourni les preuves de sa validité. Anna Freud pendant la guerre de 1940, en recueillant à Londres des enfants dont les parents avaient été massacrés sous les bombardements, avait déjà noté l'importance des troubles du développement. René Spitz à la même époque avait décrit comment les enfants, privés d'étayage affectif, cessaient de se développer. Mais c'est John Bowlby qui, dès les années 1950, avait soulevé les plus fortes passions en proposant que le paradigme de la relation entre la mère et son enfant soit défini chez tous les êtres vivants, humains et animaux, par le concept de l'attachement. À cette époque, seule l'Organisation mondiale de la santé avait osé donner une petite bourse de recherche pour mettre à l'épreuve cette surprenante hypothèse. Dans le contexte culturel de l'époque, la croissance des enfants était pensée à l'aide de métaphores végétales : si un enfant grandit et prend du poids, c'est que c'est une bonne graine! Cette métaphore justifiait les décisions éducatives des adultes. Les bonnes graines n'ont pas vraiment besoin de familles ni de sociétés pour se développer. Le bon air de la campagne et une bonne nourriture y suffiront. Quant aux mauvaises graines, il faut les arracher pour que la société redevienne vertueuse. Dans une telle stérotypie culturelle, le racisme était facile à penser. Les milieux féministes naissants s'indignaient de la proximité qu'on établissait entre les femmes

29

et les animaux, tandis que la grande anthropologue Margaret Mead s'opposait à cette hypothèse en soutenant que les enfants n'avaient pas besoin d'affectivité pour grandir et que « les états de carence étaient surtout liés au désir d'empêcher ces femmes de travailler [15] ».

Ces causalités linéaires sont pourtant incontestables : maltraiter un enfant ne le rend pas heureux. Ses développements s'arrêtent quand il est abandonné. Alice Miller [16], Pierre Strauss, et Michel Manciaux [17] ont été les pionniers d'une telle démarche qui paraît évidente aujourd'hui, alors qu'elle provoquait l'incrédulité et l'indifférence il y a trente ans. Les études sur la résilience ne contestent absolument pas ces travaux qui sont encore nécessaires. Il s'agit aujourd'hui d'introduire la longue durée dans nos observations, car les déterminismes humains sont à courte échéance. On peut constater des causalités linéaires, dans la courte durée seulement. Plus le temps est long, plus l'intervention d'autres facteurs viendront modifier les effets.

Nous passons notre temps à lutter contre les phénomènes de la Nature, à nous désoumettre du réel et nous appelons « culture », « transcendance » ou « métaphysique » notre travail de libération. Pourquoi voulez-vous que chez l'Homme un déterminisme soit une fatalité ? Un coup du sort est une blessure qui s'inscrit dans notre histoire, ce n'est pas un destin.

Cette nouvelle attitude risque de bouleverser « nos conceptions mêmes de la psychologie infantile, de nos modes d'enseignement et de recherches, de notre vision de

---

15. MEAD M., 1948, *in* : LEBOVICI S., LAMOUR M., 1999, « L'attachement chez l'enfant. Quelques notions à mettre en évidence », *Le Carnet psy*, octobre, p. 21-24.

16. MILLER A., 1983, *C'est pour ton bien. Racines de la violence dans l'éducation de l'enfant*, Aubier.

17. STRAUSS P., MANCIAUX M., 1993, *L'Enfant maltraité*, Fleurus.

l'existence [18] ». Il a été nécessaire d'évaluer les effets des coups, il faut maintenant analyser les facteurs qui permettent la reprise d'un type de développement. L'histoire des idées en psychologie est ainsi faite que nous partons de l'organique pour évoluer vers l'impalpable. Il y a encore parmi nous des personnes qui pensent que la souffrance psychique est un signe de faiblesse, une dégénérescence. Si l'on croit que seuls les hommes de bonne qualité peuvent surmonter les coups du sort alors que les cerveaux faibles y succombent, l'attitude thérapeutique justifiée par une telle représentation consistera à renforcer le cerveau par des substances chimiques ou par des décharges électriques. Mais si l'on conçoit qu'un homme ne peut se développer qu'en se tissant avec un autre, alors l'attitude qui aidera les blessés à reprendre un développement devra s'appliquer à découvrir les ressources internes imprégnées dans l'individu, autant que les ressources externes disposées autour de lui.

Le simple fait de constater qu'un certain nombre d'enfants traumatisés résistent aux épreuves, et parfois même les utilisent pour devenir encore plus humains, peut s'expliquer non pas en termes de surhomme ou d'invulnérabilité, mais en associant l'acquisition de ressources internes affectives et comportementales lors des petites années avec la disposition de ressources externes sociales et culturelles.

Observer comment se comporte un enfant, ce n'est ni l'étiqueter, ni le mathématiser. Au contraire même, c'est décrire un style, une utilité et une signification. Décrire comment un enfant préverbal découvre son monde, l'explore et le manipule comme un petit scientifique, permet de comprendre « cette formidable résilience naturelle que

---

18. LEMAY M., 1999, « Réflexions sur la résilience », *in* : POILPOT M.-P. (dir.), *Souffrir mais se construire*, Érès, p. 83-105.

tout enfant sain présente devant les aléas rencontrés inévitablement au cours de son développement [19] ».

Il ne s'agit plus de parler de dégénérescence cérébrale, d'arrêt du développement à un niveau inférieur, de régression infantile ou d'immaturité, mais plutôt de chercher à comprendre la fonction adaptative momentanée d'un comportement et sa reprise évolutive qui reste possible quand les tuteurs de résilience internes et externes ont été convenablement proposés.

C'est avantageux de raisonner en termes de dégénérescence, ça implique que moi, neurologue, je ne suis pas dégénéré puisque je suis diplômé. C'est réconfortant d'observer l'autre avec la notion d'immaturité, ça veut dire que moi, observateur, je suis un adulte mature puisque je suis salarié. Ces points de vue techniques confortent les diplômés et les salariés, mais disqualifient les relations simplement humaines, affectives, sportives et culturelles, tellement efficaces.

Alors que si l'on s'entraîne à raisonner en termes de « cycle de vie [20] », d'histoire de vie entière [21], on découvre sans peine qu'à chaque chapitre de son histoire, tout être humain est un être total, abouti, avec son monde mental cohérent, sensoriel, sensé, vulnérable et sans cesse améliorable. Mais dans ce cas, tout le monde doit participer à la résilience. Le voisin doit s'inquiéter de l'absence de la vieille dame, le jeune sportif doit faire jouer les gosses du quartier, la chanteuse doit rassembler une chorale, le comédien doit mettre en scène un problème actuel et le philosophe doit mettre au monde un concept et le partager. Alors, nous

---

19. *Ibid.*
20. HOUDE R., 1999, *Le Temps de la vie. Le Développement psychosocial de l'adulte*, Gaétan Morin.
21. FONTAINE R., 2000, Une approche « vie entière », *Le Journal des psychologues*, juin, n° 178, p. 32-34.

pourrons « considérer que chaque personnalité chemine au cours de la vie, le long de sa propre voie qui est unique [22] ».

Cette nouvelle attitude face aux épreuves de l'existence nous invite à considérer le traumatisme comme un défi.

Peut-on faire autrement que le relever ?

---

22. BOWLBY J., 1992, « L'avènement de la psychiatrie développementale a sonné », *Devenir*, vol. 4, n° 4, p. 21.

CHAPITRE PREMIER

La chenille

Je me suis longtemps demandé contre quoi un ange pouvait se rebeller puisque tout est parfait au Paradis. Jusqu'au jour où j'ai compris qu'il se révoltait contre la perfection. Un ordre irréprochable provoquait en lui un sentiment de non-vie. Une justice absolue, en supprimant les aiguillons de l'indignation, engourdissait son âme. Une orgie de pureté l'écœurait autant qu'une souillure. Il fallait donc qu'un ange soit déchu pour mettre en lumière l'ordre et la pureté des habitants du Paradis.

Le tempérament ou la révolte des anges

Aujourd'hui, l'ombre qui souligne s'appelle tempérament. « Le tempérament est une loi de Dieu gravée dans le cœur de chaque créature de la main même de Dieu. Nous devons lui obéir et nous lui obéirons en dépit de toute restriction ou interdiction d'où qu'elles émanent [1]. »

Cette définition du tempérament a été donnée par Satan lui-même, en 1909, quand il l'a dictée à l'ironique Mark Twain. À cette époque, les descriptions scientifiques

---

1. TWAIN M., « Letters from Earth. What is Man, and Other Philosophical Writings », in : LIEBERMAN A., 1997, *La Vie émotionnelle du tout-petit*, Odile Jacob, p. 70.

avaient pour enjeu idéologique de renforcer les théories fixistes, celles qui disent que tout est pour le mieux, que chacun est à sa place et que l'ordre règne. Dans un tel contexte social, la notion satanique de destin prenait alors un masque scientifique.

L'histoire du mot « tempérament » a toujours eu une connotation biologique, même à l'époque où la biologie n'existait pas encore. Hippocrate, il y a 2 500 ans, déclarait que le fonctionnement d'un organisme s'expliquait par le mélange en proportions variables des quatre grandes humeurs, le sang, la lymphe, la bile jaune et la bile noire, chacune tempérant l'autre[2]. Cette vision d'un homme carburant à l'humeur a connu un tel succès qu'elle a fini par empêcher toute autre conception de la machine humaine. Tout phénomène étrange, toute souffrance physique ou mentale, s'expliquaient par un déséquilibre des substances qui baignaient l'intérieur des hommes. Cette image d'un être humain consommant de l'énergie liquidienne s'étayait en fait sur la perception de l'environnement physique et social de l'époque. L'eau, qui donnait la vie, répandait aussi la mort par souillure ou empoisonnement. Les sociétés hiérarchisées plaçaient en haut de l'échelle leur souverain, au-dessus des hommes, tandis que tout en bas « les cultivateurs et manœuvres, souvent esclaves, victimes désignées par leurs origines modestes[3] » souffraient sans cesse et mouraient de la variole, de la malaria, d'accidents et d'affections intestinales. Puisque l'ordre régnait et qu'il était moral, ceux qui se retrouvaient en bas de l'échelle sociale, pauvres et malades, devaient avoir commis de bien lourdes fautes ! La maladie-châtiment existait avant le judéo-christianisme. On

---

2. PICHOT P., 1997, « Tempérament », in : PÉLICIER Y., BRENOT P., Les Objets de la psychiatrie, L'Esprit du temps, p. 611-612.
3. SOURNIA J.-C., 1991, Histoire de la médecine et des médecins, Larousse, p. 34.

en trouve des traces en Mésopotamie dans les premiers textes médicaux assyriens.

L'équilibre des substances constitue le premier temps
d'une démarche médicale effectuée aussi bien par les Grecs,
les Arabes ou les brahmanes succédant aux prêtres
védiques. Ces balbutiements médicaux et philosophiques
attribuaient à certains sucs ingérés ou produits par le corps,
le pouvoir de provoquer des émotions [4]. Erasmus Darwin, le
grand-père de Charles au XVIIIe siècle, en était tellement per-
suadé qu'il avait inventé une chaise qui tournait à grande
allure afin de chasser hors des cerveaux déprimés les
humeurs mauvaises [5]. Philippe Pinel, étonnamment
moderne, « estimait que non seulement l'hérédité, mais
aussi une éducation défectueuse, pouvaient causer une
aberration mentale, de même que les passions excessives,
telles que la peur, la colère, la tristesse, la haine, la joie et
l'exaltation [6] ».

Cette idéologie de la substance qui traverse les époques
et les cultures n'exprime qu'une seule idée : nous, petits
êtres humains, sommes soumis à l'influence de la matière.
Mais un Grand quelqu'Un commande aux éléments solides.
Ce que nous voyons dans nos campagnes, nos châteaux, nos
hiérarchies sociales et nos humeurs est une preuve de sa
volonté.

Le mot « tempérament » a donc des significations différentes selon les contextes technologiques et institutionnels. Chez les Assyriens et les Grecs, sa signification était
proche de notre mot « humeur ». Chez les révolutionnaires
français, il voulait dire : « émotion façonnée par l'hérédité et
l'éducation ». Quand le XIXe siècle parlait de « tempérament
romantique », il évoquait en fait une délicieuse soumission

---

4. ALEXANDER F. G., SELESNICK S. T., 1972, *Histoire de la psychiatrie*,
Armand Colin, p. 40.
5. *Ibid.*, p. 127.
6. *Ibid.*, p. 131.

aux « lois » de la Nature, justifiant la cruelle hiérarchie sociale de l'industrie galopante.

Aujourd'hui, le mot « tempérament » a évolué. Dans notre contexte actuel, où les généticiens réalisent des performances stupéfiantes, où l'explosion des technologies construit une écologie artificielle, où les études neuropsychologiques démontrent l'importance vitale des interactions précoces, le mot tempérament prend un sens encore une fois nouveau.

Les Américains ont dépoussiéré le concept en le mettant au goût de nos récentes découvertes[7]. Mais quand le mot anglais *temperament* est traduit en français par « tempérament », c'est un « presque faux ami », ce qui est pire qu'un faux ami puisqu'on s'en méfie encore moins. Pour traduire vraiment l'idée anglo-saxonne de tempérament, nous devrions parler de dispositions tempéramentales, de tendances à développer sa personnalité d'une certaine manière. C'est un « comment » du comportement, bien plus qu'un « pourquoi », une manière de se construire dans un milieu écologique et historisé, bien plus qu'un trait inné[8].

Aujourd'hui, quand on parle de tempérament, on évoque plutôt un « affect de vitalité[9] », une disposition élémentaire à éprouver les choses du monde, à exprimer sa rage ou son plaisir de vivre. Ce n'est plus un destin ou une

---

7. Thomas A., Chess S., Birch H., 1968, *Temperament and Behavior Disorders in Children*, New York University Press.
8. *Temperament* : – Pour *The Oxford Guide to the English Language* : « person's nature as it controls its behaviour ».
– Pour *Oxford Advanced Learners* : « person's nature as it affects the way he thinks, feels and behaves ».
– Mais dans le langage courant :
– Pour *Harrap's* : *Temperament* = humeur ; *Temperamental* = capricieux ; *To be in a temper* = être en colère.
– Pour *Collins* : « Person's disposition ; Having changeable mood ; Erratic and unreliable » ; Disposition = « desire or tendency to do something ».
9. Stern D., 1989, *Le Monde interpersonnel du nourrisson : une perspective psychanalytique et développementale*, PUF.

soumission aux « lois » de la Nature, inventée par des industriels fixistes. C'est une force vitale informe qui nous pousse à rencontrer une chose, une sensorialité, une personne ou un événement. C'est la rencontre qui nous forme quand on affronte l'objet auquel on aspirait.

Depuis que Satan ne mène plus le bal des idées, il a entrepris une psychothérapie parce que son concept de base est à revoir, et c'est très dur pour lui.

La triste histoire du spermatozoïde de Laïos et l'ovule de Jocaste

Bien sûr que les déterminants génétiques existent ! Quand le spermatozoïde de Laïos a pénétré l'ovule de Jocaste, ça ne pouvait pas donner n'importe quoi. Seul un être humain pouvait en naître. Dès le départ, il y a une limitation de nos potentiels : un enfant ne peut que devenir humain. Œdipe n'aurait jamais pu devenir une mouche drosophile ou un chevalier-gambette. Mais condamné à être humain, il aurait pu ne jamais être abandonné, ne jamais épouser Jocaste, ne jamais rencontrer l'oracle de Thèbes, ce qui fait qu'il ne se serait jamais crevé les yeux. À chaque rencontre de son existence tragique, un autre destin était jouable. Seuls les mythes composent des récits déterministes. Dans le réel chaque rencontre est une bifurcation possible.

L'expression « programme génétique » qu'on entend chaque jour n'est pas idéologiquement neutre. Cette métaphore informatique, un peu trop rapidement proposée par un grand biologiste, Ernst Mayr [10], ne correspond déjà plus aux données actuelles. Cette métaphore abusive est dis-

---

10. MAYR E., 1961, « Cause and Effect in Biology », *Science,* n° 134, p. 1501-1506.

crètement remplacée par celle d' « alphabet génomique » moins trompeuse, mais qui n'autorise quand même pas à penser qu'on pourrait comprendre la Bible, simplement en recensant les lettres qui la composent[11]. En fait, l'incroyable aventure du clonage nous apprend qu'une même bandelette d'ADN[12] peut se taire, ou s'exprimer différemment selon le milieu cellulaire dans lequel on la place.

À coup sûr, les déterminants génétiques existent puisqu'on décrit actuellement sept mille maladies génétiques. Mais ils ne « parlent » que lorsque les erreurs héréditaires empêchent la poursuite des développements harmonieux. Les déterminants génétiques existent, ce qui ne veut pas dire que l'Homme soit déterminé génétiquement.

Dans la phényl-cétonurie, deux parents sains peuvent transmettre un gène porteur d'une incapacité à dégrader la phénylalanine. Quand l'enfant reçoit ces deux gènes rassemblés, il souffre d'un retard de développement parce que son cerveau altéré ne parvient pas à extraire les informations de son milieu. L'idéal consisterait à remplacer le gène défectueux pour rétablir le métabolisme[13]. En attendant, Robert Guthrie a proposé d'adopter un régime dépourvu de phénylalanine. Rapidement, le cerveau de l'enfant redevient clair et quelques années plus tard, son corps a acquis des métabolismes compensatoires qui permettent de dégrader la phénylalanine. L'enfant reprend alors un développement normal.

---

11. ATLAN H., 1999, *La Fin du « tout génétique », vers de nouveaux paradigmes en biologie*, INRA Éditions, p. 24.
12. Assemblage de molécules très simples de protéines qui constituent les chromosomes et dont les séquences déterminent le transport de l'hérédité.
13. PLOMIN R., DEFRIES J., MC CLEARN G., RUTTER M., 1999, *Des gènes au comportement. Introduction à la génétique comportementale*, De Bœck Université.

Cet exemple disqualifie le stéréotype : « Si c'est inné, il n'y a rien à faire. Mais si le trouble est d'origine culturelle, nous pouvons le combattre. » Une altération métabolique est souvent plus facile à corriger qu'un préjugé.

Parmi les milliers de maladies héréditaires qui correspondent à ce schéma, une illustration typique nous est fournie par le syndrome de Lesch-Nyhan : les gènes ne codent plus la synthèse d'une enzyme qui dégrade l'acide urique. Les enfants qui en souffrent sont petits, vifs, et leurs muscles se spasment à la moindre émotion. Leur retard mental est net. Mais ce qui les caractérise, c'est leur aptitude aux réactions violentes, contre les autres et contre eux-mêmes. Le seul cas que j'ai eu à voir agressait toutes les personnes qui passaient près de lui, et s'était mangé la lèvre inférieure quand on l'avait immobilisé.

La trisomie 21 (« mongolisme ») décrite par Down en 1866, année de la publication des « petits pois » de Mendel, est attribuable à la présence d'un chromosome supplémentaire avec ses milliers de gènes. Au moment de l'assemblage des chromosomes maternels et paternels, un chromosome supplémentaire reste collé sur la 21e paire. Ce codage modifié entraîne un développement particulier. La morphologie est typique : un crâne rond, un cou court, une grosse langue, un épicanthus (repli de la paupière supérieure sur le coin interne, que l'on trouve normalement chez les Asiatiques) et un pli palmaire manquant.

Chez les souris, on a signalé une trisomie provoquant des troubles analogues. Et chez le singe, quand la mère est âgée, les trisomies ne sont pas rares [14]. Mais ce qui est frappant, c'est que la conséquence relationnelle de ces anomalies génétiques est totalement différente. Les animaux qui manifestent un syndrome de Lesch-Nyhan sont si violents

---

14. ANTONARAKIS, S.E., 1998, « 10 Years of Genomics, Chromosome 21, and Down Syndrom », *Genomics*, jul. 1, 51, p. 1-16.

que leur espérance de vie est brève. Ils se blessent ou sont tués lors d'une bagarre parce que leur propre violence provoque les réponses violentes du groupe. Alors que dans les trisomies chez les singes, le scénario interactionnel est totalement différent. La tête ronde des petits, leur gros bedon, leurs gestes doux et maladroits et leur retard de développement déclenchent chez les adultes des comportements parentaux. La mère accepte une très longue et lourde dépendance de l'animal trisomique. D'autres femelles viennent l'aider et « même les singes non apparentés à sa famille toilettent le petit deux fois plus souvent que ses pairs [15] ».

Même quand l'anomalie génétique est majeure, un gène doit obtenir une réponse de l'environnement. Cette réaction commence dès le niveau biochimique et se poursuit comme une cascade jusqu'aux réponses culturelles.

Grâce à nos progrès, nous avons évolué de la culture de la faute à la culture du préjudice

Dans les cultures de la faute, tout malheur, toute souffrance prenait la signification d'un péché. Mais l'acte coupable, qui condamnait à la maladie, contenait en lui-même son propre remède : une contre-action, un rituel expiatoire, une autopunition, un sacrifice rédempteur, le rachat de la faute par l'argent ou le dévouement. Le récit culturel de la faute ajoutait de la souffrance aux souffrances, mais produisait de l'espoir par le rachat possible et sa signification morale. La culture soignait ce qu'elle avait provoqué. Alors que dans les cultures où les progrès techniques ne donnent la parole qu'aux hommes de l'art, les individus ne sont plus

---

15. Waal F., de, 1997, *Le Bon Singe*, Bayard, p. 66-67.

la cause de leurs souffrances ni de leurs actions réparatrices. C'est l'expert qui doit agir et si je souffre, c'est sa faute ! C'est qu'il n'a pas bien fait son métier. La culture du péché offrait une réparation possible par l'expiation douloureuse, alors que la culture technologique demande à l'autre de réparer. Nos progrès nous ont fait passer de la culture de la faute à la culture du préjudice [16].

L'âge des pestes de l'Europe médiévale illustre clairement comment fonctionnaient les cultures de la faute. Au cours du XIIe siècle, l'apparition des *trobars* (troubadours) témoigne d'un changement de sensibilité dans les rapports entre les hommes et les femmes. Il ne s'agit plus d'exclure les femmes et de les exploiter, mais d'établir avec elles des rapports amoureux. L'amour chevaleresque, aristocratique et galant gagne le cœur de la dame après des joutes physiques. Et l'amour courtois propose une mystique de la chasteté où, pour lui prouver qu'on l'aime, on doit quitter la dame au lieu de lui sauter dessus [17].

Dans le contexte technique de cette époque, l'intelligence n'est pas une valeur culturelle. « C'est une vertu secondaire, une vertu de dame. » La valeur prioritaire, celle qui organise la société et permet de surmonter les souffrances quotidiennes, c'est une « vertu masculine, être bien fait de ses membres et dur au mal [18] ». On peut penser que dans un contexte où la seule énergie sociale est fournie par les muscles des hommes et des bêtes, la valeur adaptatrice consiste à surmonter la souffrance physique. Force et brutalité valent mieux que madrigaux. Pourtant, à la même époque, la langue d'Oc met au monde la littérature et les chansons qui gagnent l'Occident, témoignant ainsi de

---

16. SALOMON J.-J., 1999, *Survivre à la Science – Une certaine idée du futur*, Albin Michel, p. 248.

17. SENDRAIL M. (dir.), 1980, *Histoire culturelle de la maladie*, Privat, p. 21.

18. NELLI R., 1963, *L'Érotique des troubadours*, Privat.

l'apparition d'un nouveau mécanisme de défense : mettre en mots jolis nos désirs et nos peines.

Si bien que lorsque apparaît l'âge des pestes, la première hécatombe du XIVe siècle, les mécanismes de défense s'organisent en deux styles opposés. L'un consiste à « évoquer les saints protecteurs, saint Sébastien ou saint Roch patron des pestiférés [pour] se livrer à la pénitence [...] défiler en processions démentes de flagellants [...] et de préconiser en unique remède, le repentir des fautes qui justifiaient le courroux divin [19] ». Et l'autre consiste à jouir vite avant la mort. Boccace raconte qu'à Raguse, des groupes inspirés de troubadours « aiment mieux s'adonner à la boisson, comme aux jouissances, faire le tour de la ville en folâtrant et, la chanson aux lèvres, accorder toute satisfaction à leurs passions [20] ». Le mouvement est lancé : il faut exprimer ses souffrances sous forme d'œuvres d'art, coûte que coûte. Et quand la syphilis apparaîtra à la fin du XVIe siècle, Francisco Lopez de Villalobos décrira parfaitement la maladie cutanée et sa contagiosité, mais c'est en 76 strophes de 10 vers qu'il publie à Salamanque cette sémiologie inquiétante.

Les hommes de l'âge des pestes n'avaient pas assez de connaissances pour agir sur le réel comme le permet la médecine d'aujourd'hui. Mais la culture de la faute leur permettait d'agir sur la représentation du réel, grâce à l'expiation et à la poésie.

Il y a dix ou quinze ans, certains grands noms de notre discipline affirmaient que les enfants n'avaient jamais de dépression et qu'on pouvait réduire leurs fractures ou arracher leurs amygdales sans les anesthésier puisqu'ils ne souffraient pas ! D'autres médecins ont pensé qu'il était

---

19. Sendrail M., *Histoire culturelle de la maladie*, op. cit., p. 228.
20. *Ibid.*, p. 324.

nécessaire d'atténuer leurs souffrances [21]. Mais la technique souvent efficace des médicaments, des stimulations électriques et des infiltrations a donné le pouvoir aux experts de la douleur. Alors aujourd'hui, quand une infirmière décolle un pansement en provoquant une douleur, quand une migraine ne disparaît pas assez vite ou quand un geste de petite chirurgie déclenche un lancement, l'enfant et ses parents regardent sévèrement le technicien et lui reprochent la douleur. Il n'y a pas si longtemps, quand un enfant gémissait, c'est à lui qu'on reprochait de ne pas être un homme, et c'est lui qui avait honte. Hier, la douleur prouvait la faiblesse du blessé, aujourd'hui, elle révèle l'incompétence du technicien [22].

En soi la douleur n'a pas de sens. C'est un signal biologique qui passe ou est bloqué. Mais la signification que prend ce signal dépend autant du contexte culturel que de l'histoire de l'enfant. En attribuant un sens à l'événement de douleur, il en modifie l'éprouvé. Or, le sens est constitué de signification autant que d'orientation.

On peut comprendre comment la signification que nous attribuons à un objet ou à un événement nous est donnée par le contexte, en prenant l'exemple de la pilule anticonceptionnelle. Le blocage de l'ovulation a été découvert très tôt et aurait pu être commercialisé dès 1954. Mais à cette époque, le simple fait d'affirmer qu'on pouvait bloquer l'ovulation chez les femmes parce que les chercheurs de l'INRA [23] avaient réussi l'expérience chez les vaches et les brebis provoquait des réactions indignées. J'ai même le sou-

---

21. GAUVAIN-PICARD A., MEINIER M., 1993, *La Douleur de l'enfant*, Calmann-Lévy.
22. ANNEQUIN D., 1997, « Le paradoxe français de la codéine, et Bibliographie sur la douleur des nouveau-nés », *in* : *La Lettre de PERIADOL*, n° 4, novembre.
23. Institut national de la recherche agricole.

venir de femmes révoltées par la notion d'hormones qui donnait une image honteuse des êtres humains.

Il a fallu agir sur le discours social et le faire évoluer, afin qu'en 1967, la pilule devienne légale. Dans ce nouveau contexte, la maîtrise de la fécondité a pris la signification d'une révolution des femmes. Leur ventre n'appartenant plus à l'État, elles pouvaient libérer leur tête et tenter l'aventure de l'épanouissement personnel.

Trente ans plus tard, la pilule a encore changé de signification. Cet objet technique apparaît dans le monde des adolescentes quand les mères commencent à leur en parler. Dans cette nouvelle relation, la pilule signifie l'intrusion maternelle. Les filles disent : « Ma mère veut tout contrôler, elle se mêle de mon intimité. » Dans cette relation-là, c'est le rejet de la pilule qui signifie une tentative d'autonomie et de rébellion contre la puissance maternelle. Cela explique que le nombre d'avortements chez les adolescentes n'ait pratiquement pas diminué. Pour qu'il se réduise, il faudrait attribuer une autre signification à la pilule, par exemple en la faisant expliquer par une grande sœur, une initiatrice, une infirmière, un confident extérieur à la famille et qui n'aurait pas de rapports d'autorité.

En changeant de contexte relationnel et social, on change la signification attribuée à la pilule : en 1950, elle voulait dire « les femmes sont des vaches » ; en 1970, elle signifiait « les femmes sont des révolutionnaires » ; et en 2000, elle affirme « les mères sont envahissantes ».

Comment les fœtus apprennent à danser

C'est de cette manière que nous aborderons le concept du nouveau tempérament. Si l'on admet qu'un objet, un comportement ou un mot prend une signification qui dépend de son contexte, alors ce tempérament-là sera sensé !

Le tempérament, c'est un comportement bien sûr, mais c'est un « comment » du comportement, une manière de prendre place dans son milieu. Ce style existentiel, dès ses premières manifestations est déjà façonné. La biologie génétique, moléculaire et comportementale est modelée par les pressions du milieu qui sont une autre forme de biologie. Mais cette biologie-là vient des autres humains, ceux qui nous entourent. Et leurs comportements adressés à l'enfant constituent une sorte de biologie périphérique, une sensorialité matérielle qui dispose autour du petit quelques tuteurs, le long desquels il aura à se développer. Le plus étonnant, c'est que ces circuits sensoriels, qui structurent l'alentour de l'enfant et tutorisent ses développements, sont construits matériellement par l'expression comportementale des représentations de ses parents. Si l'on pense qu'un enfant est un petit animal qu'il faut dresser, on lui adressera des comportements, des mimiques et des mots qui seront ordonnés par cette représentation. Si au contraire on pense que les contraintes de notre enfance nous ont rendus tellement malheureux qu'il faut ne rien interdire à un enfant, c'est un milieu sensoriel totalement différent qu'on organisera autour de lui. Ce qui revient à dire que l'identité narrative des parents provoque un sentiment dont l'émotion s'exprime par des comportements adressés à l'enfant. Ces comportements, sensés par l'histoire parentale, composent l'alentour sensoriel qui tutorise les développements de l'enfant.

Dès les dernières semaines de la grossesse, le fœtus n'est déjà plus un récipient passif. C'est un petit acteur qui va chercher dans son milieu les tuteurs qui lui conviennent. Pour analyser un tempérament, il faudra donc décrire une spirale interactionnelle où le nourrisson, déjà rendu sensible à certains événements sensoriels, se développe de manière préférentielle le long de ces tuteurs. Il se trouve que, matériellement composés par les comportements adressés à l'enfant, la forme de ces tuteurs s'explique par l'histoire parentale.

Ce nouveau modèle de tempérament risque de surprendre puisqu'il lie deux phénomènes de natures différentes : la biologie et l'histoire. On peut simplifier cet exposé théorique en une seule phrase : faire naître un enfant n'est pas suffisant, il faut aussi le mettre au monde [24].

« Le faire naître » décrit les processus biologiques de la sexualité, de la grossesse et de la naissance. « Le mettre au monde » implique que les adultes disposent autour de l'enfant les circuits sensoriels et sensés qui lui serviront de tuteurs de développement et lui permettront de tricoter sa résilience. C'est ainsi que nous pourrons analyser le maillage au cours de la croissance du petit et de l'échafaudage des tempéraments lors des interactions précoces.

Personne ne penserait à faire commencer l'histoire d'un bébé le jour de sa naissance. « Le fœtus ne constitue pas la préhistoire, mais le premier chapitre de l'histoire d'un être et de l'établissement mystérieux de son narcissisme primaire [25]. » Or, cette histoire commence par un processus totalement a-historique : la génétique, suivie par le développement biologique des cellules et des organes. Depuis quelques années, nos capteurs techniques, comme l'échographie, nous ont permis d'observer comment, dès les dernières semaines de la grossesse, les bébés personnalisent leurs réponses comportementales. Il y a longtemps qu'on faisait cette hypothèse, mais ce n'est que récemment qu'on a pu y répondre : « La vie intra-utérine et la première enfance

---

24. DARU M.-P., 1999, *Collège méditerranéen des libertés*, Toulon.
25. SOULÉ M., *in* : Journées COHEN-SOLAL J., *Les Différences à la naissance*, Paris, 6 juin 1998.

sont beaucoup plus comprises dans une connexion de continuité que ne le ferait croire la césure impressionnante de l'acte de naissance [26] », disait Freud, au début du siècle passé.

Aujourd'hui, l'échographie permet de soutenir que les dernières semaines de la grossesse constituent le premier chapitre de notre biographie [27]. L'observation naturelle de la vie intra-utérine enfin rendue possible grâce à un artifice technique !

Le développement intra-utérin des canaux de communication sensoriels est maintenant bien établi [28]. Le toucher constitue le canal primordial dès la septième semaine. Le goût et l'odorat, dès la onzième semaine, fonctionnent comme un seul sens quand le bébé déglutit un liquide amniotique parfumé par ce que mange ou respire la mère [29]. Mais dès la vingt-quatrième semaine, le son provoque une vibration du corps de la mère et vient caresser la tête du bébé [30]. L'enfant y réagit souvent par un sursaut, une accélération du rythme cardiaque ou un changement de posture. Freud aurait été content d'observer à l'échographie, puis à l'œil nu après la naissance, qu'il y a en effet une continuité du style comportemental. Mais il aurait noté qu'il s'agit d'une acquisition comportementale dont l'effet ne dure que ce que durent les premières pages d'une biographie. Bien d'autres pressions interviendront ensuite pour continuer le façonnement.

---

26. FREUD S., 1926, *Inhibition, symptôme et angoisse*, PUF.
27. SOULÉ M., 1999, « La vie du fœtus, son étude pour comprendre la psychopathologie périnatale et les prémices de la psychosomatique », *Psychiatrie de l'enfant*, XLII, 1, p. 27-69.
28. LECANUET J.-P., 1995, « L'éveil des sens », *Science et vie hors série*, n° 190, mars, p. 124-131.
29. SCHAAL B., 1987, « Discontinuité natale et continuité chimiosensorielle : modèles animaux et hypothèses pour l'Homme », *in* : *Éthologie et naissance*, n° 109, mai 1985, SPPO (Société de prophylaxie obstétricale).
30. CYRULNIK B., 1989, *Sous le signe du lien*, Hachette.

Les hypothèses de la vie psychique prénatale ont toujours provoqué autant d'enthousiasme que de sarcasmes. Aujourd'hui, l'observation est de l'ordre du « Yaca ». Il « n'y a qu'à » s'asseoir dans un fauteuil tandis que le technicien, au cours de la deuxième échographie légale, demande à la mère de réciter une poésie ou de dire quelques mots. Les cassettes analysées par la suite ne retiendront, pour la clarté de l'analyse, que quelques items [31] : accélération du cœur, flexion-extension du tronc, mouvement des membres inférieurs et des membres supérieurs, succions et mouvements de la tête [32]. Il semble bien que chaque bébé manifeste un type de réponse qui lui est propre. Certains préfèrent gambader comme de petits Zidane ; quelques-uns privilégient le langage des mains, les écartant ou les serrant contre leur visage ou leur cœur comme de petits chanteurs ; d'autres répondent à la voix maternelle en suçant leur pouce ; tandis qu'une minorité n'accélère presque pas ses battements cardiaques et reste bras et jambes croisés [33]. Ceux-là pensent probablement qu'ils ont encore six à huit semaines à tirer sans problème dans ce logement utérin et qu'ils ont bien le temps de répondre à ces stupides questions d'adultes.

Les réponses intra-utérines s'adaptent déjà au monde extra-utérin. À la fin de la grossesse apparaissent même des mouvements défensifs qui prouvent que l'enfant sait déjà traiter quelques problèmes perceptuels : il retire la main au contact de l'aiguille d'amniocentèse [34] ou au contraire vient s'appliquer contre la paroi utérine quand le spécialiste de l'haptonomie appuie doucement sur le ventre maternel.

---

31. Item : séquence comportementale définie dans un contexte donné.

32. MORVILLE V., PANTALEO N., LEBERT C., 1999, *Observation du comportement fœtal dans les derniers mois de la grossesse*, Diplôme universitaire d'éthologie, Toulon-Var, juin.

33. GROOME LYNN J., 1995, « Motor Responsivity during Habituation testing of Normal Human Fetuses », *J. Perinal. Med.*, 23, p. 159-166.

34. RUFO M., 2000, *Œdipe toi-même*, Anne Carrière.

Bien avant la naissance, le bébé n'est plus dans sa mère, il est avec elle. Il commence à établir quelques interactions. Il répond à ses questions comportementales, à ses sursauts, ses cris ou son apaisement par des changements de posture et des accélérations cardiaques.

Où l'on voit que la bouche du fœtus révèle l'angoisse de la mère

Il y a vraiment des gens qui ont une forme mystérieuse d'intelligence. Dans les années 1940, René Spitz avait associé l'observation directe des nourrissons avec des expérimentations légères. Parler de face à un bébé provoque son sourire. Tourner la tête en lui parlant ou mettre un masque ne l'amuse pas du tout [35]. Ces observations expérimentales n'excluaient pas le travail de la parole qui donne à la personne une cohérence interne. Comment ce psychanalyste a-t-il fait pour décrire, dès 1958, les comportements du fœtus qu'il ne pouvait pas voir? Comment a-t-il observé le « prototype de l'angoisse [...] l'origine physiologique du développement de la pensée humaine », et comment pouvait-il apprécier l'effet auto-apaisant des comportements de bouche qu'il appelait « cavité primitive [36] »? Cinquante années plus tard, les échographistes confirment sans peine cet effet apaisant. Plus le petit fait des mouvements de bouche, moins son corps s'agite [37]. Il effectue déjà les prototypes comportementaux de lécher, manger, embrasser et

---

35. Spitz R., 1958 (préface d'Anna Freud), *La Première Année de la vie de l'enfant (Genèse des premières relations objectales)*, PUF, p. 14-15.
36. Spitz R., 1959, « La cavité primitive », *Revue française de psychanalyse*, n° XXII.
37. D'Elia A., Pighetti M., Accardo C., Minale M., Di Meo P., 1997, « Stati comportamentali. Studio in utero », *Minerva Ginecol.*, 49, p. 85-88.

parler qui constitueront le tranquillisant efficace qu'il gardera toute sa vie.

On n'est pas encore nés que déjà on se tricote. La mémoire à court terme qui apparaît à ce moment permet les premiers apprentissages. Il s'agit d'une mémoire sensorielle [38], une sagesse du corps en quelque sorte qui retient les informations venues de l'extérieur et donne forme à nos manières de réagir.

Une situation naturelle permet d'observer à l'œil nu comment les fœtus âgés de sept mois et demi acquièrent des stratégies comportementales qui commencent à les caractériser. Quand les prématurés débarquent avec quelques semaines d'avance, on constate qu'ils ne se déplacent pas au hasard dans les couveuses. Presque tous gambadent et roulent sur eux-mêmes jusqu'au moment où ils parviennent à un contact. Certains se calment dès le premier toucher, qui peut être une paroi, leur propre corps, ou une sensorialité venue de l'environnement humain, telle qu'une caresse, une prise dans les bras, ou même très simplement la musique d'une parole. D'autres bébés peu explorateurs bougent à peine, tandis que quelques-uns sont difficiles à calmer. Il semble que les prématurés capables d'aller au contact du toucher qui les tranquillise sont ceux qui ont été portés par une mère paisible. Tandis que les gros pères à peu près immobiles ou les frénétiques difficiles à calmer auraient été portés par des mères malheureuses ou stressées, désirant abandonner l'enfant ou au contraire trop s'en occuper [39].

Un contenu psychique de la femme enceinte pourrait donc agir sur l'état psycho-comportemental du nouveau-

38. BADDELEY A., 1993, *La Mémoire humaine. Théorie et pratique*, Presses universitaires de Grenoble, p. 22-47.

39. MARCHAL G., RESPLANDIN M.-J., 1999, *Acquisition de compétences de recherche d'apaisement chez les bébés prématurés placés en couveuse.* Diplôme universitaire d'éthologie, Toulon, Var.

né ? Formulée ainsi sans explications, la question risquerait d'évoquer le spiritisme, si l'on ne savait que la transmission psychique est matériellement possible. Il suffit d'associer le travail d'une psychanalyste [40] avec les observations comportementales des obstétriciens pour rendre visible que l'état mental de la mère peut modifier les acquisitions comportementales du bébé qu'elle porte.

On a beau dire que la grossesse n'est pas une maladie, elle reste quand même une épreuve. Malgré les progrès inouïs de la surveillance des femmes enceintes, « seulement 33 % des grossesses sont psychiquement saines, 10 % souffrent de troubles émotionnels marqués, 25 % d'une pathologie associée, et 27 % ont eu des antécédents gynéco-obstétricaux responsables d'angoisses [41] ».

Le contenu psychique, euphorisant ou désespéré, est constitué par une représentation mentale qui met en image et en mots, sur la scène intérieure, le bonheur d'enfanter ou sa difficulté. C'est le contexte affectif et social qui peut attribuer un sens opposé au même événement. Si la mère porte l'enfant d'un homme qu'elle déteste ou si le simple fait de devenir mère comme sa mère évoque des souvenirs insupportables, son monde intime sera noir. Or, les petites molécules du stress passent facilement le filtre du placenta. L'abattement ou l'agitation de la mère, son silence ou ses cris composent autour du fœtus un milieu sensoriel matériellement différent. Ce qui revient à dire que les représentations intimes de la mère, provoquées par ses relations actuelles ou passées, baignent l'enfant dans un milieu sensoriel aux formes variables.

---

40. BYDLOWSKY M., 1998, *Existe-t-il des corrélations entre les « contenus psychiques » de la femme enceinte et l'état psycho-comportemental du nouveau-né ?* Journées COHEN-SOLAL J., Paris, 6 juin 1998.
41. *Ibid.*

Quand les stimulations biologiques respectent les rythmes du bébé, elles permettent l'apprentissage des comportements d'apaisement. Mais quand le désespoir maternel vide l'alentour du bébé ou le perfuse avec les molécules du stress, l'enfant peut apprendre à s'engourdir ou à devenir frénétique.

L'histoire de la mère, ses relations actuelles ou passées, participent ainsi à la constitution des traits tempéramentaux de l'enfant à naître ou juste né. Avant le premier regard, avant le premier souffle, le nouveau-né humain est happé par un monde où la sensorialité est déjà historisée. C'est là qu'il aura à se développer.

Faire naître un enfant n'est pas suffisant, il faut aussi le mettre au monde

Pour décrire les premières mailles du tricot tempéramental, il faudra tenir un raisonnement en spirale interactionnelle. Il faut observer ce que fait un bébé (il fronce les sourcils), ce que ça fait dans l'esprit de la mère (« il a mauvais caractère » ou « il se sent mal »), ce qui organise les réponses adressées à l'enfant (« je vais te mater, moi ! » ou « le pauvre, il faut l'aider ! »), ce qui modifie en retour ce que fait le bébé (pleurs ou sourires).

Freud avait déjà tenté un raisonnement en spirale quand il avait associé l'observation directe du « jeu de la bobine » avec les représentations mentales de l'enfant. Quand la bobine s'éloigne l'enfant est étonné, mais quand elle réapparaît, il sourit... « En combinant les deux méthodes on arrivera à un degré suffisant de certitude », disait-il [42].

---

42. Freud S., 1905, *Trois Essais sur la théorie de la sexualité*, Gallimard Idées, 1962.

C'est dans cette optique qu'on peut décrire le « comment » de la première rencontre. Quand un bébé arrive au monde, ce qu'il est à ce moment-là provoque un sentiment dans le monde historisé de la mère. Son apparence physique porte une signification pour elle. Et cette représentation provoque une émotion que la mère exprimera à l'enfant.

Le sexe de l'enfant, bien sûr, est un puissant porteur de représentation. Je pense à cette dame qui venait tout juste de mettre au monde un bébé. Quand le mari, réjoui, est venu dire bonjour à sa petite famille, la mère lui a dit : « Pardon, pardon, je t'ai fait une fille ! » Une telle phrase, et sa formulation, mettait en mots vingt-cinq années d'histoire personnelle, où le fait d'être fille représentait une honte. Et la mère, dans son désir de combler son mari, pensait qu'elle l'humiliait en lui donnant une fille, un être-moins. On peut imaginer que dès la première phrase, le triangle familial venait de se mettre en place. L'enfant aurait à se développer dans un monde sensoriel composé par les comportements que lui adressera une mère imaginairement coupable et qui tiendra à se racheter. Peut-être sera-t-elle trop gentille avec son mari pour se faire pardonner l'humiliation qu'elle croit lui avoir infligée ? Peut-être se transformera-t-elle en mère de devoir, envers ce nouveau-né qui incarnera sa propre honte ? Peut-être laissera-t-elle échapper des gestes et des mots qui signifieront à l'enfant le désespoir d'être fille ? Ce bébé ne sait pas encore qu'il doit devenir demoiselle que déjà il est contraint à se développer en s'adaptant aux gestes et aux mots qui composent son alentour et qui viennent de l'idée que sa mère se fait de la condition des femmes.

Quant au mari, c'est par rapport à ces deux femelles qu'il aura à prendre sa place de père. Selon ses propres représentations de mâle, peut-être sera-t-il d'accord avec sa femme ? Le bébé dans ce cas devra devenir femme dans un contexte chargé de signification de honte. Peut-être le père aura-t-il à cœur de réhabiliter sa femme, et toute femme? Le bébé aura alors à devenir fille dans un contexte sensoriel de gestes, de mimiques et de mots qui véhiculeront une signification fortement sexuée. On peut imaginer que, vingt ans plus tard, la jeune femme qui se sera développée dans un tel milieu, dira : « Ma mère passait son temps à expier sa honte d'être femme en étant trop bonne ménagère. Mes frères étaient servis comme des pachas et mes sœurs étaient exaspérées par ce modèle maternel. Heureusement que mon père nous revalorisait en nous admirant! » On peut entendre aussi : « J'en veux à mon père de ne pas nous avoir aidées à affronter notre mère. »

Chaque foyer met en scène son propre scénario où les représentations de chacun s'associent et jouent ensemble, comme au théâtre, un style familial.

Les traits physiques de l'enfant prennent pour les parents une signification privée qui parle de leur propre histoire. La joliesse du bébé, le potelé de ses joues, la rondeur de son ventre et les petits plis de ses jambes réjouissent la plupart des parents car ces traits physiques signifient qu'ils sont devenus de vrais parents puisqu'ils ont un vrai bébé. Mais cette même joliesse potelée peut prendre une signification totalement opposée quand l'histoire leur a appris la peur de devenir parents.

Il arrive que des mères nient la naissance de l'enfant qu'elles viennent de mettre au monde : « J'ai eu une très forte sciatique... J'avais un fibrome... » Toujours, pour ainsi dire, il s'agit de femmes isolées pour qui la grossesse a pris la signification d'une tragédie : « Si je suis enceinte de cet homme, je vais perdre ma famille et ma vie. » Alors, le déni leur permet de calmer l'angoisse, tandis que leur propre grossesse se déroule à leur insu. Ce conflit, et surtout son mode de résolution qui soulage la femme en l'aveuglant

(« Ne me parlez pas de ma grossesse »), l'empêchent d'acquérir le sentiment de devenir mère.

La plupart du temps, elles le savent, qu'elles viennent de mettre au monde un enfant ! Dès qu'on présente un bébé à ses parents, ils quêtent intensément le moindre indice physique qui permettra d'inscrire le nouveau-né dans sa filiation : « Il a les cheveux de son grand-père... C'est un costaud comme son père... Elle a le nez de ma mère... » Dès le premier coup d'œil, la morphologie parle de la généalogie. Ce récit permet d'accueillir l'enfant et de lui donner sa place dans l'histoire de la famille.

Lors des premiers jours, les traits comportementaux, le « comment » du comportement du nouveau-né prennent une fonction un peu plus personnalisée. « Son style comportemental [...] et la façon dont un bébé se conduit [...] dans les premières semaines après sa naissance, influent sur la manière dont les autres se comportent à son égard[43]. »

Les nouveau-nés ne peuvent pas tomber ailleurs que dans l'histoire de leurs parents

Certains parents ont le bonheur d'accueillir des enfants au tempérament facile. Ces nouveau-nés manifestent dès la naissance des cycles biologiques réguliers et prévisibles[44]. Les parents s'adaptent sans difficulté, ce qui leur permet de ne pas éprouver l'arrivée du bébé comme celle d'un petit tyran. Tout événement nouveau égaye cet enfant qui se réveille en souriant et se calme au moindre contact familier.

Mais la plupart des déterminismes humains ne sont pas définitifs. Cette maille tempéramentale est si facile à trico-

---

43. THOMAS A., CHESS S., BIRCH H.G., 1968, *Temperament and Behavior Disorders in Children*, New York University Press.
44. LIEBERMAN A., 1997, *La Vie émotionnelle du tout-petit*, Odile Jacob, p. 72-77.

ter que beaucoup de parents se sentent libres malgré la présence du nouveau-né. En poursuivant leur intense vie sociale de jeunes gens, ils désorganisent ce départ prometteur. Un enfant trop facile risque de se retrouver seul, ce qui altère la maille suivante. À l'inverse, un petit problème qui contraint les parents à plus de vigilance peut réparer le trouble et améliorer le tissage du lien.

D'autres bébés sont lents, lymphatiques. Ils régressent et se replient devant toute nouveauté. Ce n'est qu'une fois sécurisés qu'ils oseront explorer la nouveauté et reprendre leur développement.

Si ce trait tempéramental s'exprime dans une famille au style existentiel paisible, l'attachement se tricotera lentement et l'enfant se développera bien. En revanche, un même style comportemental dans une famille de sprinters pourra exaspérer les parents impatients : « Allez, remue-toi ! » En effrayant l'enfant, ces parents-là aggraveront sa lenteur.

Les nourrissons difficiles représentent 5 % de la population des nouveau-nés. Toujours de mauvaise humeur, au réveil grincheux, ils protestent devant tout changement et quand il n'y en a pas, ils se sentent mal. À peine consolés, ils épuisent leurs parents. Ce tempérament est certainement le résultat d'un tissage anténatal pénible. Comme tous les traits de comportement, il sera interprété par les parents. S'ils vivent dans des conditions sociales et affectives qui leur laissent une grande disponibilité, si leur sens de l'humour leur permet de dédramatiser cette épreuve réellement fatigante ou de s'entraider suffisamment pour se reposer, en quelques mois le tempérament difficile se calmera et l'enfant sécurisé changera de style comportemental. Mais selon leur propre contexte ou leur propre histoire, les parents ne parviennent pas toujours à surmonter cette épreuve.

Un père épuisé par ses conditions de travail ou attristé par la signification que prend l'enfant (« Il m'empêche d'être heureux, de voyager, de poursuivre mes études »), une mère emprisonnée par ce petit tyran, éprouvent ses hurlements nocturnes ou son caractère grincheux comme une intention persécutrice. Épuisés et déçus, ils se défendent en agressant l'agresseur qui, insécurisé, hurle et grinche encore plus.

Les enfants trop actifs se lancent sur tout ce qui peut faire événement. Dès qu'ils savent ramper, ils font tomber les nappes, ils mettent les doigts dans les trous dangereux, ils se jettent sans crainte dans les marches d'escalier. Quelques années plus tard, ils provoquent le rejet de leur entourage. À l'école où la contrainte à l'immobilité est immense, ils sont désadaptés, ce qui explique leur mauvais pronostic social. Mais dans un autre contexte, à la campagne ou à l'usine, où la motricité possède une valeur adaptative, cette frénésie d'action en fait des compagnons entourés.

L'organisation culturelle intervient très tôt dans la stabilisation d'un trait tempéramental. En Chine, quand la vie du foyer est paisible, ritualisée et imperturbable, les tout-petits se stabilisent tôt. Alors qu'aux États-Unis, les parents remuants et sonores alternent l'ouragan de leur présence avec le désert de leurs départs répétés. Les enfants s'y adaptent en mettant en place des traits comportementaux qui alternent la frénésie d'action avec le gavage, par les yeux et par la bouche, pour combler le vide de leur désert affectif [45].

Les stratégies de socialisation se différencient très tôt. Un trait tempéramental imprégné dans le bébé avant et après sa naissance doit rencontrer une base de sécurité parentale. C'est sur cette rencontre que s'échafaude le premier étage du style relationnel.

---

45. Kagan J., 1979, « Overview : Perspectives on Human Infancy », *in* : Osofsky J. D. (éd.), *Handbook of Infant Development*, New York, Wisey.

La base de départ repose sur un triangle. Le nouveau-né ne sait pas encore qui est lui-même et qui ne l'est pas, puisqu'à ce stade de son développement, un bébé est ce qu'il perçoit. Or, dans son premier monde, il perçoit un géant sensoriel, une base de sécurité que nous appelons « mère », autour de laquelle gravite une autre base moins prégnante que nous appelons « père ». C'est dans ce triangle que tout nouveau-né reçoit les premières empreintes du milieu et découvre qui il est grâce aux premiers actes qu'il y effectue. Ce bébé sous influence habite les rêves et les cauchemars de ses parents. C'est l'association de leurs mondes intimes qui dispose autour de l'enfant le monde sensoriel des tuteurs de développement.

Quand Carmen est arrivée au monde, elle avait déjà été un peu ébranlée par les épreuves médicales de sa mère qui avait beaucoup souffert et avait dû rester allongée pendant toute sa grossesse. « Dès que je l'ai vue, je me suis dit " je voudrais la garder petite ". » À la même époque, le père avait frôlé la faillite. Or, un tel échec social l'aurait à nouveau soumis à sa femme qui avait un bon niveau universitaire, alors que lui n'avait eu que son courage pour monter une entreprise. Psychologiquement, sa réussite l'avait mis à égalité avec sa femme, mais la faillite possible risquait de le soumettre à nouveau. Aussi, quand le bébé est arrivé et que la mère, fatiguée, a eu du mal à s'en occuper, le père a rétabli l'équilibre compromis en s'emparant du nouveau-né. Les témoins disaient : « Quel gentil papa-poule. Il aide sa femme malgré ses difficultés financières. » En fait ce comportement paternel signifiait à la mère : « Tu n'es même pas capable de t'en occuper. Je vais te montrer, moi, ce qu'il faut faire. Tu n'as qu'à te soigner. » Elle fut très étonnée de l'hostilité qu'elle ressentait soudain pour ce bébé qui lui prenait son mari et faisait naître en elle un sentiment d'incompétence. « Je ne sais pas pourquoi Lucien (mon premier) a été si facile à élever. Ce bébé m'avait donné confiance en moi, alors que Carmen me rend vulnérable. »

Les acteurs du triangle mettent en scène des scénarios toujours différents qui composent des milieux bien dessinés, s'imprègnent dans la mémoire de l'enfant et constituent l'échafaudage le long duquel le tempérament de l'enfant construit l'étage suivant.

Quelques exemples d'échafaudages : « Je ne voulais pas de cet enfant. Je l'ai fait pour mon mari. Dès qu'il l'a vu, il a tourné les talons et s'est enfui comme un voleur. La veilleuse de nuit a dû le rattraper... Alors, tout a basculé, j'ai voulu fracasser la tête de ma fille. Il m'en a empêché. » Vingt ans plus tard, le mari tourne encore les talons, définitivement cette fois-ci, abandonnant la mère et la fille, devenues délicieusement complices.

« Le premier jour a été merveilleux, me dit une autre dame. Mais dès que je suis rentrée chez moi, j'ai compris qu'à cause de cet enfant, je ne pourrais jamais quitter mon mari. Je n'ai aimé ma fille que quelques jours. » Dix ans plus tard, la fillette décore toute la maison avec des dessins et des déclarations d'amour à sa mère.

« Marietta a toujours cherché à me rabaisser. Quand elle était bébé, elle refusait mon sein mais prenait le biberon en souriant dans les bras de son père. J'étais jalouse d'elle. Je n'arrivais pas à me rapprocher. » Aujourd'hui, la grande fille ne rate pas une occasion d'humilier sa mère.

« Je veux le bébé pour moi seule. Je déteste les hommes. Je rêve d'être enfermée avec ma fille. On serait seules ensemble. » Cinq ans plus tard, la fusion est extrême. La mère pleure quand la fillette a un rhume et l'enfant refuse d'aller à l'école craignant que sa mère meure en son absence.

Les scénarios sont infinis. La scène du théâtre familial est composée par les récits de chacun, les histoires antérieures à la rencontre, puis le contrat inconscient du couple et sa modification à l'arrivée de l'enfant.

Cet ensemble de récits, pas toujours harmonieux, constitue le champ de pressions gestuelles et verbales qui façonne l'enfant. Le sens que les parents attribuent au bébé s'enracine dans leur propre histoire, comme une sorte d'animisme qui attribuerait à l'enfant une âme venue de leur passé d'adultes. Mais les histoires ne cessent de se remanier sous l'effet du surgissement toujours imprévu des événements. Et un risque vital peut se transformer en force. Évangélia s'est écriée en 1923, voyant sa fille à la maternité du Flower Hospital de New York : « Emmenez-la, je ne veux pas la voir ! » Cette phrase exprimait son désespoir d'avoir quitté la Grèce et d'être seule à New York. Son mari, abattu, avait oublié d'enregistrer l'enfant au bureau d'état civil. Les premières années du développement de la petite Maria ont été difficiles, la rendant lente et fragile à cause de son isolement affectif. Quelques décennies plus tard, elle devenait la souveraine Maria Callas, dont le talent et la personnalité ont bouleversé l'art lyrique [46].

Les altérations initiales dues au malheur des parents, l'histoire difficile de leur couple et de leur passé personnel, expliquent certainement la compensation boulimique de la jeune Maria qui devait ainsi combler son vide affectif. Mais plus tard, la rencontre avec le milieu de l'opéra, en la comblant d'une autre manière, a ajouté un autre déterminant qui lui a donné une étonnante volonté de travailler et de maigrir.

---

46. ALLEGRI R., 1995, *La Véritable Histoire de Maria Callas*, Belfond.

Quand le cadre du nouveau-né est un triangle parental

La tendance actuelle n'est plus d'expliquer les troubles par des causalités linéaires et irréversibles du genre : « Il est devenu obsessionnel parce que sa mère à l'âge de huit mois le mettait sur le pot violemment. » On penserait plutôt que le phénomène observé est le résultat d'une cascade de déterminants : « Quand sa mère l'a mis sur le pot violemment à l'âge de huit mois, il avait déjà un tempérament particulier car il agressait ses figures d'attachement. Comme il n'avait pas d'autre attachement possible puisque son père était heureux de s'absenter, l'enfant n'a pas pu échapper à cette violence éducative. Alors, il s'est opposé à sa mère en ne se laissant pas aller sur le pot. »

Ce genre de raisonnement systémique permet l'observation directe de ce qui se passe entre un nourrisson et ses parents et, en l'associant à leur propre histoire, explique les comportements adressés à l'enfant.

Chaque famille réalise un type d'alliance qui compose autour de l'enfant un champ sensoriel particulier tutorisant ses développements. Même s'il est vrai que chaque couple prend un style à nul autre pareil, Élisabeth Fivaz et Antoinette Corboz proposent d'étudier quatre types d'alliance : les familles coopérantes, les stressées, les abusives et les désorganisées [47].

Il ne s'agit plus d'observer la dyade mère-enfant, comme on le fait depuis un demi-siècle, en ajoutant régulièrement qu'il faudrait aussi étudier l'effet du père. L'atti-

---

47. FIVAZ-DEPEURSINGE E., CORBOZ-WARNERY A., 1999, *The Primary triangle. A Developmental Systems View of Mothers, Fathers, and Infants*, Basic Behavioural Science, New York Basic Books, p. 33-53.

tude de ces deux chercheuses consiste plutôt à considérer la famille comme une unité fonctionnelle, un groupe pratique où chaque action de l'un provoque les réponses adaptées de l'autre. Le triangle est donc la situation naturelle du développement de tout être humain. Un poulain, un agneau, dans les jours qui suivent leur naissance, se développent en répondant à des stimulations sensorielles venues du corps de leur mère. Ce corps-à-corps constitue un environnement suffisant pour développer leurs apprentissages. Mais un bébé humain, dès le deuxième-troisième mois, ne vit plus dans un monde de corps-à-corps. Il regarde au-delà et habite déjà un triangle sensoriel où ce qu'il découvre est perçu sous le regard d'un autre. Et ça change tout. Il peut refuser de téter sa mère et prendre en souriant le biberon dans les bras de son père. Et même quand il tète sa mère en face à face, la simple présence de son père modifie ses émotions.

Dans les familles coopérantes, chacun des trois partenaires reste au contact des autres et coordonne ses mimiques, ses mots et ses actes.

Dans les alliances de ce style, les bébés manifestent un tempérament commode : Mike est un bébé de trois mois au tempérament plutôt facile. Après le biberon, sa mère joue avec lui, le touche, lui parle, et Mike dialogue avec elle, en répondant au plus petit mouvement de visage et à la moindre sonorité parolière. C'est souvent le bébé qui donne le signal de la fin de l'interaction, en détournant le regard et en cessant de sourire et de babiller. Sa mère aussitôt perçoit cet indice comportemental et l'interprète en disant : « Hé, bébé, tu ne vas pas pleurer. » Elle regarde son mari, d'un air inquiet. Le père prend l'enfant en disant : « Raconte tes misères à papa ! » et se met à jouer à tirer la langue. Intéressé par ce changement de milieu, Mike s'apaise aussitôt et redevient souriant [48].

---

48. *Ibid.*, p. 36.

Ce triangle sensoriel fonctionne harmonieusement parce que les parents se sentent bien. Après avoir parlé avec eux, on pourrait en déduire que leur propre histoire leur a permis d'attribuer à cet enfant une signification de bonheur. Leur rencontre amoureuse ayant poursuivi leur épanouissement, chacun désire participer à la plénitude de l'autre. Alors, quand arrive la petite épreuve de Mike qui s'apprête à pleurer parce qu'il est fatigué par l'interaction, la mère quête du regard l'aide de son mari, qui intervient à son tour avec plaisir. La résolution du petit chagrin a été rendue facile grâce à la coopération des parents. Ce milieu sensoriel intersubjectif, dans lequel baigne Mike, est le résultat du développement et de l'histoire de ses parents, désireux de passer un contrat d'entraide.

Parfois les couples réalisent une alliance stressée et le scénario interactif prend une forme différente. Quand la petite Nancy s'oppose à sa mère, celle-ci ne tient pas compte des signes que manifeste son mari qui désire intervenir. La résolution du problème incombe à la mère seule. L'interaction prend plus de temps et se déroule sans plaisir. Seule l'exploration du monde intime des parents pourrait nous expliquer pourquoi la mère n'invite pas son mari à entrer dans la danse et pourquoi cet homme reste là, en second plan, alors qu'il aurait pu s'imposer. L'enfant aura donc à se développer dans un milieu composé par une mère crispée et un père en retrait.

Dans les familles collusives, l'alliance se fait au détriment d'un tiers. Dans la même situation d'observation triangulaire, la mère du petit Franckie s'adresse à lui comme on le fait envers un adulte. Plus la mère s'occupe de l'enfant, plus le petit est attiré par son père, le regarde et babille dans sa direction. Quelques explications du mari permettent de comprendre qu'il n'est pas mécontent de ce scénario qui met en scène la compétition parentale. Ça ne lui déplaît pas de penser que c'est lui qui recueille l'affection de l'enfant, alors que c'est elle qui fait le travail. Sa passivité apparente exprime en fait son triomphe secret.

Papa clown et bébé comédien

Quand la mère s'adresse à un bébé de trois mois comme on parle à un adulte, c'est à coup sûr parce qu'elle s'adapte à la représentation qu'elle se fait de son enfant et parce qu'à cause de sa propre histoire, elle souhaite ne pas le rabaisser en le considérant comme un petit. Ceci est un contresens, puisqu'il faut s'adapter au niveau de développement de l'enfant pour le tirer vers le haut, l'élever. Or, quand on parle « bébé » à un nourrisson en exprimant des mimiques exagérées et une étrange musique verbale, le petit, passionné par ces messages caricaturaux, soutient ce style communicationnel composé de super-signaux pendant trois à quatre minutes. Alors que lorsqu'on lui parle « adulte » avec les mimiques et la prosodie caractéristiques d'une personne dans sa culture, le nourrisson ne s'intéresse à une telle rencontre que pendant une seule minute. C'est pourquoi les clowns qui se déguisent en super-signaux avec leur bouche exagérée, leurs couleurs intenses, leurs chapeaux comiques, leurs grandes chaussures, leurs gestes, leurs mimiques énormes et leur étrange musique verbale fascinent plus les enfants qu'un savant commentaire sur le serpent monétaire.

L'autre partenaire de ce ping-pong de gestes et de mimiques faciales, c'est le bébé lui-même qui déclenche tout autant les réponses adultes. Il est étonnant de penser à quel point un simple mouvement des lèvres d'un bébé peut réjouir un adulte pendant plusieurs minutes. L'expression de l'émotion de plaisir du petit va provoquer des réponses qui, en retour, organisent son alentour sensoriel. Un enfant au tempérament grincheux induit un milieu affectif très différent de celui que suscite un nourrisson au tempérament facile [49]. À une différence près, mais elle est fondamentale, c'est que l'adulte qui perçoit une mimique faciale du bébé, attribue à cette perception une émotion qui vient de sa propre histoire. Selon la construction de son propre imaginaire, il peut attribuer aux mimiques faciales d'un bébé grincheux, une émotion de tendresse : « Le pauvre, il faut le secourir ! Le fait que, grâce à moi, il se sente apaisé, me procure un sentiment délicieux. » Ou, au contraire : « Je ne supporte pas ce bébé désagréable. Sa mimique de tristesse m'exaspère car elle signifie qu'il disqualifie tout ce que je fais pour lui. » Chacune de ces interprétations provoque des comportements adressés à l'enfant de formes différentes, tendres ou hostiles. Et c'est à ces comportements que l'enfant devra répondre à son tour. Supposons qu'un nouveau-né exprime son tempérament câlin par une recherche de contact apaisant, de bisous ou de blottissements. C'est l'histoire des parents qui attribuera un sens à ce petit scénario : « Il faut qu'un enfant apprenne à séduire. J'aime éprouver la tendresse que ce comportement provoque en moi. Il est facile à calmer. » D'autres parents attribuent à cette même recherche de contact, une signification différente : « Il fait ça pour me séduire. C'est déjà un petit manipulateur qui tente de m'asservir. Qu'est-ce qu'il croit ce "lèche-pomme" ? » La réponse parentale organise alors un alentour sensoriel de gestes, d'attitudes, de mimiques et de mots qui tisse un autre type de lien. Dans le premier cas, l'enfant dira plus tard « l'affection permet de résoudre tous les conflits », alors que dans le deuxième, il pensera peut-être

---

49. POWER T. G., HILDERBRANDT K.A., FITZGERALD H.E., 1982, « Adult's Responses to Infant Varying Facial Expressions and Perceived Attractiveness », *Infant Behavior and Development*, 5, p. 33-40.

« plus j'aime, plus on me rejette ». Un même trait tempéramental peut ainsi prendre des significations différentes selon les familles. Et dans une même famille, on peut manifester un style comportemental avec un enfant et un autre avec son frère et sa sœur, encourageant la résilience de l'un et la vulnérabilité de l'autre. Cette manière d'envisager le problème permet de comprendre pourquoi certaines mères maltraitent incroyablement un nourrisson et sont adorables avec ses frères et sœurs. Le même raisonnement en spirale interactionnelle s'applique aux pères, à la fratrie et même aux institutions. Un foyer d'accueil constitue, malgré la diversité des gens qui le composent, une véritable « personnalité » dont les murs et les règlements sont la matérialisation. Le comportement d'un enfant, dans un foyer, permettra l'accordage affectif, alors que dans un autre il provoquera le rejet.

Pourtant, malgré la diversité des rencontres et la plasticité des comportements, les variations ne sont pas infinies puisque l'on peut sans peine caractériser les petites personnes et même analyser leur manière d'affronter et de résoudre les problèmes de leur existence.

Le tempérament et le caractère sont deux composantes de la même personne, décrites par la psychologie classique et difficiles à dissocier. Admettons que le tempérament constitue la partie héréditaire et biologique imprégnée dans la personnalité. Il se transforme presque aussitôt en caractère constitué d'attributs, acquis comme un apprentissage [50]. Il faudra donc penser l'attachement comme un système comportemental organisé par tous les partenaires de l'interaction. Le bébé, co-acteur de la relation, y trouve son compte puisque son tempérament, sa manière de se comporter provoquent l'organisation de la niche écologique

---

50. Pelissolo A., 2000, « Utilisation du questionnaire de personnalité », TCI, *Act. Méd. Int. Psychiatrie*, 17, n° 1, p. 15-18.

qui permet sa survie. Les parents y trouvent leur compte puisque la mise au monde de leur enfant participe à la poursuite de leur aventure personnelle. Chacun en s'ajustant à l'autre donne à la famille son étonnante individualité.

Dès que l'impulsion psycho-sensorielle apparaît chez le fœtus, dès que l'organisme devient capable de produire une représentation biologique, de faire revenir en mémoire une information passée, le nourrisson s'imprègne des traits saillants de son milieu, il les apprend, il les incorpore. Désormais, le début de sa vie psychique est organisé par un modèle opératoire interne [51] (un MOI), une manière préférentielle de traiter les informations et d'y répondre [52]. Mais cette préférence est déjà une empreinte du milieu, une courte mémoire, un apprentissage. À peine poussé dans la vie psychique par sa biologie, le nourrisson apprend préférentiellement ce que son milieu lui a appris à préférer !

Si l'on accepte cette expression de « milieu sensoriel sensé », sachant que la sensorialité est composée par les réponses comportementales adressées à l'enfant et que le sens est attribué aux comportements par l'histoire des parents, on pourra alors observer cliniquement comment se tricotent les premières mailles du tempérament. Les gestes et les objets mis en lumière deviennent les saillances environnementales les mieux perçues par les enfants. Ce qui revient à dire que les gestes et les objets sont mis en lumière parce qu'ils ont été sensés par l'histoire des parents. Lors de l'ontogenèse de l'appareil psychique, l'embryon répond d'abord à des perceptions (piqûre, pres

---

51. BOWLBY J., 1969, « Attachment and loss », vol. 1, *Attachment*, New York, Basic Books.
52. BRETHERTON I., 1992, « The Origins of Attachment Theory : John Bowlby and Mary Ainsworth », *Developmental Psychology*, 28, p. 759-775.

sion, bruit de basse fréquence). Puis le fœtus apprend à répondre à des représentations biologiques (mémoire d'images, de sons ou d'odeurs). Enfin, l'enfant qui parle répondra à des représentations verbales. Désormais une souffrance pourra être provoquée ou supprimée par un simple énoncé : « Maman t'a abandonné » ou au contraire : « Ne pleure plus, elle va revenir. »

Aime-moi,
pour me donner la force de te quitter

Cette manière d'aborder le développement de l'attachement permet de comprendre pourquoi les enfants sont contraints à se développer dans les problèmes de leurs parents. Ces modèles opératoires internes (MOI), imprégnés dans la mémoire biologique de l'enfant par la sensorialité sensée de ses parents, constitue ses tuteurs de développement.

L'histoire des idées est curieuse. Dans les années 1940, les psychanalystes René Spitz et John Bowlby avaient eu une « étonnante convergence [53] » d'idées avec l'ornithologue Nikolaas Tinbergen et le primatologue John Harlow. Pour eux, le fait de réaliser des observations directes et de les modifier par de petites variations expérimentales n'empêchait absolument pas l'intimité et l'affectivité du travail de la parole. Nikolaas Tinbergen a donc observé expérimentalement le déclencheur de la becquée du petit goéland par un leurre en carton, tandis que René Spitz déclenchait le sourire du bébé humain avec un masque stylisé. Ces deux chercheurs ont aussi constaté que toute privation d'environnement affectif arrêtait le développement des êtres

---

53. Zazzo R., 1979, *L'Attachement. Colloque imaginaire*, Delachaux et Niestlé.

vivants qui ont besoin d'attachement pour s'épanouir. Dès 1940, Mary Ainsworth soutenait dans sa thèse que « la figure d'attachement agit comme une base de sécurité pour l'exploration du monde physique et social par l'enfant [54] ». Après avoir travaillé quelques années à Londres avec John Bowlby, elle a pu vérifier sur le terrain, en Ouganda, la pertinence de cette théorie. Mais déjà, elle s'étonnait des différences individuelles : chaque bébé avait sa manière d'utiliser sa mère comme base de sécurité pour explorer son milieu [55].

La figure d'attachement (mère, père, ou toute personne qui s'occupe régulièrement de l'enfant), outre sa fonction de protection, permet la mise en place d'un style de développement émotionnel et induit une préférence d'apprentissage [56].

La spirale interactionnelle fonctionne dès les premiers jours : l'enfant va chercher sur sa mère les informations sensorielles (odeur, brillance des yeux, basses fréquences de la voix) dont il a besoin pour constituer un sentiment de familiarité. À peine sécurisé, il explore l'alentour. Mais sa manière d'explorer dépend de la manière dont sa mère a répondu à sa quête de familiarité.

En moins de trois mois, le nourrisson aura acquis une stabilité comportementale, un « comment » de la relation, une manière d'aller chercher lui-même le tranquillisant naturel et le stimulant exploratoire dont il aura besoin pour équilibrer sa vie émotionnelle. Avant la fin de la première année, son petit caractère est installé. On sait comment il va s'y prendre pour exprimer ses détresses, se calmer, charmer

54. PARENT S., SAUCIER J.-F., 1999, « La théorie de l'attachement », *in* : HABIMANA E., ETHEIR L. S., PETOT D., TOUSIGNANT M., *Psychopathologie de l'enfant et de l'adolescent*, Montréal, Gaétan Morin, p. 36.

55. AINSWORTH M. D. S., 1967, *Infancy in Uganda : Infant Care and the growth of Love*, Baltimore, Johns Hopkins Press.

56. SROUFE L. A., 1985, « Attachment Classification from the Perspective of Infant-Caregiver Relationship and Infant Temperament », *Child Development*, 56, p. 1-14.

l'étranger, le fuir ou parfois l'agresser. En quelques mois, le nourrisson, qui n'était que ce qu'il percevait, est devenu acteur dans son triangle. Et ça bouleverse sa manière d'être au monde.

Si je suis seul dans mon désert, face à un verre d'eau, le problème est simple : si j'ai soif, je bois. Mais il suffit de la simple présence d'un tiers pour que je boive ce verre d'eau... sous son regard. Mon émotion aura changé de nature puisque, mêlé au plaisir de boire, j'éprouverai le déplaisir de boire... devant quelqu'un qui meurt de soif. Quand je suis seul, je réponds à une stimulation. Mais, dans un triangle, je réponds d'emblée à une représentation. C'est-à-dire que tout nourrisson se développant dans un triangle d'attachement, éprouve des émotions déclenchées par ses perceptions autant que par ses représentations.

À peine a-t-on terminé la première année de notre existence que déjà on relativise le monde des perceptions pour commencer à échafauder la théorie de l'esprit qui attribue aux autres des émotions, des croyances et des intentions.

L'échafaudage de la manière d'aimer

Dès ce niveau de l'échafaudage, on peut observer et même évaluer comment un tempérament s'est imprégné dans l'enfant. Un petit test, mis au point par Mary Ainsworth permet d'évaluer ce « comment » de l'attachement précoce.

Une discrète observation expérimentale permet de voir comment un enfant âgé de douze à dix-huit mois s'y prend pour résoudre l'inévitable angoisse qu'il éprouve lors du départ de sa mère et comment il réagit à son retour. Huit séquences de une à trois minutes permettent de révéler sa stratégie. 1 – D'abord, il joue en compagnie de sa figure d'attachement (mère, père, ou adulte familier). 2 – La mère s'en va. 3 – Une étrangère arrive et l'enfant se retrouve en présence d'une figure inconnue. 4 – La mère revient.

Puis on recommence ces quatre séquences en postulant que l'enfant, qui vient de connaître cette situation, a appris que sa mère va revenir. Il y a donc une succession de sentiments : sécurité – séparation – présence non familière – retrouvailles. Cela permet de décrire quatre types de relations d'attachement : sécurisant, évitant, ambivalent et désorganisé [57].

L'attachement sécure [58], le plus fréquent (65 %), facilement observé quelle que soit la culture, décrit un enfant qui, sécurisé par la présence familière, n'hésite pas à s'éloigner de sa mère pour explorer son petit monde et revenir vers elle partager l'enthousiasme de ses découvertes. Au moment de la première séparation, un tel enfant trouve une solution pour résoudre son angoisse. Il se rapproche de la porte, se concentre sur ses découvertes, accepte un peu les tentatives d'apaisement par la personne inconnue et, dès que sa mère revient, il se précipite vers elle pour échanger quelques contacts et sourires en lui montrant le résultat de ses explorations.

L'attachement évitant (20 %) révèle une autre manière d'entrer en relation affective. L'enfant, en présence de sa mère, joue et explore mais ne partage pas. Quand elle « disparaît », sa détresse est difficile à consoler. Et quand elle revient, il ne se précipite pas vers elle pour se sécuriser ; tout

57. Observation fondamentale de Mary AINSWORTH, modifiée et adaptée par MAIN M., 1996, « Introduction to the Special Section on Attachment and Psychopathology : Overview of the Field of Attachment », *Journal of Consulting on Clinical Psychology*, 64, p. 237-245.
58. Un attachement sécurisant signifierait que le fait d'aimer est sécurisant, ce qui n'est pas toujours vrai. Alors que l'anglicisme « attachement sécure » permet de signifier que le fait de s'attacher donne la force de s'éloigner. La figure d'attachement assume ainsi la fonction d'une base de sécurité.

au plus, oriente-t-il son attention vers un jouet pas trop éloigné.

L'attachement ambivalent (15 %) montre un enfant très peu explorateur quand sa mère est présente. Sa détresse est grande quand elle disparaît. Et même après son retour, il reste inconsolable.

Quant à l'attachement désorganisé (5 % [59]), il décrit des bébés qui n'ont pas pu élaborer des stratégies comportementales tranquillisantes et exploratrices. Ils ne savent ni utiliser leur mère comme base de sécurité quand elle est présente, ni s'y tranquilliser quand elle revient. Dans ce petit groupe, la stratégie affective est curieuse. L'enfant se fige quand la mère revient, parfois s'approche d'elle en détournant la tête, ou même la tape ou la mord.

Dès la fin de la première année, les enfants manifestent déjà un style relationnel, une manière d'aller quêter l'affection.

Ces petits scénarios comportementaux permettent de comprendre que, dans l'attachement sécure, l'enfant a acquis une ressource interne. Âgé de douze mois, il a déjà appris comment se servir de sa mère pour explorer son monde et partager ses victoires. Et, quand la mère « disparaît », il sait comment trouver un substitut d'objet ou de personne ! Alors, il se sécurise contre un nounours qui représente sa mère absente, ou bien il s'approche timidement de l'inconnue pour tenter avec elle la création d'un nouveau lien de sécurité.

Dans l'attachement évitant, la mère n'a pas pris ce statut privilégié de figure d'attachement. Sa présence ne provoque pas l'échange chaleureux qui permet à l'enfant de se ressourcer après chaque épreuve d'exploration. C'est pour-

---

59. Le total fait 105 % car les catégories sont descriptives et non pas mathématiques. Il y a donc des zones frontières superposées dans cette description inspirée par M. AINSWORTH.

quoi, après son départ qui a désertifié le monde sensoriel de l'enfant, le retour de la mère ne provoque pas le ressourcement joyeux des retrouvailles. Cet enfant-là n'a pas acquis la ressource interne qui lui permettrait, en cas de disparition de la mère, de trouver un substitut sécurisant ou d'aller quêter un nouveau lien affectif avec une inconnue.

Dans l'attachement ambivalent, les bébés peu explorateurs, difficiles à consoler n'ont appris à établir une relation d'aide que par l'expression de leur détresse. Sans détresse, c'est le désert. Avec la détresse naît l'espoir d'une rescousse.

Enfin, les enfants dont l'attachement est désorganisé sont totalement désorientés. Au cours des douze à dix-huit premiers mois de leur existence, ils n'ont pas pu développer la moindre stratégie de quête affective ou de lutte contre le désespoir. Leur mère est à la fois source de réconfort et crainte de perte. Ces enfants ne savent ni s'orienter vers elle pour se sécuriser, ni vers l'étrangère, ni vers un objet, ni même vers leur propre corps qui, hyper-familier, aurait pu les sécuriser grâce à des comportements autocentrés de balancement, de rythmies d'endormissement ou de pouce sucé. Alors, apparaissent des mouvements étranges qui, pour un adulte, ne veulent rien dire. Et, puisque cet enfant ne signifie rien avec son corps figé, son regard absent, ses cris imprévisibles, il communique une impression d'étrangeté qui désoriente à son tour l'adulte.

Origines mythiques de nos manières d'aimer

Quand on s'entraîne à raisonner en termes de systèmes circulaires mais non clos, on comprend que ces diverses stratégies comportementales sont d'origines différentes.

La défaillance qui dérègle le système peut venir de l'enfant. Elle peut même être biologique. Cela n'exclut absolument pas les réponses affectives des parents qui tissent un type d'attachement en fonction du sentiment que cette altération provoque en eux. Je pense à un père éperdu de tendresse devant la trisomie de son enfant. La vulnérabilité du petit, sa gentillesse, sa tête ronde, ses comportements de poupon pataud faisaient flamber son désir de rendre heureux un enfant vulnérable. L'altération biologique du petit, rencontrant un besoin de se dévouer, probablement enraciné dans l'histoire du père, avait tissé entre eux un attachement délicieux, au point que le père avait renoncé à travailler pour mieux s'occuper du petit. Mais la mère, malheureuse, blessée par l'anomalie de l'enfant, était exaspérée par le délice sacrificiel de son mari. Dans le triangle ainsi formé, la mère prenait la figure de la sorcière et le mari celle de l'ange. Ce qui était injuste car le mari « était rentré à la maison » avec bonheur, tant son métier l'ennuyait, tandis que la mère travaillait quatorze heures par jour pour entretenir un foyer où elle était diabolisée.

Les mythes sociaux peuvent modifier ce triangle même quand une seule altération biologique donne le départ des interactions troublées. Dans le syndrome de Lesh-Nyhan dont j'ai déjà parlé, un gène défectueux ne dégrade plus l'acide urique. L'enfant devient tellement violent qu'il mord, se mord, ou se tape la tête par terre. Les services sociaux qui ignoraient la génétique et se plaisaient à dépister les mauvais traitements ont volé au secours de cet enfant en accusant les parents de maltraitance. Un autre exemple de contresens mythique nous est fourni par la maladie des os de verre. De tels enfants peuvent se fracturer, simplement en éternuant. Certains radiologues ont ainsi pu fournir la « preuve » radiologique de la cruauté parentale et accuser les parents [60].

---

60. MUNNICH A., 1999, *La Rage d'espérer*, Plon.

Quand une relation est altérée, on peut agir sur l'un des deux partenaires, mais il est plus efficace d'introduire un tiers pour modifier l'ensemble. Une mère qui se sent persécutée par son enfant, qu'elle perçoit comme un être étrange, a souvent tendance à le faire prendre en charge par un tiers, tel qu'un médecin, un éducateur ou un juge. Si ce tiers n'intervient pas, le risque de maltraitance s'accroît. Mais s'il intervient, la médiation modifie les réponses maternelles.

Les quatre types d'attachement décrits entre douze et dix-huit mois caractérisent l'échafaudage des premiers étages. Ils sont pertinents mais peuvent se modifier dès qu'un événement modifie un seul point du système. Il peut s'agir du bébé quand la maladie est curable, comme dans la phénylcétonurie où un simple régime, en métamorphosant l'enfant, améliore aussitôt la mère. Celle-ci constitue un point privilégié puisque sa dépression provoque parfois chez le bébé un hyper-attachement anxieux [61]. Ressentant un milieu sensoriel tragique et silencieux, l'enfant, qui n'est ni sécurisé ni stimulé, colle à sa base d'insécurité qu'il n'ose plus quitter. Mais la présence rassurante du mari, la parole réconfortante d'un tiers, ou la mise en place d'un projet, en améliorant la mère peut métamorphoser l'enfant. Le plus souvent, les enfants de mères déprimées finissent par s'engourdir et se désintéresser du monde. Ils sont pourtant faciles à « réanimer » à condition que la mère s'améliore ou qu'un substitut décide d'entrer dans le monde de ces petits en les invitant à la relation. Mais, c'est aux adultes de fournir les tuteurs de résilience, car ces enfants dont la mère est déprimée savent accepter les invites mais n'osent pas

---

61. Teti D. M., Gelfand D. M., Messinger D. S., Isabella R., 1995, « Maternel Depression and the Quality of Early Attachment : An Examination of Infants, Prescholars and their Mothers, *Developmental Psychology*, 31, p. 364-376.

prendre l'initiative. Ils ne sollicitent pas les autres, mais sont heureux qu'on les convie[62].

Le tempérament d'un enfant de douze à dix-huit mois, son style de comportement, sa manière de s'attacher, constituent un excellent repère des premiers nœuds de son lien. Cette base, bien tricotée, pourra mieux résister en cas de déchirure, mais quand une maille est ratée à cause d'un accident de la vie, les possibilités de remaillage sont nombreuses.

Les quatre types d'attachement gardent une bonne valeur pronostique, à courte échéance ! Un enfant imprégné par un attachement sécure (65 %) possède un meilleur pronostic de développement et une meilleure résilience puisqu'en cas de malheur, il aura déjà acquis un comportement de charme qui attendrit les adultes et les transforme aussitôt en base de sécurité. Les attachements évitants (20 %) tiennent à distance les responsables qui voudraient s'occuper d'eux. Quant aux attachements ambivalents (15 %) et désorganisés (5 %), ils sont de mauvais pronostic puisque les adultes s'en détachent ou les rejettent, tant ces enfants sont difficiles à aimer.

Mais ces styles ne durent que ce que durent les contextes. Dans une famille, une institution ou une culture pétrifiée, une étiquette sera difficile à décoller et les habitudes relationnelles ne pourront que se renforcer. Alors que dans un contexte vivant, les forces façonnantes ne cessent de changer. Les pressions qui sont sensorielles autour d'un bébé deviennent rituelles autour d'un enfant. Et, quand le désir sexuel surgit chez un adolescent, l'interdit de l'inceste et les circuits sociaux gouvernent fortement son style relationnel.

---

62. TOURETTE C., 2000, « Apprendre le monde et apprendre à en parler », in : *Accéder au(x) langage(s)*, Lyon, 24 novembre.

Je voudrais nuancer ce que je viens d'écrire. J'ai dit : « Les styles ne durent que ce que durent les contextes. » Je pense finalement qu'ils persistent quand même quand change le contexte puisqu'ils sont imprégnés dans la mémoire de l'enfant. Les apprentissages inconscients qui façonnent les tempéraments rendent les nourrissons sensibles à certains objets et induisent leur style d'interactions préférentielles. Quand le contexte change, un court moment de désadaptation rend possibles les changements de l'enfant dans des directions opposées. Un enfant épanoui peut se refermer en quelques jours et devenir évitant ou même désorganisé après l'hospitalisation de sa mère. Un autre enfant, au contraire, peut améliorer sa production de substituts maternels, de chiffons ou de recherche de contacts. Il arrive qu'un bébé inconsolable se calme dès la naissance d'un frère ou d'une sœur qui lui apporte une présence sécurisante.

Ces désadaptations permettent à d'autres déterminants, d'origines différentes, de se conjuguer pour modifier le champ qui façonne l'enfant. D'abord, le monde des stimulations sensorielles change avec la disparition de la mère ou l'apparition du deuxième bébé. Mais les adultes ne peuvent pas s'empêcher d'attribuer un sens aux comportements de chaque nouveau-né : « Le deuxième est plus gentil... il pleure moins... Il ne faut pas céder aux caprices du premier. » Ou au contraire : « C'est merveilleux, ils se font du bien quand ils sont ensemble, chacun calme l'autre. » L'interprétation des parents, la signification que prend pour eux le moindre comportement du bébé, expliquent la forme des gestes qu'ils adressent en retour à l'enfant.

Les changements de style relationnel qui s'observent souvent lors des changements environnementaux dépendent dès lors du décalage entre les comportements tempéramentaux acquis par l'enfant et les interprétations différentes que peuvent en donner les adultes. C'est pourquoi un changement social des parents infléchit la trajectoire du développement des enfants. Un conflit parental les désespère le plus souvent, mais il peut en améliorer quelques-uns en les rendant plus responsables quand ils étaient « infantilisés » auparavant. De même, l'hospitalisation d'un parent peut désespérer un petit et provoquer la maturation d'un autre. Et même un déménagement peut bloquer les développements de certains enfants en les isolant dans leur nouveau milieu, ou au contraire les libérer de la sensation de contrainte qu'ils éprouvaient dans un milieu auparavant trop protecteur.

Donc, dans un milieu stable, un tempérament imprégné dans l'enfant donne un style relationnel facile, épanoui ou difficile. Mais quand change le milieu ou quand change l'enfant, un même style relationnel peut prendre des directions variables.

Quand le style affectif de l'enfant dépend du récit intime de la mère

Il se trouve que les recherches récentes sur l'attachement soutiennent que les premiers tuteurs de développement qui stabilisent le milieu de l'enfant se mettent en place avant sa naissance, quand la mère raconte comment elle imagine sa future relation avec le petit qu'elle porte [63]. Le monde interne des parents s'est forgé au cours de leur propre développement. Il constitue la source des « modèles opératoires internes » (MOI) qui composeront le premier monde du nouveau-né.

---

63. MAIN M., « De l'attachement à la psychopathologie », *in* : *Enfance*, n° 3, PUF.

L'observation a été la suivante. Dans un premier temps, un linguiste évalue le MOI des parents au cours d'une « entrevue sur l'attachement adulte [64] ». Il leur demande de raconter comment ils imaginent la relation d'attachement avec l'enfant à venir. Quelques mois plus tard, un éthologue analyse le mode interactionnel organisé autour du nouveau-né. Un an plus tard, le test de la situation étrange défini par Mary Ainsworth [65] lui offre une possibilité d'évaluer le style comportemental de l'enfant, sa manière de s'attacher et de provoquer à son tour des réponses d'adultes.

Lorsqu'un discours est « sécurisé autonome », il décrit des situations d'attachement à venir cohérentes et coopérantes : quand il pleurera, je saurai le calmer. Il ne sera pas toujours facile mais je ferai des jeux qui lui permettront d'apprendre... Quatre à six mois plus tard, les comportements adressés à l'enfant composent un milieu cohérent fait de rescousses rapides et d'interprétations enjouées : « Viens mon bonhomme. C'est un gros chagrin ça, vous savez. » Les gestes, les mimiques et la musique des mots composent autour de l'enfant un environnement sensoriel cohérent et apaisant.

Un an plus tard, le style tempéramental dévoilé au cours du test de la situation étrange témoigne de l'acquisition d'un attachement sécure. L'enfant, rassuré par sa mère, explore son monde. Quand elle s'en va, il la symbolise en inventant des objets tranquillisants pour la remplacer. Ayant acquis un comportement de charme, il transforme l'étrangère en nouvelle figure d'attachement. Et quand sa mère revient, il lui fait fête et renoue avec elle. Il a trans-

---

64. MAIN M., KAPLAN N., CASSIDY J., (1985), « Security in Infancy, Childhood and Adulthood : A Move to the Level of Representation », *in* : BRETHERTON I. et WATERS E. (Dir.), *Growing Points of Attachment, Theory and Research. Monographies of the Society for Research in Child Development*, 50, 1-2, n° 209.
65. Test de Mary AINSWORTH décrit p. 74-77.

formé son épreuve de perte affective et d'angoisse en triomphe créateur. Cette victoire lui donne confiance puisqu'il sait désormais qu'en cas de solitude il saura inventer un objet tranquillisant ou chercher un adulte qui lui servira de figure d'attachement, nouvelle base de sécurité. Il tricote de mieux en mieux son ego résilient.

Quand le discours de la future mère est « détaché », elle affirme des sentiments dissociés de ses souvenirs : « Ma mère était formidable... Elle n'était jamais là... » Six mois plus tard, l'observation directe révèle des comportements difficiles à traiter par un bébé. La mère veut l'attraper et le serrer affectueusement contre elle au moment où, justement, il s'intéresse à un objet extérieur. Puis elle veut le repousser lors d'un petit chagrin où, justement, il avait besoin d'elle. Après sa première année, l'enfant aura acquis un attachement évitant : pas de pleurs au départ de la mère, pas de charme avec l'étrangère, pas de fête gestuelle lors des retrouvailles.

Le troisième type de discours est dit « préoccupé ». La mère, passive, craintive, ne maîtrise pas son monde intérieur. On comprend mal ce qu'elle veut dire. Pour remplir le vide de ses pensées, elle emploie beaucoup de moulinettes (patati... enfin bref...). Captive d'un souci intime mal repéré, elle compose avec ses expressions verbales et comportementales un monde sensoriel qui n'entoure pas vraiment le nourrisson. Les enfants qui ont à se développer dans un tel monde, un an plus tard, constituent le groupe des inconsolables, des enfants mal centrés, mal cohérents chez qui l'on note une forte probabilité d'accidents physiques.

Quant au dernier groupe, il démontre comment une future mère désorganisée par son propre malheur, un deuil récent ou durable, une dépression qui la torture, compose avec sa souffrance un monde sensoriel incohérent pour un nourrisson. Elle peut s'agripper à lui pour s'apaiser, dans un élan d'hyper-attachement féroce, puis l'instant suivant, désespérée, épuisée, le secouer durement. Elle ressent l'enfant comme un agresseur alors qu'il ne fait que demander un peu de sécurité. Un simple geste, un sourire ou un mot apaisant auraient suffi, si elle avait eu la force de l'exprimer. Ces enfants-là, hébétés, deviennent incapables d'aller chercher leur base de sécurité. Ils ne peuvent pas apprendre au cours de leur première année à triompher de l'inévitable épreuve de l'angoisse de séparation. Toute présence leur est insupportable puisqu'elle communique l'angoisse et désorganise le monde [66]. Toute absence leur est insupportable, puisqu'ils n'ont pas eu l'occasion d'apprendre à inventer un substitut tranquillisant, un nounours, un doudou ou une mentalisation qui représentent la mère et assument sa fonction sécurisante quand elle est obligée de s'absenter.

Ce schéma de raisonnement, fortement inspiré par les recherches de Mary Main, a été étonnamment confirmé par les travaux récents [67]. Un grand nombre de traitements mathématiques des comportements de l'enfant entre douze et dix-huit mois, prévus d'après le discours maternel longtemps auparavant, ont confirmé que « les MOI des mères, évalués pendant leur grossesse permettent de prédire à plus de 65 % le mode d'attachement de leur bébé à douze mois [68] ».

Malgré l'importance de l'effet façonnant des représentations maternelles, il convient de nuancer ce chiffre qui,

---

66. Tronik E. Z., 1989, « Emotions and Emotional Communications in Infants », *American Psychologist*, 44, p. 112-119.

67. Van IJzendoorn M. H., 1995, « Adult Attachment Representation, Parental Responsiveness, and Infant Attachment : A Meta-analysis on the Predictive Validity of the Adult Attachment Interview », *Psychological Bulletin*, 117, p. 387-403.

68. Parent S., Saucier J.-F., « La théorie de l'attachement », *in* : Habimana E., Ethier L. S., Petot D., Tousignant M., *Psychopathologie de l'enfant et de l'adolescent, op cit.*, p. 41.

comme tous les déterminismes humains, est loin de se réaliser à 100 %.

Une mère entourée affectivement et soutenue socialement offre de meilleurs bras

La forme du champ sensoriel qui entoure l'enfant et le façonne s'explique par les représentations agies (les MOI), non pas d'un seul parent, mais des deux ! En effet, les représentations maternelles dépendent bien sûr de sa propre histoire : « Quand j'ai vu le bébé sortir de moi, j'ai vu le visage de mon père entre mes jambes. Il m'a trop maltraitée. J'ai encore peur de lui. Je me suis mise à haïr cet enfant. » Mais il faut redire que la simple présence du mari dans le triangle conjugue son psychisme avec celui de sa femme, ce qui modifie ses représentations : « Quand mon mari est là, je me sens sa femme. Je ne vois plus mon père de la même façon, ni mon fils. Quand je fais la petite fille avec mon mari, je vois mon fils différemment. Il ne me fait plus peur. » Ce qui s'imprègne dans l'enfant, c'est le couple parental, la manière dont les deux s'associent, la conjugaison de leurs mondes psychiques et non pas des causalités linéaires.

Ainsi opère le triangle, en organisant des alentours sensoriels et agis, coopérants, stressés, collusifs ou désorganisés [69]. Ces couples parentaux de styles différents auront imprégné dans l'enfant, douze à dix-huit mois plus tard, des styles relationnels plus ou moins résilients. En cas de perte ou de malheur, certains enfants auront déjà appris à aller chercher eux-mêmes les substituts affectifs

---

69. FIVAZ-DEPEURSINGE E., CORBOZ-WARNERY A., *The Human Triangle. A Developmental Systems View of Mothers, Fathers and Infants*, op. cit.

nécessaires à la poursuite de leur développement. Alors qu'une mère seule ou désespérée par son passé, par son mari ou son alentour social poussera, sans le vouloir, l'enfant vers l'apprentissage d'un style relationnel évitant, ambivalent ou hébété. Lors des accidents de la vie, quand le lien se déchire, ces enfants-là ont du mal à trouver dans leur nouveau milieu les éléments nécessaires à la reprise de leur développement. Il leur faut rencontrer des adultes assez talentueux pour leur tendre des perches, malgré leurs difficultés d'attachement. Il faut parfois que certains responsables se donnent une formation professionnelle pour entrer dans le monde de ces enfants difficiles et leur permettre quand même de se tricoter une résilience.

Le dernier correctif important à cette notion d'imprégnation des tempéraments, c'est que du simple fait de la poussée vitale, les enfants ne peuvent pas ne pas changer. À chaque étape de leur développement, ils deviennent sensibles à d'autres informations. Les tuteurs de résilience changent donc de nature : sensoriels chez le bébé, ils deviennent rituels à l'âge de la crèche, et se métamorphosent avec l'apparition de la parole. C'est pourquoi la force de l'association entre les représentations maternelles et l'acquisition par l'enfant d'un style d'attachement diminue à l'âge de l'école [70]. À ce stade du développement, s'ajoutent les tuteurs extra-familiaux. Sous le simple effet de la maturation de son système nerveux et de l'acquisition de la parole, le monde de l'enfant s'élargit. Il devient capable d'aller chercher plus loin les informations nécessaires à son épanouissement. Il commence à échapper au monde de la sensorialité parentale, pour partir à la rencontre d'autres déterminants.

Ce processus d'éloignement ne peut pas se produire quand l'enfant est prisonnier de sa mère, de son père ou d'une institution. Quand la souffrance de la mère la rend

---

70. Van IJZENDOORN M. H., *op. cit.*

incapable de sécuriser l'enfant, quand la psychologie du père fait régner la terreur, ou quand une société figée transforme en stéréotypies les comportements adressés à l'enfant, toute déchirure aura du mal à se réparer. Si la mère est malade, altérée ou prisonnière d'un mari ou d'une société rigide, les enfants acquièrent des styles d'attachement insécurisants ou hébétés[71]. En cas d'accident, ces enfants sont vulnérables. Ils ne peuvent tricoter une résilience que s'ils rencontrent des adultes motivés et formés pour ce travail, ce qui dépend essentiellement des décideurs politiques.

En effet, les enfants qui ont mis en place un attachement facile n'auront pas de difficulté à passer à l'étage suivant de leur échafaudage psychique, puisqu'ils sont agréables à aimer et sont déjà devenus auteurs de leur attachement. Ce style tempéramental est une manière d'aimer qui facilite le tissage des attachements ultérieurs, à la crèche et avec les adultes non familiers que les enfants préverbaux savent transformer en base de sécurité. Une stabilité interne se solidifie avec la complicité inconsciente des adultes qui, attirés par ces enfants, rendent encore plus forts ceux qui l'étaient déjà.

Une spirale inverse risque de se mettre en place envers les enfants imprégnés par un attachement insécurisant. Un enfant évitant ne gratifie pas un adulte, un enfant ambivalent l'exaspère et un enfant hébété le décourage, aggravant ainsi sa difficulté relationnelle.

C'est pourtant dans cette catégorie d'attachements fragilisants que les études longitudinales, celles qui suivent les enfants pendant plusieurs décennies, trouvent les plus fréquentes métamorphoses. Quand il est impossible de sortir

---

71. BELSKY J., ISABELLA R., 1988, « Maternal, Infant, and Social-Contextual Determinants of Attachment Security », *in* : BELSKY J. et NEZWORSKI T. (dir.), *Clinical Implications of Attachment*, Hillsdale, N. J., p. 41-94.

de la dyade mère-enfant, parce que l'observateur s'y refuse pour des raisons de méthode ou d'idéologie, quand la mère s'isole pour des raisons venues de sa propre histoire ou par des contraintes sociales, un attachement fragile imprègne la mémoire du petit. Mais la mémoire est vive à ce stade du développement et le moindre changement de contexte change les acquisitions de l'enfant. Les relations conjugales évoluent, les partenaires ne sont plus les mêmes, les mères s'améliorent dès qu'elles trouvent un soutien, les décideurs politiques peuvent ne plus désespérer la famille en relançant l'économie ou en créant des institutions sociales et culturelles capables de proposer d'autres tuteurs à ces enfants fragiles. On constate alors que le simple fait de disposer autour de l'enfant des informations de plus en plus lointaines, sensorielles, verbales, puis sociales et culturelles, facilite son épanouissement en ouvrant sa conscience.

Un environnement constitué de plusieurs attachements augmente les facteurs de résilience du petit. Quand la mère défaille, le père peut proposer à l'enfant des tuteurs de développement qui seront différents à cause de son style sexuel, mais suffisamment efficaces pour le sécuriser et le stimuler[72]. Et si le père défaille à son tour, les autres membres du groupe parental, les familles de substitution, les associations de quartier, les clubs de sport, l'art ou l'engagement religieux, philosophique ou politique, peuvent à leur tour étayer l'enfant[73].

Ce qui revient à dire que, lors des deux premières années, l'ouverture de la conscience de l'enfant par des informations de plus en plus éloignées à partir d'une base

---

72. Lecamus J., 2000, *Le Vrai Rôle du père*, Odile Jacob.
73. Owens G., Crowell J. A., Pan H., Treboux D., O'Connor E., Waters E., 1995, « The Prototype Hypothesis and the Origins of Attachment Working Models : Adult Relationships with Parents and Romantic Partners », *Monographies of the Society for Research in Child Development*, 60, 2-3, n° 244.

de sécurité, et la mise en place autour de lui d'un système protecteur de plusieurs attachements, favorisent la probabilité de résilience. Mais s'il est vrai qu'une mère soutenue affectivement et socialement offre de meilleurs bras à son enfant et qu'une famille renforcée par des décisions économiques et culturelles dispose autour du petit de meilleurs tuteurs de résilience, cela signifie aussi qu'une pulsion qui ne serait que biologique, à peine manifestée, doit être historisée.

Quand les jumeaux n'ont pas la même mère

La gémellité va nous permettre de travailler cette idée. On conçoit sans peine que les faux jumeaux, issus de deux œufs différents, parfois de sexes différents, en donnant à voir des morphologies et des tempéraments différents, provoquent chez les parents des sensations et des sentiments différents. Pour les monozygotes, jumeaux identiques, ce raisonnement reste pertinent. À l'époque où l'échographie n'existait pas, les femmes accueillaient souvent le premier bébé avec joie et leur première phrase prédisait de quelle manière elles s'apprêtaient à organiser le champ des comportements adressés à l'enfant. L'annonce du second jumeau était souvent un choc pour ces femmes fatiguées qui croyaient en avoir fini avec l'accouchement. L'idée d'avoir encore à souffrir, alors qu'elles se croyaient libérées, les entraînait souvent à réclamer l'anesthésie qu'elles avaient refusée pour le premier jumeau. Ce second bébé, malgré sa similitude avec le premier, prenait presque toujours la signification de celui qui venait en trop. Dans les jours suivants, une minuscule différence de morphologie ou de comportement permettait à la mère de les différencier et d'adresser à chacun d'eux des gestes, des mimiques et des mots qui construisaient des environnements sensoriels différents. L'échographie aujourd'hui supprime le choc de l'annonce [74], mais ne supprime pas la constitution d'environnements différents.

Deux jumeaux dizygotes que nous appellerons Monsieur Gros Père et Madame Petite Mère, à l'âge de trois mois, étaient nourris tous les deux dans la chaise de bébé posée sur la table de la cuisine. Autour d'eux, ça bourdonnait. Le père, la mère, la grand-mère et le grand-père s'affairaient pour enfourner des cuillerées de purée dans la bouche des petits. Monsieur Gros Père, triple menton, sans un sourire mangeait consciencieusement. Tandis que Madame Petite Mère manifestait un tempérament différent, toujours en alerte. Soudain, Madame Petite Mère, stimulée par un bruit ou un geste inattendu, éclate de rire, tandis que Monsieur Gros Père, insensible à cette information, continue à mâcher. Les quatre adultes perçoivent l'éclat de rire de la petite fille, mais c'est la mère qui donne une signification à ce qui sans elle n'aurait été qu'un joli éclat de rire. Elle dit : « Oh, celle-là, elle va en faire voir aux hommes ! » La petite étant âgée de trois mois, on pouvait espérer encore quelques années de tranquillité pour les hommes. Mais ce qui a changé instantanément, sous l'effet de l'interprétation de la mère, c'est la « structure d'attention ». Dès la fin de la phrase, les quatre adultes ont concentré leurs regards sur la petite fille. Ils lui souriaient, la papouillaient, et s'adressaient à elle, tandis que Monsieur Gros Père, seul à côté, continuait à mâcher. Vingt ans plus tard, quand ils feront une psychothérapie, la jeune fille dira : « Nos parents nous étouffaient d'amour. » Tandis que le jeune homme s'étonnera : « Qu'est-ce que tu racontes ? On était toujours seuls. » Et ils auront raison tous les deux puisque l'interprétation de

---

74. Zazzo R., 1984, *Le Paradoxe des jumeaux*, Stock-Laurence Pernoud.

la mère, venue de sa propre vision de la douce guerre des sexes, avait constitué deux univers sensoriels différents.

Parfois, le simple comportement d'un nourrisson émeut la mère parce qu'il évoque un point sensible de sa propre biographie. Quand Lou et Cloclo sont arrivées au monde, ces deux jumelles dizygotes manifestaient des tempéraments très opposés. L'une était douce et souriait délicatement, tandis que l'autre, très vive, explosait de rires, de pleurs ou de gambades dès les premiers jours de sa vie. L'attribution des prénoms correspondait d'ailleurs au style tempéramental des enfants. L'une avait été appelée « Lou » à cause de la douceur de ses gestes, alors que « Cloclo » s'était vu attribuer un prénom rigolo parce qu'on la sentait rigolote. De même que les premières phrases expriment la signification que les parents attribuent à l'enfant nouveau venu, le choix du prénom est soumis à une influence affiliative. Dans une culture où le social organise l'affiliation, on donne au nouveau-né le prénom d'un grand homme. Mais dans une culture où la personne est une valeur, le prénom qu'on donne à l'enfant révèle le sentiment qu'il provoque dans le monde intime de ses parents. Et la proximité morphologique des jumeaux explique la fréquence des prénoms à phonétique voisine, tels que Marie-Claire et Marie-Claude, ou Thomas et Mathieu [75].

Pour la mère de Lou, la douceur évoquait un souvenir presque douloureux de sa propre histoire : « Ma mère avait horreur de la douceur. Elle m'appelait " Guimauve ". Elle voulait que ça saute. La douceur de Lou me touche. Moi, je saurai comprendre une petite fille douce. Quant à Cloclo, elle se débrouillera toujours celle-là. » Le tempérament de chaque enfant, touchant des points sensibles et évoquant des souvenirs douloureux dans l'histoire de la mère provo-

---

75. JOSSE D., ROBIN M., 1990, « La prénomination des jumeaux : effet de couple, effet de mode ? », *Enfance*, tome 44, n° 3, p. 251-261.

quait des réponses différentes qui organisaient des mondes différents autour de chaque enfant : très proche autour de Lou et plus distant pour Cloclo la débrouillarde. Dix-huit mois plus tard, Lou était devenue une petite fille paisible, facile à consoler, tandis que Cloclo la rigolote poussait des cris de désespoir à chaque séparation ou simplement quand son nounours tombait.

Quand les jumeaux sont monozygotes et manifestent des tempéraments voisins, le moindre indice morphologique sert de support à une signification. « Celui-là s'appellera Mathieu et celui-là Thomas », nous disait Mme Martin. « Comment faites-vous pour les différencier? – Eh bien, Mathieu a une tête plus ronde et Thomas un peu plus longue. » Nous ne voyions rien. Les bracelets sur lesquels étaient écrits leurs noms nous ont aidés à faire la différence. Très rapidement, Mme Martin ne se trompait plus. D'après notre théorie, il fallait comprendre ce que signifiait pour elle un tel indice morphologique et les réponses comportementales que ça entraînait autour de l'enfant [76]. « J'ai été abandonnée à l'âge de dix-huit mois, nous explique alors Mme Martin. J'ai tant souffert que je me suis jurée d'être une mère parfaite. Or, un bébé à tête ronde restera bébé plus longtemps; l'autre ressemblera trop tôt à un adulte. » L'identité narrative de Mme Martin l'avait rendue sensible à un indice crânien qui, pour elle, signifiait : « En restant bébé longtemps, il me rendra mère longtemps. » Pendant les mois suivants, c'est à ce bébé-là que Mme Martin parlait le plus souvent. C'est lui qu'elle prenait le premier dans les bras. C'est à lui qu'elle souriait le plus. Elle rencontrait ce bébé rond beaucoup plus aisément que le bébé long parce que son histoire avait attribué un sens privé à cet indice

---

76. VILLALOBOS M. E., 1997, *Interactions précoces entre la mère et ses bébés jumeaux*, Universidad del Valle, Cali, Colombie, Cassette VHS Hôpital Toulon/La Seyne, septembre.

morphologique. Deux mois plus tard, Monsieur Tête-ronde s'endormait paisiblement et se réveillait en souriant, alors que Monsieur Tête-longue, pourtant de même équipement génétique, s'endormait difficilement et se réveillait en grimaçant.

Or, quand un bébé se réveille en souriant, ça provoque le sourire de la mère, et quand il est maussade, ça ne la réjouit pas ! Si bien que chacun, inconsciemment, était devenu complice de ce qu'il voyait sur l'autre. La mère pour qui Monsieur Tête-longue signifiait « il va me quitter trop tôt et me priver du plaisir d'être mère » s'occupait à distance de cet enfant-là. L'environnement sensoriel, moins stimulant pour lui, modifiait l'architecture de son sommeil et les sécrétions neuro-endocriniennes qui s'ensuivent. En voyant son réveil maussade, la mère avait la « preuve » que cet enfant était moins bien que l'autre. Monsieur Tête-longue était entouré par une mère maussade, alors que Monsieur Tête-ronde en avait une toujours souriante[77]. Chacun voyait sur l'autre ce qu'il y avait mis. Mais il est important de souligner qu'aucun bébé n'est responsable de sa mère, pas plus qu'une mère n'est responsable de son histoire.

Les équipements génétiques identiques des jumeaux, ayant à se développer dans des milieux sensoriels qui avaient été sensés différemment par l'histoire de la mère, se construisaient dans des directions opposées. Vers l'âge de dix-huit mois, la délicate Lou et Monsieur Tête-ronde étaient devenus les dominants du couple de jumeaux. Ils prenaient l'initiative des interactions, des explorations, des jeux et des mots. Leur sommeil était de meilleure qualité et leur réveil plus frais. Cette épigenèse, ce façonnement de la biologie par les pressions du milieu, expliquent pourquoi 80 % des couples de dizygotes et 75 % des monozygotes sus-

---

77. DELUDE D., 1981, *Effet de sourire simulé du nourrisson de trois mois sur les comportements maternels*, Gaétan Morin.

citent un jumeau dominant[78]. L'effet différenciateur ne vient déjà plus de la génétique mais résulte de la sensorialité sensée par les représentations parentales et les réponses tempéramentales de l'enfant.

*Où l'on parvient à observer
comment la pensée
se transmet
grâce aux gestes et aux objets*

La transmission est donc inévitable. Puisqu'un nourrisson a besoin d'attachement pour s'épanouir, il ne peut se développer que dans le monde sensoriel émis par un autre. « [...] l'accordage affectif[79] paraît le maillon explicatif le plus pratique pour rendre compte de la transmission psychique transgénérationnelle[80]. » Cette bulle sensorielle composée par les comportements adressés à l'enfant émigre du monde intime de l'adulte et va tutoriser les développements de l'enfant. Cet héritage subjectif, quoique nécessaire, n'est pas toujours facile parce que c'est dans les problèmes conjugués de ses deux parents que l'enfant aura à se développer.

Vers le huitième mois, l'attachement s'est déjà longuement tricoté entre l'histoire parentale et le façonnement du tempérament de l'enfant. Mais dès cette époque, le petit devient capable d'agir intentionnellement sur le monde mental des adultes proches. « C'est l'apparition de l'intersubjectivité qui va permettre au nourrisson de passer de la triadification comportementale à la triadification intra-

---

78. LEROY F., 1995, *Les Jumeaux dans tous leurs états*, De Bœck Université, p. 221.
79. STERN D., 1989, *Le Monde interpersonel du nourrisson*, *op. cit.*
80. GOLSE B., 1995, « Le concept transgénérationnel », *Bulletin WAIMH*, vol. 2, n° 1.

psychique[81] [...] » Et puisque l'enfant ne parle pas encore, c'est par le geste qu'il va entrer dans le monde psychique des adultes.

Là encore l'observation des jumeaux va nous permettre d'observer comment l'apparition d'un comportement de désignation (pointer de l'index) permet de repérer la naissance et la construction d'un monde intersubjectif. Mais cette fois-ci ce n'est plus la naissance du geste que nous allons observer[82], mais sa fonction, la manière dont il participe à la construction d'un monde intersubjectif à trois.

Quand un enfant de dix mois désigne un objet en pointant son index, il réalise son premier acte sémiotique[83]. Le neuro-psychologue Henri Wallon, le linguiste Vigotsky, le romancier Vercors et le célèbre Umberto Eco ont déjà évoqué la fonction sémiotique de ce petit geste. La plus avancée aujourd'hui est certainement Annick Jouanjean qui a inspiré un grand nombre d'observations de ce phénomène. Elle a utilisé la situation naturaliste des jumeaux différents pour observer comment se met en place leur style relationnel[84]. Elle confirme que, dès le huitième mois, les enfants manifestent une préférence comportementale pour communiquer.

Je propose de raconter l'histoire de Julie la douce et de Noémie l'intello, en associant la rigueur de sa thèse avec d'autres observations cliniques afin d'illustrer comment la modification d'un style relationnel peut altérer le monde intime des enfants pré-verbaux.

---

81. *Ibid.*
82. CYRULNIK B., ALAMEDA A., ROBICHEZ-DISPA A., 1995, « Rites et biologie. La ritualisation des comportements de bouche », *Dialogue*, n° 127.
83. ROBICHEZ-DISPA A., 1992, « Observation éthologique comparée du geste de pointer du doigt chez des enfants normaux et des enfants psychotiques », *Neuro-psychiatrie de l'enfance*, XL, n° 5-6, p. 292-299.
84. JOUANJEAN-L'ANTOËNE A., 1994, *Genèse de la communication entre deux jumelles (11-24 mois) et leurs parents : approche éthologique, différentielle et causale*, Thèse de doctorat ès sciences, université de Rennes-I.

Jusqu'au quinzième mois, Julie la douce vocalisait quatre fois plus que sa sœur. Ses mimiques faciales étaient plus expressives et ses gestes dirigés vers l'extérieur beaucoup plus fréquents. Au même âge, sa sœur Noémie pleurait quatre fois plus et orientait presque tous ses gestes sur son propre corps. Julie la douce était stable et, lors de ses petits chagrins, elle se sécurisait au contact de ceux qu'elle aimait. La préférence comportementale de Noémie l'intello a changé dès qu'elle a pu sémiotiser avec ses gestes. Elle a su apaiser ses pleurs en désignant avec son index !

Le style relationnel précoce de Noémie ne lui avait pas permis de découvrir un procédé tranquillisant. Mais, lorsqu'au quinzième mois, la fillette s'est mise à pointer intensément, pour interagir, de préférence avec sa mère, elle a découvert un mode de relation apaisant. Dès l'instant où l'enfant a commencé à sémiotiser avec ses gestes, elle a moins pleuré et ses comportements auto-centrés ont diminué. L'apparition de ce geste déictique, toujours adressé à quelqu'un, lui avait permis d'acquérir, bien avant la parole, une fonction tranquillisante. Si elle n'avait pas acquis ce geste désignatif qui lui permettait de s'exprimer et de communiquer avec sa figure d'attachement, elle aurait continué à pleurer et à orienter ses comportements sur son propre corps pour tenter de s'apaiser un peu.

Dès les premiers mois, Julie la douce, pour surmonter ses chagrins, avait découvert que le contact affectueux était pour elle un procédé d'apaisement. Alors que Noémie l'intello a dû attendre le quinzième mois pour que son accès à la sémiotisation devienne un moyen de surmonter ses épreuves. Ce qui permet d'affirmer qu'un enfant n'est pas résilient tout seul. Il doit rencontrer un objet qui convienne à son tempérament pour devenir résistant. Si bien qu'on peut être résilient avec une personne et pas avec une autre, reprendre son développement dans un milieu et s'effondrer dans un autre. La résilience est un processus constamment possible, à condition que la personne en cours de développement rencontre un objet signifiant pour elle.

Or ce qui donne à un objet son effet de résilience, c'est le triangle. Dans une relation de face à face, l'enfant s'empare de la chose ou la dédaigne. Mais dans une relation triangulaire, le bébé qui désigne une chose la transforme en objet qui va lui permettre d'agir sur le monde mental de sa figure d'attachement. Désormais, c'est par l'intermédiaire de l'objet que l'enfant médiatise sa relation avec la personne donneuse d'affection, mais cet objet n'est pas choisi au hasard.

Nos observations cliniques font facilement vivre cette idée : dès qu'un bébé accède au monde de la désignation, entre le dixième et le quinzième mois, l'objet qu'il désigne parle de l'histoire de ses parents. Lors des deux premiers mois, les comportements adressés à l'enfant étaient déjà historisés et organisaient sa bulle sensorielle. Mais dès que l'enfant habite le monde du triangle, l'objet grâce auquel il médiatise sa relation en le désignant avec son doigt a été mis en lumière par ceux qui lui donnent de l'affection. La saillance de l'objet désigné par l'enfant parle de ses parents !

Quand M. Mador rentre chez lui, il embrasse sa femme et sa petite fille âgée de dix mois. À peine est-elle dans les bras de son père que l'enfant pousse des petits gloussements et pointe énergiquement vers... un stylo ! Que peut bien signifier un stylo dans le monde mental d'une petite fille de dix mois ? En fait, M. Mador est anormalement courageux. Il travaille dans une entreprise agricole. Son rêve secret, c'est de devenir professeur des écoles, mais il est dyslexique. Quand il rentre le soir chez lui, il embrasse sa femme et sa fille, puis aussitôt se met au travail. Si bien que ce qui fait événement dans l'esprit de l'enfant, c'est d'être enlevée dans les bras de son père et de le voir presque aussitôt prendre un stylo. Quand on est âgé d'à peine dix mois, on n'a pas encore beaucoup d'histoires à raconter, mais on a fortement envie de communiquer. Alors, on désigne aussitôt un objet mis en lumière par le comportement du donneur d'affection. On pointe vers un stylo, on devient acteur et on partage un merveilleux événement en pilotant l'attention de son père vers cet objet saillant, si important pour lui.

On peut ainsi assister au développement de l'objet dans l'esprit de l'enfant. La chose, morceau de matière déterminée, se charge d'une émotion acquise sous le regard d'un autre. Le père, figure d'attachement, met ainsi en lumière un objet que sa propre histoire aura rendu saillant. Quand on est âgé de dix mois, un stylo ne sert pas à écrire, il sert à partager. Mais dans ce processus, la chose s'est transformée en objet grâce à la puissance de l'artifice. Bien sûr, c'est la technique qui a permis de fabriquer l'objet-stylo. Mais l'enfant ne l'aurait jamais vu si l'histoire de son père ne l'avait pas mis en lumière. C'est l'artifice du verbe qui l'a rendu saillant, car on peut imaginer que le père dans son récit intime devait se dire sans cesse : « Je ne veux pas être agriculteur, je veux être professeur des écoles : au travail ! » Et ce discours intime, justifié par son propre monde psychique, avait provoqué le comportement qui mettait en lumière le stylo. Voilà comment un stylo, en devenant un troisième acteur, participe au triangle qui s'instaure entre l'histoire d'un père et le psychisme de son bébé.

Mais à chaque étape du développement, les processus de résilience sont à renégocier. La prouesse intellectuelle pré-verbale qui permet dès le dixième mois de partager le monde mental de ses parents, fournit à l'âge du « non », vers la troisième année, le prétexte de l'opposition. Dès son huitième mois, Milou ne ratait pas une occasion de désigner les fleurs. Son père étant jardinier, tout le monde encourageait cette désignation. Les interprétations verbales s'accompagnaient de fêtes gestuelles et de mimiques réjouies qui attribuaient aux fleurs un véritable pouvoir relationnel. Chaque fois que l'enfant désignait une fleur, la fête commençait. Si bien que quelques mois plus tard, lorsque le petit désirait agresser ses parents, il lui suffisait de saccager une fleur ! Dans le triangle familial, respirer l'odeur d'une fleur ou la massacrer induisaient dans les deux cas une relation affective de joie ou de colère. Alors que dans une autre famille, la destruction d'un bouton d'or, ne prenant aucune signification, n'aurait jamais été mise en lumière par des réactions affectives.

Ce qui veut dire aussi que les contresens comportementaux sont désormais possibles. Le même Milou dans une autre famille, en détruisant un bouton d'or pour exprimer son malaise, n'aurait pas été compris puisque dans une autre alliance parentale, le massacre des boutons d'or n'aurait rien signifié. Or, les contresens relationnels ne cessent jamais tout au long d'une existence, et c'est peut-être cette difficulté qui fait que chaque vie est une histoire. Tant qu'un enfant ne parle pas, il exprime son monde intime par des scénarios comportementaux que l'adulte interprète selon sa propre histoire. Et c'est cette rencontre entre deux psychismes asymétriques qui infléchit le développement d'un enfant pré-verbal vers l'acquisition d'une vulnérabilité ou d'une résilience.

Quand soudain la petite Joséphine, âgée de vingt mois, se met à pleurer pour des raisons incompréhensibles à un adulte, une gardienne se raidit et sans dire un mot saisit l'enfant et la pose brutalement sur une chaise. La fillette, désespérée, pleure encore plus. L'autre gardienne s'approche alors et dit à l'enfant « on va faire un câlin ». En deux secondes, l'incompréhensible chagrin est calmé ! Plus tard, en parlant avec les deux gardiennes, on découvre facilement que la première a tellement été isolée au cours de son enfance qu'elle a appris à contenir ses propres chagrins, à cacher ses larmes, tandis que l'autre avait acquis un attachement sécure, ce qui lui avait appris à utiliser ses chagrins pour en faire un procédé relationnel.

Ce genre de contresens qui infléchit tout développement est inévitable, puisqu'un indice morphologique, un geste quotidien, un scénario comportemental et même un développement sain provoquent inévitablement les interprétations historisées de l'entourage adulte.

Le congénère inconnu : découverte du monde de l'autre

Il se trouve que vers le seizième dix-huitième mois, tout de suite après que l'enfant a témoigné de son aptitude à agir sur le monde mental des autres, la découverte de ce nouveau monde provoque un à deux mois de perplexité. L'enfant, qui se contentait d'agir et de réagir en réponse aux stimulations venues du dedans et du dehors, soudain change de monde. Désormais il agit et réagit à l'idée qu'il se fait du monde invisible des autres. Il s'éloigne du continent des perceptions pour débarquer dans celui des représentations pré-verbales, et cette découverte d'un nouveau continent métamorphose ses comportements ! Mais quand il comprend que s'ouvre à lui le monde intime des autres il devient perplexe, car il ne sait pas encore comment il faut l'explorer.

Deux comportements permettent de repérer ce changement. Face au miroir, le bébé qui, depuis le deuxième mois, faisait des gambades et des mimiques jubilatoires, soudain devient perplexe. Vers le seizième mois, il évite son propre regard dans le miroir, détourne la tête et s'observe en passant, avant de retrouver quelques semaines plus tard le plaisir encore plus grand de se découvrir, lui, dans le miroir.

Mais cette fois, les mimiques sont moins jubilatoires et le plaisir plus grave est intériorisé. « [...] c'est à partir de quinze mois et jusque vers deux ans qu'on observe chez l'enfant les réactions d'évitement et autres manifestations de gêne, de perplexité, pratiquement absentes face au congénère inconnu [85]. »

L'autre comportement qui témoigne de cette métamorphose, c'est l'étonnant « silence vocal du seizième mois [86] ». L'enfant qui criait, riait, pleurait et babillait sans cesse, tout d'un coup devient silencieux. Ce petit scénario de perplexité permet de comprendre que l'enfant change d'attitude dans son monde humain. Dès qu'il comprend qu'un monde invisible existe à l'intérieur des autres et qu'on peut le découvrir grâce aux passerelles verbales, l'enfant, fasciné par cette découverte, éprouve un sentiment mêlé de plaisir et d'inquiétude. Or, la manière dont les adultes interprètent ce moment de perplexité oriente l'enfant vers le plaisir de parler ou vers la crainte.

Certains parents, réjouis par le babil, éprouvent la perplexité du seizième mois comme une frustration. Ils peuvent à leur insu délaisser l'enfant, moins le solliciter, s'ennuyer avec lui ou même s'irriter alors qu'ils s'amusaient auparavant.

Si l'enfant ne dispose autour de lui que d'un seul attachement, son évolution dépendra essentiellement des réactions de cet adulte donneur d'affection. Mais s'il dispose de plusieurs attachements (père, mère, grands-parents, fratrie, crèche, école, institutions), il trouvera toujours un autre adulte pour lui proposer un autre tuteur de développement, une autre manière de s'attacher qui permettra une reprise évolutive en cas de brisure, et peut-être même lui convien-

---

85. ZAZZO R., 1993, *Reflets de miroir et autres doubles*, PUF, p. 120.
86. JOUANJEAN A., *op. cit.* et BOISSON-BARDIES B. DE, 1996, *Comment la parole vient aux enfants*, Odile Jacob, p. 132.

dra mieux. C'est vers ce nouveau fournisseur de gestes et de paroles que l'enfant désormais s'oriente préférentiellement. Si un tuteur casse ou ne convient pas au tempérament de l'enfant, un autre fera l'affaire, à condition que le petit ait acquis le moyen de résilience d'un attachement sécure, ou à la rigueur qu'il rencontre un adulte dont le monde intime saura s'articuler avec son mode d'attachement difficile. Des attachements multiples pourraient donc augmenter les possibilités de résilience.

La période d'attention silencieuse, d'hyperconscience immobile, difficile à observer puisqu'il s'agit d'une inhibition témoigne pourtant que l'enfant se prépare à la métamorphose parolière. C'est à ce moment-là que la théorie de l'esprit [87] se met en place.

Supposons que nous soyons, vous et moi, au bord de la mer et que nous regardions s'éloigner un bateau. Nous décidons de dire « top » quand nous le verrons disparaître. On peut prévoir que nous dirons « top » à peu près au même instant et nous en conclurons que le bateau vient de tomber au bout du monde. Chacun renforcera le témoignage de l'autre en disant que nous l'avons vu, de nos yeux vu, en même temps.

Supposons maintenant que l'un de nous monte sur le sommet d'une colline afin de dire « top » quand le bateau disparaîtra. Nous ne dirons pas « top » au même instant. Et c'est cette différence de témoignage qui nous rendra perplexes et nous obligera à moins nous fier à nos sens [88]. Dès l'instant où l'on cherche à rendre cohérente une telle divergence d'opinions, le monde se métamorphose. Il n'est plus seulement alimenté par nos perceptions, mais nous invite à nous représenter les représentations de l'autre. Le fait

---

87. LESLIE A. M., 1987, « Pretense and Representation : the Origins of " Theory of Mind " », *Psychological Review*, 94, p. 412-442.
88. SCHATZMAN E., 1992, *L'Outil théorie*, Eshel.

d'avoir constaté en même temps la même chose nous conforte et nous pousse à l'erreur. Alors que la différence de nos deux perceptions nous invite à nous étonner, à observer et explorer le monde de l'autre.

L'enfant perplexe pense probablement : « Je me demande si cette musique verbale, qui m'a tant fasciné pendant les premiers mois de ma vie, ne désignerait pas en fait, quelque chose d'invisible, vivant ailleurs ? » Il y a de quoi rendre perplexe un bout de chou de quinze mois ! Que se passe-t-il dans son monde mental ? Qu'est-ce qui lui permet dans sa pensée sans parole de comprendre soudain que l'autre exprime un monde invisible ?

À partir des perceptions partielles, un enfant bien développé dans sa bulle affective devient capable de se faire une représentation cohérente de ce qu'il ne voit pas. L'histoire de ses parents avait jusqu'à maintenant structuré la bulle sensorielle dont il se nourrissait. Mais vers le dix-huitième mois, c'est l'enfant qui prend le relais et devient capable d'attribuer un sens à ce qu'il perçoit. La perplexité, le regard, l'index et la comédie permettent de repérer la chrysalide qui le prépare à la métamorphose parolière.

Quand les histoires sans paroles permettent le partage des mondes intérieurs

Dès que l'enfant commence à parler, il synchronise ses regards et ses mots avec les regards et les mots de l'adulte. Mais tant qu'il ne se lance pas dans l'envol parolier, sa perplexité le rend attentif aux sonorités mystérieuses qui sortent de la bouche de l'adulte et révèlent sûrement un au-delà fantastique. Alors, l'enfant médusé scrute le visage de celui qui parle. L'index fonctionnait déjà depuis longtemps puisque c'est lui qui permettait, comme une petite baguette magique, de piloter le regard de l'autre et de créer ainsi des événements partagés. Mais ce qui l'autorise maintenant à faire appel à toutes ces acquisitions, c'est la comédie sans paroles du faire-semblant. On peut affirmer clairement qu'un enfant qui joue à la dînette ou fait semblant d'avoir mal commence à participer à la culture humaine.

Quelques mois après sa naissance, un nourrisson peut imiter les mimiques faciales d'un adulte. Il peut répondre par un sourire quand on lui sourit, tirer la langue quand on la lui tire ou être interloqué quand on fronce les sourcils[89]. Ces réponses paraissent imitatives parce qu'elles répètent un comportement de l'adulte, alors que l'enfant exprime probablement une émotion de joie, de surprise ou de quête relationnelle. Cette « imitation » est plus proche du phéno-mène de l'empreinte que d'une reproduction. L'empreinte consiste à se familiariser avec une image puis à exprimer l'émotion ainsi provoquée. Il s'agit d'un phénomène de mémoire plutôt que d'une reproduction intentionnelle. Or, dès l'âge de dix-huit mois, un enfant se plaît à reproduire un scénario comportemental produit par une figure d'attache-ment. Cette imitation pour le plaisir de faire comme « celle qui m'émeut » révèle que l'enfant aime habiter le monde d'un autre. Quelques mois plus tard, ce plaisir de jouer à imiter les sons de ceux qu'il aime permettra le langage répé-titif. Il faudra encore quelques mois pour qu'il devienne génératif, produisant des assemblages de mots nouveaux[90].

À table dans une crèche, quand les petits se mettent à taper en même temps dans la purée, ce merveilleux événe-ment auquel ils participent leur permet, en faisant la même chose au même moment, de partager les mêmes émotions, et de prendre part au monde qu'ils viennent de créer

---

89. TREVARTHEN C., HUBLEZ P., SHEERAN L., 1975, « Les activités innées du nourrisson », *La Recherche*, 56, p. 447-458.

90. BAUDONNIÈRE P. M., 2000, « L'imitation aux origines de la culture », *Le Journal des psychologues*, avril, n° 176, p. 16-19.

ensemble avec leurs cuillers et leurs purées. Ce n'est donc pas la singerie d'un enfant répétant les gestes d'un autre, c'est un réel partagé d'événement créé par tous.

La représentation théâtrale devient beaucoup plus abstraite quand un enfant de dix-huit mois met en scène un scénario fictif, afin d'agir sur le monde mental d'un adulte. Sa conscience de soi va tenter de manipuler la conscience de l'autre. Très tôt, le choix des rôles parle de son monde intime. Quand un enfant de quatre ans imite son petit frère de quinze mois, ce n'est pas pour « régresser » et se faire aimer comme lui, c'est au contraire pour partager un monde qu'il connaît déjà pour y être passé. Le même enfant qui « régresse » peut, quelques minutes plus tard, jouer un rôle parental ou même celui d'un héros de télévision. L'acquisition pré-verbale du don de la comédie qui permet d'associer nos mondes mentaux constitue le point fort de la résilience pré-verbale.

Les relations affinitaires sont étonnamment précoces et durables [91]. L'âge, le sexe et le style comportemental sont les déterminants du choix. Dès la fin de la deuxième année, les filles préfèrent les filles. Les garçons attendront la fin de la troisième année pour préférer les garçons [92]. Les filles jouent à parler mieux que les garçons et se plaisent à échanger quelques objets pour établir leurs relations. Avec un peu de retard, les garçons joueront mieux que les filles à créer des événements avec des bâtons, des ballons ou des escalades.

---

91. Barbu S., Jouanjean-L'Antoëne A., 1998, « Multimodalité de la communication dans les relations préférentielles entre enfants à l'école maternelle », *in* : Santi S., Guaïtella I., Cavé C., Konopczinski G. (éd.), *Oralité et gestualité – Communication modale, interaction*, L'Harmattan, p. 655-660.
92. La Frenière P., Strayer F. F., Gauthier R., 1984, « The Emergence of Same-sex Affiliative Preferences Among Preschool Peers : a Developmental-ethological Perspective », *Child Development*, 55, p. 1958-1965.

Ce qui est important, quand on observe la mise en place des ressources internes de la résilience, c'est de constater que lorsqu'une petite épreuve survient dans la vie d'un enfant, c'est avec le capital psychique acquis à ce moment-là qu'il aura à se défendre. Il n'est pas difficile d'observer que deux bébés, en se rencontrant, créent une structure affinitaire, avec des débuts de mots, des mimiques et des jeux de faire semblant. Quand un troisième enfant débarque dans ce petit monde interpersonnel, il se trouve en situation d'intrus et aura à faire preuve de ses qualités de socialisation[93]. Ces enfants intimidés se placent d'eux-mêmes en périphérie puis plus ou moins lentement selon la hardiesse acquise au cours des interactions précoces, ils deviendront acteurs de leur socialisation, en offrant des mimiques, des vocalisations, des bouts de ficelle ou des pirouettes comiques. Ces procédés d'un enfant intrus qui cherche à rencontrer des compagnons provoquent des réponses variées de l'entourage.

Certains enfants pré-verbaux accueillent l'intrus comme s'il s'agissait d'un événement extraordinaire, alors que d'autres le rejettent comme on le fait d'un rival. Parfois même ils l'agressent comme si sa simple présence constituait une agression. Les adultes manifestent le même genre de réaction comportementale. Certains se laissent séduire en riant, d'autres houspillent l'enfant intimidé, ou même repoussent un petit cajoleur ou le grondent pour qu'il cesse de « faire l'intéressant ».

Dans l'ensemble, tout enfant « en trop », se sentant intrus, est contraint à l'offrande pour se faire accepter et réalimenter sa vie affective. Mais il ne peut se défendre qu'avec ce qu'il a acquis avant l'épreuve. Son âge, son sexe

---

93. Mac Cabe A., Lipscomb T.J., 1988, « Sex Differences in Children's Verbal Aggression », *Merill-Palmer Quarterly*, 34, 4, p. 389-401.

et son petit passé lui ont donné un capital avec lequel il se protège au moment de l'agression.

Comment les clichés sociaux privilégient certains comportements du bébé

De même qu'on a pu dire que l'histoire des parents mettait en lumière certains objets dont l'enfant se servait pour trianguler sa relation, on a pu démontrer que les théories naïves d'une culture qui composent les clichés des discours collectifs ont le même effet. Au Costa Rica, les entretiens avec les mères ont révélé l'importance qu'elles attribuaient au babillage et à la posture assise. Pour elles, ces deux événements sont des prétextes à fêtes affectives et cris d'admiration. Les bébés éprouvent alors leurs performances motrices comme des événements marquants et s'en servent, dès le dixième mois, pour agir sur leur mère. Alors que les bébés allemands au même âge préfèrent tourner les pages d'un livre, pointer l'index vers les caractères imprimés, regarder le visage de leur mère et pousser des cris d'émerveillement[94]. Les enfants chinois jusqu'à trois ans sont attentifs et graves. Comme ils pleurent peu, et sourient rarement, on les dit « imperturbables ». En fait, ils sont attentifs au moindre geste de l'adulte et, dès le troisième mois, quand un adulte s'approche, ils tournent la tête vers lui et fixent son regard. Ce qui caractérise ces nourrissons, c'est leur aptitude à s'adapter au corps de l'adulte qui les prend dans les bras. Il paraît que les bébés chinois sont les meilleurs « épouseurs » du monde, tant ils savent se mouler dans les bras de l'adulte. Ce qui n'est pas du tout le cas des bébés nord-

---

94. ZACK M., BRILL B., 1989, « Comment les mères françaises et bambaras du Mali se représentent-elles le développement de leur enfant ? » *in* : RETSCHITZKY J., BOSSEL-LAGOS M., DASEN P., *La Recherche interculturelle*, L'Harmattan, tome II, p. 8.

américains qui, dès le troisième mois, sont trop gambadeurs et irritables pour être de bons épouseurs [95]. Pourtant l'environnement des petits Chinois est très sonore, coloré, mobile et stimulant, mais il est fortement structuré par les rites de leur culture. Dans un monde de bébé, un tel milieu assure une régularité de perceptions. Un retour régulier d'informations sensorielles compose pour le bébé un milieu stable malgré son intensité. Ces régularités sensorielles lui servent de repères et stabilisent son monde interne. Les bébés nord-américains sont d'origine irlandaise, polonaise, allemande, mexicaine, africaine... Or, malgré des morphologies, des origines et des couleurs différentes, ils manifestent dans l'ensemble un même type de tempérament sursauteur, pleureur, gambadeur et peu épouseur.

Les mythes sociaux sont eux aussi médiatisés sensoriellement par l'expression des émotions des parents. Croyant à un récit social qui dit que les enfants comprennent les mots aussi bien que les adultes, les Indiens du Kansas Mohave [96] ont composé un univers sensoriel qui, pour un nourrisson, était morne. À l'inverse, croyant comme notre culture occidentale nous l'a enseigné, que les nourrissons sont des produits biologiques, nous leur avons, pendant les décennies d'après-guerre, assuré l'hygiène en négligeant l'éveil affectif provoqué par la sensorialité de nos paroles. Cette culture a certainement laissé dans leur mémoire une trace de vulnérabilité. Découvrant aujourd'hui que les nourrissons perçoivent préférentiellement les visages du couple parental et une prosodie parolière qui les enchante, ce nouveau récit social, alimenté par des découvertes scientifiques, leur compose un monde sensoriel mieux adapté à leur monde mental. Ceci explique l'acquisi-

95. KAGAN J., 1979, « Overview : Perspectives on Human Infancy », *in* : OSOFSKY J. D. (éd.), *Hand Book of Infant Development*, New York, Wiley.
96. DEVEREUX G., 1949, « Mohave Voice and Speech Mannerism », *Word*, 5, p. 268-272.

tion d'une aptitude à la socialisation qui, en cas d'épreuve, leur offrira un facteur de résilience.

La personnalité des parents sélectionne dans la culture les récits qui lui conviennent, ce qui en fait des tuteurs de développement proposés aux enfants. Voilà pourquoi les bébés chinois sont tellement attentifs aux super-signaux intenses, colorés et rythmés proposés par les rites chinois. Alors que les bébés américains sont exaspérés par un milieu sonore, incohérent pour eux, stimulant mais désorganisé, qui en fait des bébés hyperactifs. Le milieu sensoriel qui exaspère ces bébés s'organise ainsi à cause d'un mythe glorifiant les adultes qui travaillent nuit et jour, savent s'affirmer en parlant fort, et n'hésitent pas à changer de travail, changer de maison, changer de conjoint.

Cette absence de rythmes sociaux empêche la perception de régularités qui stabilisent le monde intime des enfants, et d'objets saillants qui médiatisent leur relation. En revanche, quand l'imprégnation d'un attachement sécure a permis d'acquérir un comportement de charme, quand la conquête de la stabilité interne a permis d'apprendre à se socialiser grâce aux comportements d'offrande, quand la sensorialité parolière des adultes a rendu l'enfant attentif aux autres, alors se met en place un des plus précieux facteurs de résilience : l'humour.

L'humour, c'est pas fait pour rigoler

« L'essence de l'humour réside en ce fait qu'on s'épargne les affects auxquels la situation devait donner lieu et qu'on se met au-dessus de telles manifestations affectives grâce à une plaisanterie », disait Freud[97].

---

97. FREUD S., 1905, *Le Mot d'esprit et ses rapports avec l'inconscient*, Gallimard, 1969, p. 129.

L'affect aurait dû être douloureux puisque l'événement a été cruel. Mais la manière de le représenter en le racontant ou en le mimant modifie la souffrance et la transforme en sourire. Aujourd'hui, pour paraître scientifique, on formulerait l'idée différemment, on parlerait du « remaniement cognitif de l'émotion associée à la représentation du trauma ». Mais si l'on accepte d'être simple, on dira sans façons que l'humour est libérateur et sublime, que c'est « l'invulnérabilité du moi qui s'affirme et qui non seulement refuse de se laisser imposer la souffrance de l'extérieur, mais même trouve le moyen de convertir les circonstances traumatisantes en un certain plaisir[98] ».

Cette idée est souvent mal acceptée, comme s'il était indécent de sourire de sa propre souffrance. Il est vrai que la crête est étroite et que dans l'humour raté, quand le risque a été mal maîtrisé, la plaisanterie tombe à plat et humilie celui qui a été blessé. Et pourtant, l'aspect relationnel de cette représentation psychique, qui transforme un malheur en plaisir, s'observe tous les jours lors du théâtre familial de l'humour pré-verbal.

La jeune mère qui, mettant au monde sa petite fille, l'avait accueillie en disant aux infirmières : « Faites quelque chose ! Vous ne voyez pas qu'elle veut mourir ? », était trop malheureuse pour manifester le moindre humour. Sans recul, elle collait à l'événement comme une urgence tragique. Quelques mois plus tard l'enfant, beaucoup trop attachée à sa mère, l'embrassait sans cesse et hurlait de terreur dès qu'elle détournait le regard pour mener sa vie quotidienne. Alors qu'une mère sécurisée met en scène elle-même la transformation des petits malheurs. Quand le bobo n'est pas trop grave, elle invente un jeu qui transforme le chagrin, elle souffle sur l'égratignure en prononçant une

---

98. Szafran A. W., Nysenholc A. (dir.), 1994, *Freud et le rire*, Métailié, p. 16.

formule magique, elle reformule avec ses mots le petit événement douloureux, et tout le monde en rit.

À la douleur de l'égratignure ne s'ajoute pas la souffrance de la représentation de l'égratignure. Au contraire même, la mise en scène du « drame », en reformulant l'épreuve, la transforme en théâtre familial et en victoire relationnelle. C'est pourquoi « l'humour, c'est pas fait pour rigoler [99] », c'est fait pour métamorphoser une souffrance en événement social agréable, pour transformer une perception qui fait mal en représentation qui fait sourire.

L'aptitude à convertir une épreuve en vertu relationnelle s'acquiert étonnamment tôt. Dès les premiers mois, ce qui déclenche le sourire amusé d'un nourrisson, c'est le stress de l'insolite. Un mouvement brusque, une gestualité inattendue, une musique parolière inhabituelle désorganisent le monde des perceptions rythmées et la surprise anxieuse se transforme en plaisir, à condition que l'enfant ait acquis un attachement sécure. Les tempéraments confus hurlent de terreur devant l'insolite, les évitants restent apparemment froids et les ambivalents dépendent des réactions de l'entourage.

L'humour pré-verbal des premiers mois transforme l'attente anxieuse en fête émotionnelle. Vous pourrez le vérifier en réalisant l'expérience de « À dada sur mon bidet ». Dès l'âge de six mois, l'enfant sur vos genoux se jette en arrière en riant dès que, en chantonnant, vous annoncez les secousses à venir du « prout, prout, cadet ». Votre comptine prend pour lui la valeur d'un signal qui annonce le secouement des genoux. La sensation d'humour moteur vient de l'attente anxieuse et réjouie. C'est ce que nous faisons en regardant un film de Hitchcock, quand nous appre-

---

99. VANIESTENDAEL S., 2000, « Humour et résilience », in : *La Résilience – Le Réalisme de l'espérance*, Colloque Fondation pour l'enfance, 30 mai.

nons que la tentative de crime surviendra lors de la symphonie finale, et que nous attendons le coup de cymbale qui masquera le coup de feu [100]. De même, les petits spectateurs du Guignol hurlent de terreur et de plaisir pour prévenir la marionnette que le gendarme vient de surgir.

Si un bébé attend l'insolite avec gaieté, c'est qu'il a déjà appris à le rendre familier. Cette victoire émotionnelle l'amuse et l'enhardit en imprégnant dans sa mémoire qu'il est possible de rire d'une peur, à condition d'en faire une relation.

L'humour des premiers mois constitue un indice précurseur du style d'attachement. La voix déguisée du « Je vais t'attraper » est une comédie de la poursuite et de l'enlèvement [101], mais l'enfant sait qu'il s'agit d'une voix déguisée dont l'étrangeté l'amuse. Une voix véritablement étrangère l'inquiéterait, une voix totalement familière l'ennuierait. La gaieté vient du décalage d'une voix familière, un peu étrange, qui annonce la poursuite. Ce scénario prépare la familiarisation de l'inquiétante étrangeté quand l'enfant en présence d'une personne inconnue ne s'en inquiétera pas, puisqu'il a déjà appris au cours des premiers jeux qu'il est capable de la familiariser. Il sait par expérience qu'il peut triompher d'une peur. Il a déjà acquis un facteur de résilience pré-verbale.

Acquisition durable ne veut pas dire définitive puisqu'un autre événement, une autre relation pourra l'éteindre ou la consolider. Mais cette aptitude est un énorme facteur de résilience interne puisque l'enfant a désormais appris à se protéger de la remémoration d'un trauma. Il sait qu'il est capable de surmonter une épreuve. La petite fille dont la mère disait : « Vous voyez bien qu'elle

---

100. HITCHCOCK A., 1956, *L'Homme qui en savait trop* (film).
101. STERN D., 1997, Conférence *in* : DUGNAT M., *Les Interactions précoces*, Avignon, juin 1997.

veut mourir », n'a jamais pu acquérir cette mise à distance du trauma. Tout événement, pour elle, devenait traumatisant puisque la souffrance de sa mère mélancolique ne lui avait pas permis d'apprendre à jouer avec la peur. La moindre séparation devenait tragique car elle prenait la signification d'une perte totale. Alors qu'un enfant qui a appris à jouer avec la peur, à en rire et à en faire rire, utilise sa petite tragédie pour en faire une stratégie relationnelle. Il cesse de répondre aux stimulations immédiates et commence à maîtriser son monde de représentations préverbales.

« L'humour est donc gestionnaire et libérateur [102] » à condition d'en faire une représentation sociale. Dès le dixième mois, un enfant qui joue à faire semblant a déjà appris à partager son monde. En cas de chagrin, s'il tombe ou se fait mal, il peut provoquer l'aide dont il a besoin, il sait comment transformer sa misère en relation. Lors de ce scénario d'appel au secours, ses partenaires sont ses figures d'attachement : parents, donneurs de soins ou copains. Certains adultes, enchantés par ces comportements de quête affective, se plaisent à les consoler parfois même un peu trop. Alors que d'autres sont horripilés par la souffrance que le scénario évoque dans leur propre histoire, ils découragent l'enfant et lui font perdre ce facteur de résilience.

On a besoin d'un autre pour jouer la comédie. Il faut des partenaires pour donner la réplique et des spectateurs pour valider nos efforts. Quand les figures d'attachement ne découragent pas les petits, on constate que les bébés de l'humour sont ceux qui, plus tard, deviendront les jeunes gens les plus créatifs et les plus amusés par la survenue d'événements insolites.

---

102. Aimard P., 1988, *Les Bébés de l'humour*, Pierre Mardaga, p. 333.

Fondements de l'échafaudage de la résilience

La nature de l'événement blessant peut correspondre à toutes les instances d'un même appareil psychique : biologique, affectif ou historique. Mais à chaque niveau, une résilience est possible.

Quand les altérations génétiques sont majeures, la résilience est difficile mais non impossible. La pathologie la plus connue dont j'ai déjà parlé [103], la PCU (phénylcétonurie), provoque quand elle n'est pas traitée, un quotient intellectuel inférieur à 50. Et pourtant, dès ce niveau génétique, où le gène anormal est situé sur le chromosome 12, la résilience est possible, car il arrive qu'on trouve par surprise cette anomalie chez des personnes dont l'intelligence est normale [104]. D'autres métabolismes ont probablement compensé cette défaillance génétique.

Dans l'arriération mentale due à l'X fragile, découverte récemment, une séquence de trois bases s'accumule à chaque génération sur le chromosome X, jusqu'au moment où, en empêchant l'expression des gènes voisins, ce stockage provoque chez les enfants une grande difficulté de contact visuel et un trouble de l'expression de soi : hyperactifs, impulsifs, ils parlent à toute allure, puis soudain bredouillent de façon imcompréhensible. Quand l'entourage réagit vivement à cette difficulté d'expression, le trouble s'aggrave. Mais depuis que l'on a découvert que ces enfants s'exprimaient mal, mais comprenaient bien [105], les troubles s'estompent, parce que l'entourage adulte y répond mieux.

---

103. p. 42.
104. PLOMIN R., FRIES J. DE, Mac CLEARN G., RUTTER M., 1999, *Des gènes au comportement*, De Bœck Université, p. 147.
105. DYKENS E. M., HODAPP R. M., LECKMAN J. F., 1994, *Behaviour and Development in Fragile X Syndrom*, Londres, Sage.

Dans le syndrome de Williams, c'est plutôt le contraire. Une petite délétion sur le chromosome 7 entraîne une arriération mentale masquée par une expression orale correcte. En fait, ces enfants possèdent une mémoire musicale stupéfiante qui leur permet de chantonner parfaitement de longues phrases qu'ils ne comprennent pas, mais qu'ils récitent à la perfection [106].

On pourrait continuer longtemps l'énumération de troubles des comportements gouvernés par les gènes. Ils sont déjà résiliables, soit par une modification moléculaire, soit par une amélioration des processus interactifs. Le simple fait de mieux comprendre le monde mental de ces enfants améliore la relation et devient un facteur de résilience. Bien sûr, cette résilience est loin d'être systématique à ce niveau du développement où la contrainte biologique est encore forte, mais elle devient parfois possible. Quand le trouble biologique bloque le développement, la résilience est difficile. Mais quand un développement même altéré a été effectué, la résilience devient possible. C'est ainsi que de graves encéphalopathes ont nettement amélioré leurs comportements dès qu'on a compris la signification de leurs troubles [107].

Tout nourrisson acquiert son tempérament, son type comportemental sous l'effet d'une double contrainte. La pulsion génétique lui donne un élan vers l'autre, mais c'est la réponse de l'autre qui lui propose un tuteur de développement. Quand le tuteur est stable, le style relationnel s'inscrit dans la mémoire du nourrisson et crée un modèle opéra-

---

106. Bonvin F., Arheix M., 1999, *Étude du comportement vocal et langagier dans le syndrome de Williams-Beuren*, Diplôme universitaire d'éthologie, université Toulon-Var.

107. Guillemard-Lagarenne B., 1998, « Les stéréotypies sont des " gestes communicatifs " : l'organisation gestuelle d'un handicapé mental, *in* : Santi S., Guaïtella I., Cavé C., Konopczynski G. (éd.), 1998, *Oralité et gestualité*, L'Harmattan, p. 227 et application pratique : Villalobos M. E. et Savelli B., 1997, hôpital San Salvadour, Hyères.

toire interne (MOI [108]). Et lorsqu'un événement nouveau
survient, le nourrisson s'y ajuste et y répond avec le répertoire comportemental acquis précédemment. Donc, à
chaque instant de son développement psychique, le nourrisson devient sensible à de nouveaux objets qu'il ne pouvait
pas rencontrer auparavant. Ce genre de raisonnement
résulte de la stimulation réciproque entre l'éthologie et la
psychanalyse [109]. L'éthologie nous apprend que les comportements et les émotions ne peuvent s'imprégner dans la
mémoire que dans un certain ordre et à certains
moments [110]. Aux traces cérébrales non conscientes des premières années succède la mémoire des images visuelles et
sonores vers la deuxième année, à laquelle s'ajoutera la
mémoire des récits à partir de cinq à six ans. À chaque
étape, les mêmes événements prendront des effets traumati-
sants différents.

Le premier exemple d'un tel genre de raisonnement a
été donné par Anna Freud qui racontait l'histoire de Jane,
une petite fille de quatre ans placée à la nursery d'Hampstead, à Londres, en 1941 [111]. Très gaie, très sociable, « ravie
de la nouvelle expérience », elle s'effondre complètement et
devient « inconsolable » quand son père meurt et que sa
mère doit travailler. La nursery, qui était un lieu d'explorations joyeuses au moment où elle avait ses deux parents,
devient un lieu de tristesse dès qu'ils ont disparu. Privée de
base de sécurité, toute exploration se transformait en agres-

---

108. BOWLBY J., 1969, *Attachment and Loss*, vol 1, *Attachment*,
Londres, Hogarth Press.
109. PARENT S., SAUCIER J.-F., 1999, « La théorie de l'attachement »,
in : HABIMANA E., ETHIER L., PETOT D., TOUSIGNANT M., *Psychopathologie de
l'enfant et de l'adolescent*, Gaétan Morin, p. 35.
110. DORÉ F. Y., 1983, *L'Apprentissage – une approche psycho-
éthologique*, Stanké-Maloine.
111. FREUD A., BURLINGHAM D., 1941, « Monthley Report of the
Hampstead Nurseries », *in* : HELLMAN I., 1994, *Des bébés de la guerre aux
grand-mères*, PUF, p. 4.

sion. Son tempérament avait changé de forme. L'attachement sécure qu'elle manifestait auparavant se mua en
hyper-attachement anxieux. Elle s'orienta de plus en plus
vers la mère supérieure et, pour lui plaire, devint bonne
élève. En revanche, la moindre perte provoquait une tristesse anormale. À l'époque où elle avait encore ses deux
parents, la perte d'objets induisait un comportement de
recherche, puis très rapidement, elle se tournait vers autre
chose. Depuis leur départ, toute perte était devenue une
épreuve. La mort de son chat provoqua une telle souffrance
qu'adolescente, elle dit : « Il ne devrait pas y avoir de chats
perdus dans le monde [112]. » Elle décida de devenir vétéri-
naire, afin « de donner un chat à chaque enfant sans
maman ». À l'âge de vingt-deux ans, quand sa mère décida
de se remarier, Jane en fut d'abord heureuse, puis à son
grand étonnement, elle sombra dans une dépression colé-
reuse et dit : « C'est comme si j'avais perdu ma mère. » Elle
ne put s'en remettre qu'en tissant à son tour une autre relation affective stable.

Cette première étude catamnestique, qui a associé une
longue observation directe avec une psychothérapie, permet
de montrer comment une privation précoce crée un mouvement de vulnérabilité qui exige une compensation pour se
rééquilibrer. Le traumatisme inscrit dans la mémoire une
trace biologique qui s'enfouit sous les mécanismes de
défense mais ne s'éteint pas. Jane a lutté victorieusement
contre le désespoir de la perte affective. Elle a su se faire
aimer par la mère supérieure, devenir bonne élève, soigner
les animaux, les offrir en tant que substitut affectif aux
petits orphelins, militer pour leur cause, se faire beaucoup
d'amis et donner un sens à sa vie. Jusqu'au jour où, à l'âge
de vingt-deux ans, la trace mnésique de la perte affective a
été réveillée par le remariage de sa mère qu'elle avait pour-

---

112. *Ibid.*, p. 49.

tant souhaité. Cette vulnérabilité a nécessité un besoin de stabilité affective avec son mari qui l'a de nouveau équilibrée... « Toutefois, les observations de son développement et l'évaluation de sa personnalité actuelle montrent que le traumatisme n'a ni arrêté le développement en cours, ni laissé une empreinte gênante sur la vie adulte », dit Ilse Hellman qui aurait dû ajouter « parce que s'étaient mis en place des tuteurs de résilience ».

Parfois, le développement de l'enfant s'arrête alors que son milieu lui tend la main. Soudain, le petit ne comprend plus que ce qu'il perçoit sur le corps de l'autre exprime son monde intime. Il cesse de faire semblant, évite le regard de ses figures d'attachement et n'éprouve même plus le désir de pointer son doigt vers des objets saillants afin de partager un événement. Il se trouve que ces trois comportements témoignent d'un trouble grave [113]. Quand Baron-Cohen a envoyé 16 000 questionnaires à des mères d'enfants âgés de dix-huit mois afin de vérifier si, à ce moment de leur développement, ils avaient acquis ces trois comportements, il a noté 112 échecs. En téléphonant aux parents, il a constaté, un mois plus tard, qu'il ne restait que 44 enfants encore bloqués. Quand il a examiné cette population, il a constaté 32 retards de développement pour des raisons variées : maladie de l'enfant ou de la mère, isolements durables, accidents de la vie. Quatorze enfants ont rattrapé ce retard dès qu'on en a pris conscience. Mais dix diagnostics d'autisme ont été posés à dix-neuf mois, alors que d'habitude on l'affirme vers trois ans et demi. Trois gestes (ne plus soutenir le regard, ne plus faire semblant et ne plus désigner) permettent de repérer extrêmement tôt un arrêt grave de la construction de la personnalité.

---

113. BARON-COHEN S., ALLEN J., GILLIBERG C., 1992, « Can Autism be Detected at 18 Months ? The Needle, the Haystack and the CHAT », *British Journal of Psychiatry*, 161, p. 839-843.

Quand la relation conjointe détruit l'échafaudage

Parfois l'enfant se développe correctement mais son milieu défaille. Mme Blos était en pleine dépression quand elle a mis au monde la petite Audrey. À l'âge de douze mois, la petite fille ne savait pas se sécuriser auprès de quelqu'un d'autre que sa mère. Dès que celle-ci trouvait un peu de force pour s'en occuper, la petite se jetait contre elle pour la serrer ou la frapper, manifestant ainsi un hyper-attachement anxieux et ambivalent [114].

Lorsque les enfants de mères dépressives sont régulièrement observés, on constate la mise en place d'interactions apauvries [115]. La souffrance de la mère prépare mal à la relation conjointe [116] et ne permet pas à l'enfant d'acquérir les comportements de charme qui donnent aux adultes le plaisir de s'occuper de lui. Leurs échanges de regard sont brefs, dans un contexte de mimiques faciales figées dépourvues d'expression de plaisir. Les mots de la mère sont rares et monocordes. Les babils de l'enfant répondent faiblement, sans durée ni prosodie. Même les relations corporelles, rares et distantes, se déroulent froidement comme de simples contacts de devoir, sans contagion affective ni plaisir partagé.

---

114. MURRAY L., 1996, « The Impact of Post-natal Depression and Associated Adversity on Early Mother-infant Interactions and Later Infant Outcome ». *Child Development*, 67, p. 2512-2526, *in* : SUTTER A. L., 1998, « La dépression post-natale. Ses conséquences sur la relation mère-enfant », *Abstract Neuro-Psy*, n° 18.
115. PERARD D., LAZARTIGUES A., 1989, « Une mère dépressive et son nourrisson », *Psychiatries*, n° 86, p. 43-49.
116. TOURETTE C., 2000, *Apprendre le monde et apprendre à en parler*, Troisième journée scientifique de l'école d'orthophonie de Lyon, 24 novembre.

À l'âge adulte, Audrey se demandait encore pourquoi elle ne pouvait pas s'empêcher de séduire sa mère, si froide avec elle et si chaleureuse avec son frère. Jusqu'au jour où, à l'âge de cinquante-neuf ans, elle a décidé de questionner sa mère âgée de quatre-vingt-trois ans ! Celle-ci n'a pas été choquée et s'est même étonnée de ne jamais avoir cherché à résoudre ce problème. En deux phrases, elle a confié son immense souffrance quand Audrey est arrivée au monde. Son mari s'était désintéressé de sa grossesse car il préférait se consacrer à son aventure d'artiste et à sa propre mère. Audrey a entendu sa mère lui dire : « J'ai voulu te tuer pour t'emmener avec moi, pour que tu ne souffres pas comme moi... Après, tu as toujours évoqué le malheur. Dès que je te voyais, j'étais désespérée. Tu as réussi à l'école... Mais moi je n'ai pas pu... J'étais jalouse de toi... Ton frère est arrivé après ma mélancolie... J'avais renoncé à me faire aimer par ton père... Ton frère, c'est l'enfant du bonheur... Après ça a toujours continué... Je n'avais que lui à aimer... »

Cette situation clinique assez fréquente confirme à quel point une représentation intime dans le monde de la mère organise autour de l'enfant une bulle sensorielle qui imprègne en lui un tempérament vulnérable ou riche en résilience. Mais surtout, elle illustre à quel point le père participe à la résilience. Un mari qui désertifie le monde de la mère la rend désertifiante pour son enfant. À l'inverse, un homme qui désire prendre sa place de mari et de père réchauffe la mère et participe au triangle. Or le monde sensoriel qui s'imprègne dans l'enfant n'est pas du tout le même dans une bulle à deux ou dans un triangle. Dans une bulle, l'enfant est délicieusement capturé par une figure d'attachement qui prend le monopole des relations affectives. Son monde avec la mère se clôt autour d'une figure dominante, alors que celui du dehors devient sombre, sans intérêt et même inquiétant. Cette bulle affective mono-sensorielle crée une sorte d'« impuissance acquise » où, plus tard, l'adolescent n'aura appris qu'à se faire servir dans la douce prison affective maternelle. Il n'aura jamais découvert comment établir une relation d'un autre style. Toute étrangeté devient inquiétante et l'extrême familiarité écœurante. Ces enfants-bulles fournissent un fort contingent de dépressions adultes car ils souffrent d'un choix impossible entre l'écœurement que provoque l'attachement et la peur que suscite l'absence d'attachement [117].

C'est ce qui est arrivé au frère d'Audrey qui ne s'est pas bien développé, lui non plus. Leurs souffrances n'étaient pas les mêmes. Au désespoir d'Audrey de ne pas être aimée s'opposait l'écœurement de son frère étouffé par l'amour. Si un père avait pris sa place, il aurait peut-être réchauffé la mère d'Audrey et ouvert la prison affective du frère ?

« Dès le désir d'enfant et durant la grossesse, il y a négociations dans le couple, à un niveau tant fantasmatique que comportemental pour faire une place à un troisième... » Ainsi se construit le « nid triadique [118] », dit Martine Lamour. Dans ce triangle, l'enfant devra apprendre plusieurs manières d'aimer. Il n'aura pas la même mère, si elle est seule ou si elle en aime un autre. Dans le premier cas, il apprendra à recevoir passivement les rations affectives d'une pourvoyeuse de biens. Dans le deuxième, il prendra conscience d'une différence de style, il apprendra deux manières d'aimer, il s'attachera à une mère vivante et moins soumise, puisqu'elle aura quelqu'un d'autre à aimer. Il devra donc apprendre à la char-

117. SATTO T., 1997, « Received Parental Styles in a Japanese Sample of Depressive Disorders », *British Journal of Psychiatry*, 170, p. 173-175.
118. LAMOUR M., GOZLAN-LONCHAMPT A., LETRONNIER P., DAVIDSON C., LEBOVICI S., 1997, « De la microanalyse à la transmission familiale : des interactions triadiques père-mère-bébé à la triangulation intergénérationnelle », *Bulletin WAIMH*, novembre 97, vol. 4, n° 2.

mer s'il veut s'en faire aimer, au lieu de tout en exiger, il deviendra acteur de sa conquête affective. Nous venons de retrouver la description de l'attachement sécure où l'enfant en situation de perte va chercher l'étrangère afin de la transformer en substitut affectif.

Et plus même : le simple fait que le bébé apprenne à tisser deux liens de formes sensorielles différentes le prépare à « l'affiliation culturelle [119] ». S'il aime un père et une mère, il s'intéressera plus tard à leurs familles et à leurs histoires. En découvrant ses deux origines, il apprendra une sorte de méthode comparative qui l'invitera à la découverte de la différence, à leurs explorations affectueuses, donc à la tolérance.

À la stabilité des pressions affectives qui façonnent le tempérament de l'enfant et imprègnent en lui une découpe claire du monde, le triangle ajoute l'ouverture vers la prise de conscience, puisqu'il y a deux sexes, deux origines, deux manières d'aimer, deux mondes mentaux et deux cultures. Une possibilité de choix apparaît que certains désignent déjà par le mot « liberté ».

Quand un fracas survient à ce stade du développement, la liberté est arrêtée puisque l'édifice psychique est en ruine. Mais le flux vital est tel que, comme un fleuve, l'enfant reprendra le cours de son développement dans une direction modifiée par le trauma. Pour que le flux vital momentanément barré par l'accident puisse reprendre son cours, il faut que l'enfant souffre moins de sa blessure, que son tempérament ait été bien imprégné par son milieu précoce, et qu'autour du petit blessé on ait disposé quelques tuteurs de résilience.

---

119. LEBOVICI S., 1992, *À propos de la transmission intergénérationnelle : de la filiation à l'affiliation*, Allocution présidentielle, Congrès WAIPAD, Chicago.

On connaît la cause, on connaît le remède et tout s'aggrave

Depuis qu'Anna Freud, René Spitz et John Bowlby[120], pendant la Seconde Guerre mondiale, ont mis en évidence la nécessité de l'affection pour le développement des enfants, on aurait pu croire qu'ayant trouvé la cause et disposant du remède, ce genre de souffrance par carence affective allait disparaître. C'est le contraire qu'on observe. La dépression précoce et les carences affectives, non seulement n'ont pas disparu, mais encore augmentent même dans les familles aisées, constate Michaël Rutter[121].

On sait que la plupart des troubles sont réversibles, on sait comment faire, on le fait... et le nombre des carences affectives augmente! L'explication est claire. Les carences provoquées dans les années 1950 par la privation affective dans les hôpitaux et les institutions ont énormément régressé dans les pays développés. On connaît les symptômes et les cliniciens savent maintenant repérer une dépression précoce du nourrisson dès l'apparition du premier signe de « retrait relationnel[122] ». Avant d'arriver au tableau tragique du bébé abandonné, immobile, figé, sans mimiques faciales, les yeux dans le vague, ne dormant pas et ne mangeant plus, on peut noter une petite lenteur de réponse, un repli sur soi, « un lien d'attachement

---

120. SPITZ R. (Préface d'Anna FREUD), 1958, *La Première Année de la vie de l'enfant (genèse des premières relations objectales)*, op. cit., p. 117-125. 121. RUTTER M., 1981, *Material Deprivation Reassessed*, Harmondsworth, Penguin.
122. GUEDENEY A., 1999, « Dépression et retrait relationnel chez le jeune enfant : analyse critique de la littérature et propositions. », *La Psychiatrie de l'enfant*, 1, p. 299-332.

mélancolique entre un bébé au regard figé et une mère au regard perdu [123] ». Si l'on interprète ce retrait comme un trait de tempérament d'enfant sage, on laissera se développer un vrai tableau de dépression puisqu'on vient de se donner une bonne raison de ne pas s'occuper d'un enfant qui commence à se laisser glisser. Mais si l'on accepte l'idée qu'un enfant doit faire des bêtises pour prouver son bonheur de vivre, on s'inquiétera de ce retrait.

En fait, il n'y a jamais de cause unique. Lorsqu'une mère est seule avec son bébé, elle transmet sa souffrance si elle est dépressive. L'enfant cesse de jouer, ses développements se ralentissent et toute nouveauté l'inquiète. Dans un petit groupe de trente-cinq nourrissons qui ont baigné pendant deux ans dans la dépression de leur mère, il y a eu quatorze fois plus de troubles du développement que dans la population témoin [124]. Mais le problème est là : est-il normal qu'une mère soit seule avec son bébé ?

En guérissant, les mères proposent à leur enfant une écologie sensorielle plus stable et plus stimulante. Or, dès la huitième semaine, un enfant perçoit préférentiellement une figure d'attachement. Si cet objet est stable, l'enfant, en s'attachant à cet objet d'amour, va stabiliser ses comportements et apprendre les premières caractéristiques de son tempérament [125]. La plasticité développementale fera le reste tant le flux vital est puissant. La source de l'arrêt du développement n'est donc pas à rechercher dans la dépression de la mère, si fréquente

---

123. MARCELLI D., 1999, « La dépression dans tous ses états : du nourrisson à l'adolescent », *Neuropsychiatrie de l'enfance et de l'adolescence*, 47, p. 1-11.

124. STEIN A., 1991, « The Relationship Between Post-natal Depression, and Mother-child interaction », *British Journal of Psychiatry*, 158, p. 46-52.

125. DAVID D., APPEL G., 1962, « Études des facteurs de carence affective dans une pouponnière », *Psychiatrie de l'enfant*, IV, 2, p. 401-442.

actuellement [126], mais plutôt dans la cause de sa dépression. Certaines femmes ont du mal à se remettre du bouleversement hormonal de la grossesse et de l'accouchement, car les hormones ont souvent un effet euphorisant. Beaucoup de jeunes mères se sentent vides après avoir donné naissance, la grossesse avait tellement rempli leur vie que l'accouchement provoque parfois une sensation de perte, ou le plus souvent de vide, comme l'éprouvent les étudiants après une intense préparation à un concours. Le lendemain, ils se sentent inutiles au lieu d'être libérés. Mais les origines les plus fréquentes de la dépression après l'accouchement sont conjugales, historiques et sociales.

Les causes sont conjugales quand le père s'enfuit pour porter le bébé à sa propre mère... ou quand il méprise sa femme parce qu'elle ne sait pas s'occuper d'un nouveau-né. Donc, par son comportement, le père modifie la manière dont la mère constitue la bulle sensorielle qui entoure le bébé.

Les causes sont historiques quand la mère attribue à son enfant une signification maléfique : « Il ressemble à mon père qui m'a tant battue », ou : « Il m'empêche de retourner dans mon pays. » Alors, elle adresse au petit des comportements adaptés à cette représentation douloureuse venue de son passé.

Enfin, elles sont sociales quand notre évolution technologique ou nos lois changent la condition des mères. À l'époque où l'on n'a jamais si bien compris les relations mère-enfant, les nourrissons n'ont jamais été si seuls. Les études sur les séparations révèlent une nette dissociation entre les discours collectifs, attentifs aux enfants, et la bulle comportementale qui les façonne et qui s'exprime à notre insu. En Italie, 8 % des enfants âgés de un à trois ans sont

---

126. NAJMAN J. M., 2000, « Social Psychiatry and Psychiatric Epidemiology », *in* : *Abstract Psychiatry*, n° 214, avril.

gardés ailleurs que dans leur famille, contre 40 % aux États-Unis et 50 % en France [127].

Bien sûr, les crèches et les lieux de garde des tout-petits ont fait des progrès fantastiques. Les enfants s'y épanouissent très bien, au point même que beaucoup de jeunes mères se sentent dévalorisées et pensent que les professionnelles sont plus compétentes. « Vivement lundi, que ma fille retourne à la crèche! Elle y est plus heureuse qu'avec moi », une phrase qu'on entend de plus en plus souvent. Il y a une gradation énorme entre certaines institutions, comme en Chine, en Russie, en Roumanie, où les enfants sont parqués sans soins, en attendant la mort, et d'autres où ils sont parfois mieux entourés qu'à la maison, comme c'est le cas en France. On est loin du film des Robertson [128] où l'on voit, en 1952, les comportements désespérés d'un petit garçon déchiré par une brève séparation. Pourtant, vingt ans plus tard, en 1974, les études comportementales révélaient encore que les enfants de crèche manifestaient presque tous vers l'âge de deux-trois ans un attachement insécure [129]. Changement radical à partir de 1980 où ce style d'attachement disparaît chez les enfants des crèches. La prise en charge par des puéricultrices motivées et de plus en plus compétentes a changé la bulle qui se substitue à la mère. Et surtout, les enfants qui y sont confiés ne sont plus des enfants de pauvres. Au contraire même, ce sont des enfants de femmes aisées, épanouies et engagées dans l'aventure sociale. Or, même quand les enfants sont confiés à des garderies, la figure d'attachement reste la « mère-entourée ».

---

127. STORK H., 1988, « Les séparations mère-enfant », *Enfance*, n° 41.
128. ROBERTSON J., 1952, *Guide provisoire pour « Un enfant de deux ans va à l'hôpital »*, film scientifique, Londres, Tavistock Clinic, décembre 1953.
129. PIERREHUMBERT B., BETTSCHART W., FRASCAROLO F., 1991, « L'observation des moments de séparation et de retrouvailles », *Dialogues*, n° 112.

Quand cette base de sécurité est bien imprégnée dans le tempérament de l'enfant, la crèche devient une ouverture épanouissante et une conquête stimulante.

Cette amélioration de la condition des mères et de leurs bébés pose quand même un problème : l'épanouissement se fait sur le fil du rasoir. Si la mère est malheureuse au travail, elle se retrouve dans le scénario de la transmission du malheur, et si les crèches sont trop grandes ou, comme dans nos sociétés urbaines, organisées de façon « anomique [130] », sans structures spontanées, sans rituels d'interaction ni coutumes, les enfants deviennent vulnérables à la moindre séparation. Ils apprennent à craindre la perte et s'en défendent en développant un type d'attachement froid et distant qui les met en chemin vers une affectivité légère. Cet art d'aimer peu les protège de la souffrance d'aimer beaucoup. Mais la vie se vide de sa saveur, comme une amputation qui, elle aussi, préserve du mal. Or, notre urbanisation planétaire, nos carrières sociales instables, créent des milieux changeants et des crèches anomiques où tout est sans cesse bouleversé.

C'est ce qu'on voit dans les milieux de marins d'État [131] ou de hauts fonctionnaires qui déménagent brusquement tous les deux ou trois ans. Les intérêts de l'entreprise ne sont pas forcément ceux de la famille et des tout-petits. Pas le temps de tisser un lien, d'établir une loyauté [132]. Il n'est pas impensable qu'un jour l'État élève nos enfants. Il l'a toujours fait de manière insidieuse quand il contraignait à passer sa vie dans une seule ferme, une seule langue, une seule croyance, et quand il décidait la carrière des jeunes en

---

130. MELHVISH E.C., 1988, « Étude du comportement socio-affectif à 18 mois en fonction du mode de garde, du sexe et du tempérament », in : CRAMER B. (éd.), 1988, *Psychiatrie du bébé, nouvelles frontières*, Eshel.

131. DELAGE M., 1999, « Vie du marin et sa famille. Quelques réflexions éco-systémiques », *Médecine et Armées*, 27, 1, p. 49-54.

132. SENNET R., 2000, *Le Travail sans qualité*, Albin Michel.

imposant des circuits sociaux différents pour les riches et pour les pauvres, les aînés et les cadets, les garçons et les filles. Mais à cette époque, le père représentait l'État dans la famille et la mère le plus souvent apprenait à respecter la loi de son Dieu. L'État gouvernait par famille interposée, ce qui n'était pas anomique, au contraire.

Aujourd'hui où la technologie nécessite la poursuite des études et facilite le développement des personnalités, les liens deviennent légers et les structures familiales moins contraignantes. Peut-être bientôt, le développement de nos enfants se passera-t-il en dehors des familles ?

Virginité et capitalisme

Bien sûr, le processus a commencé il y a longtemps en Europe, quand la notion de père biologique est née en même temps que celle de possession d'un bien. Les hommes sans biens et sans nom n'avaient rien à léguer. Le village connaissait le bonhomme qui avait planté l'enfant, mais ce père-là paraissait transparent comparé à l'opacité de celui qui possédait une terre, un château ou une boutique à léguer. « L'hymen, dans un tel contexte social, devenait la signature de la paternité [133]. » Quand la femme était vierge et quand on l'enfermait après le mariage, la probabilité d'être le père biologique des enfants qu'elle portait devenait presque certaine, à condition de faire de la sexualité extra-conjugale un crime majeur.

Les enfants qui naissaient dans un tel contexte social avaient à leur disposition des tuteurs de développement vraiment très différents. Chez certains peuples d'Afrique équatoriale, on dit qu' « il faut tout un village pour élever un

---

133. KNIEBIEHLER Y., 1991, *Conférence*, Relais Peiresc, Toulon, novembre.

enfant ». C'est un équipage d'hommes qui se répartit les rôles de père : l'un apprend à labourer, l'autre à chasser ; l'ancêtre exige des comptes, tandis qu'un autre apprend à les transgresser. Les femmes se groupent pour s'entraider mais la mère biologique demeure une figure d'attachement saillante. En cas de chagrin, c'est elle qui garde le pouvoir consolant le plus efficace et c'est vers elle que se dirige l'enfant qui pourtant dispose de plusieurs attachements [134]. Un enfant qui devient orphelin dans un tel contexte ne connaîtra pas le même destin que celui qui, dans une autre culture, perdant son père, dépossédé de toute identité et de tout héritage, aura beaucoup de mal à se socialiser [135].

Dans un groupe humain aux liens serrés, la disparition d'un tuteur est compensée par un autre. Mais dans une culture où le propriétaire exige la virginité et l'isolement social de sa femme pour être un « père presque certain », comme elle est « mère certaine », le tuteur constitue un lien exclusif. Alors sa disparition anéantit l'enfant. Il y a même des pays comme le Bangladesh, où un enfant qui perd son père est considéré comme un orphelin total et enlevé à sa mère pour être confié à une institution anonyme [136]. Un orphelin de père africain a beaucoup plus de chances de devenir résilient qu'un orphelin de père bangladais. Mais les cultures passent leur temps à changer et quand elles ne changent pas, elles meurent. Aujourd'hui, la générosité africaine s'estompe sous l'effet des effondrements économiques, politiques et sanitaires. Au Rwanda, depuis le génocide, les adultes considèrent les enfants abandonnés comme des sor-

---

134. MIMOUNI B., 2000, « Observation du comportement des enfants élevés dans des familles polygames », *in : Réparer le lien social déchiré*, VIIe colloque international de la résilience, Salon-de-Provence, 26 mai.

135. MIMOUNI B., 1999, *Devenir psychologique et socio-professionnel des enfants abandonnés à la naissance en Algérie*, Thèse de doctorat d'État, Université d'Oran Es-Senia.

136. MINKOWSKI A., 1995, *Souvenirs futurs*, Châteauvallon, avril.

ciers. Ils en ont peur et les font rafler par des camions militaires [137].

Quant au schéma occidental, il vient de remplacer l'anatomie de l'hymen par le dosage de l'ADN ! La « signature biologique » désigne celui qui a fait le coup et qui doit payer ! Un père sans attachement, peut-être même ignorant l'existence de l'enfant, est contraint par la loi à transmettre ses biens ou verser une pension.

La virginité, qui était une contrainte capitaliste imposée aux femmes pour assurer la transmission des biens, est remplacée par l'ADN, contrainte individualiste imposée aux hommes pour payer leur forfait. Un footballeur célèbre vient d'être condamné à verser une pension à une femme qui l'avait désigné comme « père », c'est-à-dire homme ayant commis le forfait sexuel. Son refus de subir le test a été considéré comme un aveu de paternité, au même titre qu'à l'époque médiévale quand les échevins et les juges sommaient les femmes de « dénoncer les pères » afin de les obliger à entrer dans la famille pour y prendre leur place. Aujourd'hui, le pouvoir séparateur de l'argent permet à l'homme de garder ses distances affectives... à condition de payer. Et la technologie de pointe se met au service des femmes pour assumer ce genre de... « lien ».

Le lien léger devient une valeur adaptative à une culture technique. On croit avoir affaire à un problème affectif, alors qu'il s'agit en fait d'un discours social. Les représentations culturelles, les lois qui avantagent un sexe ou entravent l'autre, participent quand même à la bulle sensorielle qui entoure l'enfant. Les orphelinats roumains pour enfants « incurables » offraient peu de tuteurs de résilience puisqu'il y avait très peu d'humanité. Jusqu'au jour où les décideurs de ce pays ont valorisé les familles d'accueil. Quelques pay-

---

137. JACQUET F., 2000, Colloque *Résilience*, Fondation pour l'enfance, Royaumont, 25-26 octobre.

sannes, quelques familles, quelques institutions ayant réussi à modifier l'idée que leur culture se faisait de ces « enfants-monstres » ont changé leur devenir. Dès qu'on leur a proposé un lien, un grand nombre d'entre eux, même apparemment très altérés ont su le saisir et reprendre leur développement, malgré tout [138]. En changeant la représentation collective, une poignée de soigneurs a modifié le milieu et les comportements adressés à ces enfants. Cessant de les considérer comme des monstres, ils ont eu l'étonnement de les voir évoluer comme des enfants. Bien sûr, ils souffraient de graves blessures, mais au moins ils se remettaient à vivre, aimer et apprendre, comme s'ils nous donnaient la leçon suivante : « Plus il y aura de lieux d'accueil, moins il y aura de prisons et de lieux d'enfermement. »

On peut imaginer qu'à l'époque des chasseurs-cueilleurs, les femmes n'avaient pas de mari et les enfants pas de père. Le triangle sensoriel avait dû organiser autour de la mère, figure centrale d'attachement, un halo de femmes, elles-mêmes entourées par un équipage d'hommes. La situation d'orphelin, qui était très fréquente, ne modifiait pas trop cet entourage. « Ces familles d'Ancien Régime qui donnent une telle impression de solidité sont en fait souvent des familles instables, incomplètes, " en miettes " ; en raison des coups répétés de la mort, les couples se défont et se refont. Au XVIIIᵉ siècle, par exemple, plus de la moitié des unions (51,5 %) durent moins de quinze ans, plus du tiers (37 %) moins de dix ans, du fait du décès de l'un ou l'autre conjoint... en particulier de la surmortalité des femmes entre vingt et un et quarante ans [139]. » Ceci explique qu'un homme pouvait se marier trois ou quatre fois sans jamais divorcer. Dans un tel contexte où l'on porte le deuil d'un proche pra-

---

138. STAN V., 2000, « Un lien nouveau : " défi ou déni " pour les bébés abandonnés », *in* : *Réparer le lien déchiré, op. cit.*
139. CAPUL M., 1989, *Abandon et marginalité*, Privat, p. 76.

tiquement tous les six mois, la famille donnait une impression de solidité puisqu'à chaque perte elle se recomposait, se reformait pour offrir à ses enfants un triangle sensoriel stable et sensé.

C'est pourquoi la mort du père prendra un effet dévastateur pour l'enfant dans un triangle et une culture donnés, alors que dans un autre couple et dans une autre culture, l'enfant blessé pourra redémarrer.

Le père précoce, rampe de lancement

La présence du père précoce dans le triangle permet au nourrisson d'acquérir une aptitude à la socialisation qui, en cas de perte ultérieure, offrira à l'enfant un facteur de résilience. Le champion actuel du père, c'est Jean Lecamus qui a étudié les effets, non pas du père social étonnamment différent selon les cultures, ni du père symbolique qui naît dans la parole, mais du père réel, celui qui toilette, joue, nourrit, gronde et enseigne. La simple présence de ce père fait de chair, a un effet de « rampe de lancement[140] ». Les statuts sensoriels du père et de la mère sont biologiques tous les deux, à ce stade du développement. Mais la sensorialité n'a pas la même forme puisqu'elle diffère chez un mâle et une femelle.

Les mères sourient plus, vocalisent plus, mais bougent moins le nourrisson. Elles sont plus intellectuelles et plus douces. Alors que les pères silencieux, aux mimiques sérieuses, font gambader l'enfant et jouent à l'ascenseur avec lui, ce qui provoque régulièrement de grands éclats de rire[141]. Or, ces deux styles sensoriels différents provoquent quelques

---

140. LECAMUS J., *Le Vrai Rôle du père*, op. cit., p. 41.
141. LECAMUS J., 1995, « Le dialogue phasique : nouvelles perspectives dans l'étude des interactions père-bébé », *Neuropsychiatrie de l'enfance et de l'adolescence*, n° 43, p. 53-65.

mois plus tard des effets socialisateurs différents. « Par ses taquineries, ses tentatives de déstabilisation, le père incite l'enfant à s'adapter à la nouveauté [142]. » Cet effet socialisateur « rampe de lancement » entraîne une sorte d'apprentissage à la prise de risque que tempèrent les mères par leur présence souriante et parlante.

Tutorisés par des milieux sensoriels différents, l'enfant apprend à s'adresser à chaque parent de manière caractéri-sée, et cette disparité est une forme de prise de conscience. L'enfant découvre deux figures d'attachement dissemblables mais associées. En cas de perte affective, momentanée ou durable, quand les parents doivent s'en aller ou quand par malheur ils disparaissent, le fait d'avoir été façonné dans un triangle où les partenaires sont associés et différents aura appris au bébé un comportement d'élan social qui constitue un facteur de résilience [143]. Le simple fait que les deux parents ont pu imprégner dans leur enfant une manière d'induire des relations différentes les aidera, en cas de mal-heur, à mieux tenter sa resocialisation. Si, par exemple, un enfant de vingt mois doit être placé dans un milieu de substi-tution, il aura déjà appris à orienter ses demandes d'action vers les hommes et ses demandes de relation vers les femmes. Ces enfants, imprégnés par un père réel, ont appris à familiariser la nouveauté.

Il y a des cultures où les enfants n'ont pas de père. Si un groupe de femmes s'occupe des petits, le triangle pourra tout de même fonctionner puisque quelqu'un d'autre, femme ou homme, acceptera d'y participer. Mais si la personnalité maternelle la mène à « faire un enfant pour moi seule », ce n'est pas l'ouverture du triangle qui se mettra en place, mais

---

142. LECAMUS J., *op. cit.*, p. 42.
143. BOURCOIS V., 1993, *L'Influence du mode d'engagement du père sur le développement affectif et social du jeune enfant*, Thèse de psychologie, université de Toulouse.

une relation d'emprise, délicieuse d'abord puis gavante jusqu'à la nausée plus tard.

Il arrive qu'une mère soit seule parce que son mari est mort ou parti. Dans ce cas, le triangle pourra encore exister à condition qu'un autre homme parvienne à prendre place, que la mère fasse encore vivre le mort avec des objets, des photos et des récits qui en feront un père héros [144], ou qu'une grand-mère, une tante ou une amie veuille bien jouer au triangle.

La sexualisation des rôles est autant biologique qu'historique et sociale. Le manque, lui aussi, est sexualisé : perdre son père à un stade pré-verbal, c'est rendre difficile les prises de conscience et freiner la socialisation. Mais l'altération dépend également du sexe de l'enfant. Les garçons semblent en souffrir plus que les filles. Peut-être, en s'identifiant à leur mère peuvent-elles continuer à se développer dans un monde féminin où elles se sentent bien ? Alors que les garçons, en s'identifiant à leur mère, doivent un jour la quitter sous peine d'éprouver des angoisses incestueuses. Or, si la culture ne dispose pas autour de ces enfants des tuteurs de développement pour les aider à ce départ, ils ne trouveront pas d'autres solutions que l'inhibition ou l'explosion.

Pour préciser cette idée, Lévy-Shiff [145] a observé 20 petites filles et 20 petits garçons dont le père était mort avant leur naissance, et il a comparé pendant trois ans le développement de cette population à celui de 139 enfants de même âge et même milieu. Il se trouve que tous les enfants sans père se sont trop attachés à leur mère. Devenus plus dépendants, moins explorateurs et plus émotifs, ils devenaient difficiles à consoler en cas de séparation banale. Mal-

---

144. Sairigné G. de, 1995, *Retrouvailles. Quand le passé se conjugue au présent*, Fayard.

145. Lévy-Shiff R., 1982, « The Effects of Father Absence on Young Children in Mother-headed families », *Child Development*, 53, p. 1400-1405.

gré une mère qui idéalisait souvent le mari disparu, le père réel avait manqué et les enfants dans l'ensemble devenaient moins autonomes et plus conformistes. Ils se soumettaient à une mère harcelée qu'ils agressaient en cas de frustration.

Quand le père meurt après avoir fait son boulot de père réel, les enfants ont acquis quelques facteurs de résilience : ils savent aller chercher celui ou celle qui servira de tuteur. Arno Petersen a suivi un groupe de 18 garçons et de 9 filles élevés depuis leur naissance par une mère seule et l'a comparé à un autre groupe de 10 garçons et 18 filles imprégnés, lors de leurs premiers mois avant la mort du père, par un triangle parental. Le groupe des enfants totalement dépourvus de père s'est fixé à la mère envers laquelle ils manifestaient un amour hostile, tandis que ceux qui avaient connu les deux parents même s'ils n'en avaient pas de souvenir, en gardaient les traces qui les avaient rendus plus explorateurs et sociaux, surtout les garçons [146].

Cette évaluation de l'effet des pères permet de dire qu'aujourd'hui un père biologique peut être remplacé par un autre mâle ou par un pistolet injecteur. Mais le père réel doit marquer son empreinte sensorielle dans les traces mnésiques de ses enfants, surtout des garçons pour en faire des enfants égayés par les relations et la recherche du nouveau.

Quand l'État dilue le père

Or, tous les pères n'ont pas le désir ni la possibilité d'être des pères réels. Ils peuvent mourir et n'exister que dans la représentation, ce qui entraîne un développement particulier. L'idéal merveilleux d'un père héros qui ne vieillit

---

146. PETERSEN F. A., 1976, « Does Research on Children Reared in Father-absent Families Yield Information on Father Influence ? », *The Family Coordinator*, 25, p. 459-464.

jamais pousse l'enfant à explorer mieux l'imaginaire que le réel, à ne pas ouvrir les yeux sur les relations telles qu'elles sont, et à risquer ainsi de ne pas voir un danger se préparer.

Comme aucun développement ne peut se faire ailleurs que dans sa culture, un homme peut désirer ne pas être père parce que son histoire le mène à penser que c'est trop angoissant, ou parce que sa culture vide la fonction paternelle de toute signification.

Paradoxalement, il semble que ce soit le cas de notre culture. Depuis les années 1970, les femmes désirent ne pas être seulement épouses et mères, annexes d'hommes ou consacrées aux enfants. Elles veulent y ajouter l'épanouissement personnel et l'aventure sociale, au moment où les pères deviennent flous. L'exemple de l'hymen nous a permis de comprendre qu'avec le développement de la propriété, la désignation du père était capitaliste. Mais, tandis que nos discours font des appels aux pères, nos lois et nos contraintes sociales ne les encouragent pas. Le père occidental, celui dont on dit qu'il s'attache aux enfants dans les familles recomposées, acquiert en fait un statut de pièce rapportée. On le prend comme un ersatz, comme un baume contre les angoisses de solitude, comme une aide à la vie quotidienne. On est loin du père romain qui relevait l'enfant ou le laissait mourir, du « monseigneur » médiéval qui apprenait la chasse et la lecture à son fils, ou du père napoléonien qui représentait l'État dans la famille.

À l'époque encore récente où il y avait trop de père, les mères, piliers de la vie familiale, n'étaient sur le plan social que des annexes de mari. Aujourd'hui, les nouveaux pères sont de plus en plus souvent des « copains de maman ». On peut s'entendre avec eux, parfois mieux qu'avec le premier père, mais leur présence étiolée marque moins son empreinte dans le psychisme de l'enfant. Même les femmes qui revendiquent la présence des pères réels participent involontairement à son affadissement. Les puéricultrices et les enseignantes reconnaissent qu'elles se surprennent à dire au père qui vient chercher son enfant à la crèche ou à l'école : « Vous direz à votre femme qu'Éva a bien pris son biberon et qu'on lui a donné son sirop [147]. » Les nouveaux pères ne pourront réellement prendre leur place dans les nouvelles familles qu'en établissant avec les enfants des relations réelles, celles qui tissent un lien. En valorisant un tel père, ces femmes prendraient le risque de moins avoir la garde de leurs enfants en cas de séparation mais les hommes redeviendraient responsables.

Il n'est pas impensable que la fonction paternelle disparaisse un jour. Les pères transparents sont faciles à gommer. C'est déjà arrivé dans l'Histoire. Chez les Scythes, peuple irano-slave qui, il y a 3 000 ans, occupait le nord de la mer Noire, les petits garçons n'apprenaient que la guerre, l'arc et le cheval. Dans une culture où la violence est une valeur adaptative, les plus costauds d'entre eux devaient adorer cette vie. Les filles, deuxième sexe, n'assumaient que les tâches « secondaires », comme la culture, la vie quotidienne, l'art ou l'éducation. On peut imaginer qu'elles désiraient mettre au monde des petits garçons pour en faire des héros, élevés pour mourir de manière cruelle et glorieuse. Dans un tel contexte, les souffrances devaient fournir un grand nombre de résilients puisque la société admirait les blessés qui repartaient au combat.

Il paraît qu'en Nouvelle-Guinée, on trouve encore aujourd'hui de telles cultures où les femmes assurent l'essentiel de la vie, de façon à ce que les hommes puissent se consacrer à la seule activité sérieuse : se battre le long des montagnes à pentes raides.

---

147. CASTELAIN-MEUNIER C., 2000, « Désenclaver la paternité », *Le Monde*, 16 juin.

En Europe il y a cinquante ans, le nazisme a même pensé, puisque seule comptait la qualité raciale, qu'il suffisait de provoquer l'accouplement de jolies blondes avec de fiers étalons au crâne allongé, puis de faire élever leurs enfants par l'État, pour mettre au monde une belle jeunesse de qualité supérieure [148]. La folie centimétrique qui caractérisait la culture occidentale de cette époque, a gagné les « Lebensborn » où naissaient ces enfants. On mesurait tout, dans une culture où le centimètre attribuait à l'enfant ses qualités : la taille, la hauteur du crâne, la longueur du nez, et l'écartement des yeux. Quand on considère les hommes sous leur aspect chiffrable (taille, poids, vitesse, argent), on juge aussi les femmes selon le même critère. Alors, pour « revaloriser » les dames, on organisait des championnats de donneuses de lait (vingt-trois litres par semaine pour les plus brillantes), on donnait des médailles aux fabricantes d'enfants (dix-huit enfants par femme rapportait le prix Cognacq-Jay). Quelques Lebensborn ont existé en France où beaucoup de femmes de maris absents ont pu être « aidées » afin de mettre au monde de beaux produits [149]. La qualité biologique de ces enfants était bonne à coup sûr, et l'on peut croire les certificats d'aryanité qui leur étaient délivrés. Et pourtant un très petit nombre s'est développé sainement : 8 % sont morts de privation affective ; 80 % ont souffert de graves retards mentaux ou sont devenus des psychopathes délinquants. Quelques-uns seulement ont réussi à se socialiser, avec des blessures affectives qui les ont poussés à une extrême revendication de leurs origines [150].

---

148. Massin B., 1990, « De l'eugénisme à " l'opération euthanasie " : 1890-1945 », *La Recherche*, n° 227, décembre 1990, vol. 21, p. 1563.

149. Témoignage de Mme Lilly, infirmière, *in* : Hillel M., 1975, *Au nom de la race*, Fayard, p. 58.

150. Rémond J.-D., 1999, *Une mère silencieuse*, Seuil.

À la même époque, les bombardements de Londres remplissaient les orphelinats de nourrissons hébétés. Dans certaines institutions, aucun ne mourait, alors que dans d'autres, 37 % se laissaient glisser vers la mort parce qu'ils n'avaient trouvé aucune rencontre affective [151].

Les survivants devenaient souvent délinquants ou psychopathes et souffraient d'importants retards intellectuels. Et pourtant, quelques-uns ont trouvé autour d'eux des tuteurs de développement qu'ils ont su saisir pour reprendre leur épanouissement [152].

Ceausescu lui aussi pensait que les enfants n'avaient pas besoin d'affection pour se développer : 40 % des orphelins et enfants abandonnés sont morts à cause de cette idée. Aujourd'hui, en Algérie, la mortalité des enfants abandonnés dans les pouponnières est passée de 25 % en 1977 à 80 % en 1986 [153], alors que le taux moyen de mortalité infantile dans la population générale est actuellement de 5,5 %. L'extrême variabilité des chiffres confirme qu'il n'y a pas d'égalité des traumatismes. Pratiquement tous les enfants étaient sains. Certains ont trouvé la mort parce qu'ils n'ont rencontré autour d'eux aucun tuteur de résilience. Beaucoup sont devenus délinquants ou psychopathes parce que, rendus plus robustes par leur tempérament, ils ont su saisir quelque fragile fil de résilience, suffisant pour survivre mais pas pour se socialiser. Et quelques-uns ont pu se tricoter vaillamment parce que, rendus capables de rencontrer les mains tendues, ils se sont défendus victorieusement contre les coups infligés en cascade à un enfant qui n'a pas été mis dans le « droit chemin ».

---

151. SPITZ R., 1958, *La Première Année de la vie de l'enfant*, PUF, p. 120.
152. HELLMAN I., 1994, *Des bébés de la guerre aux grand-mères*, PUF.
153. MIMOUNI B., 1999, *Devenir psychologique et socioprofessionnel des enfants abandonnés à la naissance en Algérie*, Thèse de psychologie, université d'Oran Es-Senia, p. 136.

Deuils bruyants, deuils silencieux

Perdre sa mère avant la parole, c'est risquer de perdre la vie, c'est risquer de perdre son âme, puisque notre monde sensoriel se vide et que rien ne peut s'imprégner dans notre mémoire. Perdre son père avant la parole, c'est risquer de perdre son impulsion, son goût de vivre puisque le monde sensoriel qui nous permet de survivre nous engourdit jusqu'à la nausée. Mais être père et être mère dépendent des discours sociaux, puisque dans notre histoire, tous les rôles, toutes les significations, ont été attribués aux parents. Et les enfants se sont toujours développés dans des structures affectives et sociales différentes selon les cultures. En revanche, quelle que soit la culture, tous ces enfants ont eu besoin de trouver autour d'eux une structure stable et différenciée qui leur offrait un cadre de développement.

Certaines expériences de deuil précoce ont des effets durables, alors que d'autres curieusement n'ont que des effets brefs ou paraissent même ne pas en avoir. En fait, c'est la « bruyance » du deuil [154] qui fait la différence. De même qu'il y a des objets saillants que l'enfant perçoit préférentiellement, il y a des événements « bruyants » pour un adulte qui sont « silencieux » pour un enfant. Quand un bébé perd ses parents avant l'âge de la parole, c'est tout son monde sensoriel qui est déshabité, c'est la perception du manque qui altère le développement. Si on lui propose à ce moment-là un cadre affectif stable, il reprendra son évolution, il se remettra à vivre dans une famille analogue, à condition de pouvoir familiariser activement ce nouveau triangle. La même épreuve pour un bébé confus, indifférent

---

154. DEBONO K.,1997, « Les deuils dans l'enfance », *Abstract Neuro et Psy*, 15-30 septembre.

ou ambivalent sera plus difficile à surmonter. Ça dépendra alors de la signification que l'adulte attribue à ce comportement. Certains bébés abandonnés réagissent d'abord par des cris et une hyperkinésie qui est un équivalent pré-verbal d'appel au secours. Ça fatigue un adulte peu motivé ou préoccupé. Cet enfant exaspéré exaspère l'adulte qui, sans le faire exprès, aggrave le rejet. En revanche, certains enfants réagissent à la perte en dormant encore plus [155]. Il se trouve que cette réaction tempéramentale les protège doublement. D'une part, parce qu'ils souffrent moins du manque et ne s'épuisent pas en s'agitant, et d'autre part, parce que ces « enfants-marmottes » sont plus facilement recueillis. Les bébés râleurs semblent plus sensibles aux agressions du milieu [156], alors que les bébés-marmottes savent déjà se réfugier en dedans d'eux-mêmes quand la vie devient trop dure.

Plus tard, un petit orphelin prend conscience de la mort. Vers six-sept ans, ce n'est plus la perception du manque qui le trouble, c'est la représentation de la perte. À ce stade, c'est son langage intérieur qui le fera souffrir quand il se dira : « Je suis un enfant-moins parce que, moi, je n'ai pas de maman. » C'est par rapport aux autres qu'il aura acquis un sentiment de soi dévalorisé : « Les éducateurs disaient devant moi que j'étais un enfant-poubelle, foutu, pourri. Quand j'ai eu mon CAP de sculpteur, ma "mère-la-juge" a dit que pour un enfant des rues, c'était bien d'avoir réussi ce diplôme. Tout d'un coup, ça m'a rendu fier de moi [157]. »

Quand on étudie le devenir de populations d'enfants agressés ou endeuillés, on éprouve régulièrement deux étonnements. Le premier, c'est qu'on voit apparaître toutes les formes de psychopathologie habituelle (phobies, obsession,

---

155. MIMOUNI B., *op. cit.*, p. 82.
156. BRAZELTON B., 1985, *Trois bébés dans leur famille*, Stock.
157. GUÉNARD T., 2000, Témoignage *in : La Résilience, le réalisme de l'espérance*, Colloque Fondation pour l'enfance, Paris, 29-30 mai.

hystérie, agitation...). La deuxième, c'est qu'aucune de ces manifestations n'est durable [158]. Elles ne durent que si le milieu est fixe, ce qui n'est pas possible dans une situation de vie spontanée, mais ce qui arrive quand une institution a été édifiée en réponse à une représentation culturelle immuable, une certitude.

Quand, après la Seconde Guerre, on a placé des enfants malheureux, abandonnés ou simplement dont la mère était malade, trop pauvre, ou seule, on les a poussés dans des circuits sociaux dont ils pouvaient difficilement sortir. Certaines « pouponnières célèbres comme celle de Médan, fondée par Émile Zola, ou les immenses foyers de " convalescence " de l'Assistance publique à Paris, ont longtemps été des lieux où s'accumulaient des enfants qui allaient inévitablement vers des dysharmonies évolutives graves avec retard intellectuel [159] ». Il a suffi d'agir sur le discours social, de troubler les certitudes, de montrer que des enfants ayant subi le même traumatisme puis élevés séparément manifestaient des devenirs différents [160], pour parvenir à la conclusion que c'est l'institution elle-même qui créait ce qu'elle combattait. Pour lutter contre la débilité mentale des pauvres, certains décideurs plaçaient leurs enfants dans ces circuits qui les rendaient débiles à leur tour. Une telle représentation sociale et les institutions qui la mettent en œuvre empêchent le plus précieux des facteurs de résilience : la rencontre qui éveille. Quand le petit Bruno Roy, enfant illégitime, a été placé au Mont-Providence au Québec en 1950, il est devenu débile en quelques années. Quand cet orphelinat s'est transformé en hôpital psychiatrique afin de perce-

---

158. DEBONO K., *op. cit.*
159. LEBOVICI S., 1996, « À propos des effets lointains des séparations précoces », *Abstract Neuro et Psy*, n° 145, mars-avril, p. 33.
160. ERLENMEYR-KIMLING J., 1963, « Bilan des cinquante dernières années des études sur l'hérédité de l'intelligence », *in* : CHARPY J.-P., 2000, *Évolutions*, Textes et Dialogues, p. 102.

voir un prix de journée plus avantageux, les quatre cents enfants sont passés de la crèche « usine à malades mentaux », à l'hôpital psychiatrique « nihilisme thérapeutique [161] ». Au XIXᵉ siècle, l'agriculture accueillait ces enfants rendus anormaux. Au XXᵉ siècle, c'est l'hôpital psychiatrique qui prend le relais puisqu'on n'a plus besoin d'ouvriers agricoles. Le devenir de ces enfants est comparable à celui de toute institution où le désert affectif mène à la mort psychique et parfois physique. Beaucoup meurent, et les survivants deviennent débiles, impulsifs, bagarreurs ou soumis. Et pourtant certains d'entre eux s'en sont très bien sortis. Bruno Roy est devenu professeur de littérature et président de l'Union des écrivaines et écrivains québécois. Dès l'instant où les orphelins se sont groupés en « Comité des orphelins de Duplessis », leur nouvelle identité sociale, les combats quotidiens, lectures et corvées ont suffi à les éveiller et à améliorer leurs performances.

Résilience et comportements de charme

Ce qui n'empêche que Bruno Roy n'a jamais été débile. Malgré la désolation du désert affectif, il a su se constituer un monde intérieur, une rêverie poétique qui l'a protégé du réel dégoûtant. Malgré l'agression sexuelle d'une femme de service et les coups d'une famille d'accueil, il a su construire le lent échafaudage des tout petits succès qui l'ont amené à un poste de responsabilités intellectuelles et à un agréable épanouissement personnel.

Avant d'en arriver au monde de la parole, le petit Bruno Roy avait probablement acquis une résilience pré-verbale. Peut-être un goût pour la beauté qui apparaît dès les pre-

---

161. Roy B., 1994, *Mémoire d'asile. La Tragédie des enfants de Duplessis*, Montréal, Boréal, p. 71.

miers mois et auquel les psychologues se sont étonnamment peu intéressés. Mais surtout des comportements de charme d'un attachement sécure avaient été imprégnés en lui, peut-être au cours des premiers mois avant l'abandon ? La plasticité des apprentissages est tellement grande à cette époque de la vie où notre système nerveux fabrique vingt mille neurones à chaque seconde [162] que beaucoup de blessures et de traces neurologiques sont facilement réversibles. « Une bonne partie des déficits précoces peuvent être comblés si l'environnement change vers le mieux [163]. » Car le problème est là : l'enfant est capable de changements étonnants, alors que l'adulte qui s'occupe de lui commence à se rigidifier dans ses apprentissages et ses conceptions du monde.

C'est trop souvent le regard de l'adulte qui bloque le développement de l'enfant. Quand les bébés sont cueillis dans l'utérus de leur mère au cours d'une césarienne, ils sont encore engourdis par la médication qu'elle a reçue pour l'anesthésie ; la tête de ces bébés dodeline, ils s'ajustent mollement dans les bras des adultes et répondent lentement aux stimulations réflexes. Les parents s'étonnent de leur lenteur. Mais au bout de quarante-huit heures, les produits sont éliminés et, même quand le bébé est redevenu vif, ses propres parents continuent à soutenir qu'il est lent [164] ! La mère, ayant en mémoire un bébé lent, persiste à répondre à la représentation qu'elle en a, plutôt qu'à sa perception.

Si elle est seule, elle a de fortes chances de continuer à se soumettre à sa propre représentation. Mais quand elle est

---

162. BOURGEOIS J.-P., 2000, *in* : COHEN-SOLAL J., EVRARD P., GOLSE B., Séminaire Collège de France, *Comment se fabrique un esprit humain*, 17 juin.

163. POMERLEAU A., MALCUIT G., 1983, *L'Enfant et son environnement*, Québec-Bruxelles, Pierre Mardaga, p. 157-158.

164. MURRAY A. D., DOLBY R. M., NATION R. L., THOMAS D. B., 1981, « Effects of Epidural Anesthesia on Newborns and their Mother », *Child Development*, 52, p. 71-82.

entourée par ses proches qui n'ont pas la même mémoire qu'elle, ils la feront évoluer et grâce à leurs remarques ils lui ouvriront les yeux. Le discours des adultes autour du bébé, en changeant le regard de la mère, changera les comportements adressés à l'enfant, lui proposant ainsi de nouveaux tuteurs de développement. Les petits « césars » ou les petits blessés pourront alors connaître un attachement sécure qui imprégnera en eux des comportements de charme.

Tout comportement de « petit » inhibe l'agressivité des adultes. L'enfant réduit l'espace qu'il occupe, diminue l'intensité de ses vocalités, arrondit les angles en inclinant la tête, en faisant la moue, en souriant avec les yeux. Regarder sur le côté pour n'avoir ni à affronter le regard comme un effronté, ni à l'éviter comme un fourbe, ces manifestations comportementales de quête affective sont celles d'un enfant imprégné par un attachement sécure. Dans une situation de fracas, ces scénarios comportementaux témoignent d'un style de résolution des conflits qui possède un grand pouvoir attractif. Les enfants hyperkinétiques, qui hurlent et ne tiennent pas en place, finissent par donner à leurs parents un rôle interdicteur qui exaspère tout le monde. Et les enfants amorphes qui ne réagissent jamais aux invitations finissent par donner à leurs parents un rôle excitateur qui les fatigue [165]. Au contraire, les bébés qui ont déjà appris à résoudre leurs conflits par des comportements de charme réjouissent les adultes. « J'ai toujours eu des points d'appui, lesquels ont pris la forme du " chouchoutage " qui a permis, sans trop de fracas, la traversée de l'asile. À chaque étape de ma vie d'enfant, j'ai souvenir d'une relation privilégiée : Marcelle Archambault à la crèche Saint-Paul, sœur Olive des Anges au Mont-Providence, Madeleine et Roger Rolland

---

165. Van den Boom D. C., 1992, « The Influence of Temperament and Mothering Attachment : Lawer-Class Mothers with Irritable Infant », *Child Development*, 65, p. 1457-1477.

qui m'amenaient dans leur maison, le frère Jean-Paul Lane à l'orphelinat Saint-Georges-de-Joliette [166]. »

L'acquisition de ce comportement de charme, témoin précoce d'un style relationnel et d'une manière de résoudre les conflits, constitue à coup sûr un des principaux facteurs de résilience. Tous ceux qui ont été blessés dans leur enfance s'étonnent, à l'âge adulte, du nombre de mains tendues qu'ils ont pu rencontrer. Peut-être les adultes ont-ils été ravis de tendre la main... à cet enfant-là ?

La métaphore du tricot de la résilience permet de donner une image du processus de la reconstruction de soi. Mais il faut être clair : il n'y a pas de réversibilité possible après un trauma, il y a une contrainte à la métamorphose. Une blessure précoce ou un grave choc émotionnel laissent une trace cérébrale et affective qui demeure enfouie sous la reprise du développement. Le tricot sera porteur d'une lacune ou d'un maillage particulier qui dévie la suite du maillot. Il peut redevenir beau et chaud, mais il sera différent. Le trouble est réparable, parfois même avantageusement, mais il n'est pas réversible.

Avant d'accéder à leur propre parole, les tout-petits tricotent involontairement leur résilience entre une pulsion biologique qui se noue avec les réactions des adultes. Les premières années constituent une période sensible de la construction des ressources internes de la résilience. Mais quand un accident de la vie provoque une lacune, elle est réparable, contrairement à ce que l'on pensait jusqu'à maintenant. Même quand les petites années ont été difficiles, le principe de l'imprégnation du triangle reste longtemps possible. Simplement on apprend plus vite quand la mémoire est vive, et plus lentement quand on vieillit.

---

166. Roy B., 2000, *Lettre à Pascale*, Roxboro, 23 février.

C'est avec ce petit capital psycho-comportemental que l'enfant débarque dans l'univers de la parole. Jusqu'alors, il se développait dans l'univers des autres. Maintenant, c'est l'histoire qu'il se raconte à lui-même qui doit rencontrer l'histoire qu'on lui raconte de lui-même.

Il n'y a donc pas de rupture entre le monde pré-verbal et celui de nos discours. Il y a une continuité métamorphosée par la parole. Le papillon qui volette dans un monde aérien n'a plus rien à partager avec la chenille qui rampait par terre. Il en est pourtant sorti et continue l'aventure. Mais son passage dans la chrysalide a opéré une métamorphose.

Désormais, la résilience change d'univers. Elle va habiter l'effet papillon de la parole.

Chapitre II

Le papillon

Les monstres n'aiment pas le théâtre

« Seul un monstre peut dire les choses telles qu'elles sont[1]. » Par bonheur, c'est impossible. Le simple fait d'avoir à choisir les mots qui racontent l'épreuve témoigne d'une interprétation. Essayez donc de raconter une scène d'horreur en termes glacés, vous la rendrez encore plus terrible : « J'ai entendu un bruit sur le palier. Ce bruit n'évoquait aucune situation habituelle. Ni celui de l'ascenseur. Ni celui du voisin mettant la clé dans la serrure. J'ai ouvert la porte, et j'ai vu devant moi mon voisin, debout, les yeux grands ouverts, en train de flamber. Les flammes dépassaient un peu sa tête. Bleues. Instables. Parfois sur la tête, parfois sur l'épaule. Bouche entrouverte. Figé. Sans dire un mot. J'ai eu très très soif. Quand il est tombé comme une planche, j'ai dû aller dans la cuisine pour boire de l'eau avant de remplir un seau pour l'asperger[2]... » Le simple rappel des images inscrites dans la mémoire entretient l'horreur. Alors que si le témoin avait raconté : « J'ai eu un sentiment d'étrangeté en entendant sur le palier un bruit qui n'évoquait rien de familier, ni le bruit de l'ascenseur, ni celui du voisin fouillant dans sa

---

1. Cioran E. M., 1995, *Œuvres*, Gallimard, « Quarto ».
2. Témoignage authentique.

serrure. J'ai ouvert la porte avec un pressentiment, comme il m'arrive parfois dans les grands bouleversements de ma vie. Soudain, j'ai vu mon voisin, debout, en train de brûler vif. Quand je me suis précipité dans ma cuisine pour remplir un seau d'eau afin de l'asperger, j'ai été étonné par la soif intense que j'éprouvais. Quand j'ai éteint le feu, il était tombé par terre. Heureusement que j'ai pu limiter les dégâts... »

Dans le deuxième récit, les faits sont remaniés par les mots. La mise en scène de l'horreur donne un rôle à celui qui parle et modifie l'image du cauchemar qui fascine. Cette interprétation donne un peu de distance, un début de maîtrise de l'émotion terrifiante. Il ne s'agit pas de se faire marchand d'illusion, le témoin dit le vrai, il s'agit de mettre à distance le choc qui s'est imprégné en nous au fond de notre mémoire. L'acte de la simple parole crée une séparation qui nous fait exister en tant que sujet dont la manière d'interpréter le monde est personnelle et unique [3]. Avant la parole, l'enfant pouvait souffrir d'une agression physique ou d'un manque de figure d'attachement qui troublait son développement. Mais depuis qu'il parle, il peut souffrir une deuxième fois d'une figure du manque d'attachement, de l'idée qu'il se fait de l'agression et du sentiment qu'il éprouve sous le regard des autres.

Pour cette raison, l'idée de « métamorphose » est indispensable à toute théorie du trauma. Dès qu'un enfant parle, son monde se métamorphose. L'émotion désormais s'alimente à deux sources : la sensation déclenchée par le coup qu'il a perçu à laquelle s'ajoute le sentiment provoqué par la représentation du coup. Ce qui revient à dire que le monde change dès qu'on parle, et qu'on peut changer le monde en parlant.

---

3. Golse B., 1990, *Penser, parler, représenter*, Masson, p. 150.

De plus, l'image de la métamorphose permet de signifier qu'on peut vivre dans des mondes radicalement différents et pourtant en continuité. La nymphe quitte le monde de la terre et de l'ombre pour s'envoler vers celui de l'air et la lumière. L'enfant s'éloigne du monde des perceptions immédiates pour habiter progressivement dans celui des représentations de son passé et de son avenir.

Ion s'étonnait beaucoup des trous de mémoire dans son passé quand il faisait le récit de sa vie. Quelques images étonnamment précises imprégnaient sa mémoire, juste avant l'acquisition de la parole vers le vingtième mois : son père lisant un grand journal à table... une plaquette de chocolat volée en grimpant sur un escabeau... un curieux escalier extérieur passant sous un rocher avant de descendre dans la maison de la voisine... On lui disait que c'était impossible d'avoir des souvenirs si précoces, jusqu'au jour où, quarante ans plus tard, les hasards de la vie lui ont fait rencontrer cette voisine qui a confirmé l'étrangeté de l'escalier qui avait marqué l'enfant. Ion s'étonnait d'une longue période sans souvenirs qui s'étendait sur plusieurs années. La mémoire n'est revenue que pour l'arrestation de sa mère. Plusieurs policiers en civil avaient fracturé la porte, elle avait crié, s'était débattue puis s'était résignée quand les hommes l'avaient emmenée. Ils avaient ensuite confié le petit Ion à des voisins qui l'avaient gentiment conduit dans une institution pour enfants où sa mémoire à nouveau n'avait plus rien gardé.

Vers l'âge de huit ans, Ion avait décidé de faire des pièces de théâtre, mais comme il ne savait pas écrire, ce qu'il a demandé à ses camarades d'orphelinat de mettre en scène, c'est... l'arrestation de sa mère ! L'alternance de souvenirs lumineux et précis, avec des périodes d'ombres sans mémoire peut s'expliquer par les effets de la parole. Avant la parole, les enfants, dont la mémoire est brève, vivent

153

dans un monde encore très contextuel. Mais, au moment où ils commencent à comprendre la parole des autres, les objets se chargent du sens que les adultes y mettent. L'émotion ainsi attribuée aux choses grave la mémoire de l'enfant qui s'étonne de la grandeur du journal de son père... de la transgression du vol de chocolat... de l'étrangeté de l'escalier.

Quand la mère a été déprimée parce qu'elle se sentait en danger, le monde autour de l'enfant s'est éteint, engourdissant son psychisme et empêchant toute inscription dans sa mémoire. Le moment de l'arrestation a été gravé au geste, au mot, au détail près, tant l'émotion était grande. Mais l'orphelinat de nouveau a engourdi son monde. Jusqu'au jour où l'enfant, travaillant son identité narrative (qu'est-ce qui m'est arrivé?... comment comprendre ça?... qu'est-ce que ça va donner?...) a décidé de devenir maître de son destin, de le reprendre en main, en le faisant jouer par ses camarades d'orphelinat. Dès l'instant où il a accédé aux mots, son monde a été métamorphosé par l'éclairage que ses paroles mettaient sur certaines gens, certains gestes et certains objets. Mais comme son milieu ne lui avait pas donné la possibilité d'apprendre à écrire, c'est par le jeu du corps, par le langage des gestes et des paroles que Ion a fait ce travail de reprise en main de sa blessure. (J'aurais dû écrire « de reprise en mots de la représentation de son trauma ».) En le jouant, il en faisait un événement socialisé, accepté par ses collègues les petits acteurs de l'orphelinat. Non seulement il métamorphosait l'incompréhension de son trauma – pourquoi a-t-on fait disparaître ma mère? pourquoi m'a-t-on mis dans ce milieu terrible? –, mais il en faisait un événement jouable, donc maîtrisable, compréhensible et sensé. De plus, il revalorisait son estime de soi en cessant d'être une petite chose misérable et bousculée pour devenir un metteur en scène admiré par ses copains. Mais l'essentiel de ce petit théâtre, réalisé au fond d'un orphelinat immonde, c'est que Ion représentait sa mère disparue et lui redonnait vie en la faisant jouer.

Car on ne peut parler de traumatisme que si l'enfant un jour doit affronter la mort [4]. Non seulement il doit parler, mais il doit en plus se représenter la fin, l'absolu, le définitif sans retour. Avant ce stade de développement, on peut parler de coup et d'altération du milieu qui entrave l'enfant. On peut évoquer le manque d'une figure qui le prive d'un tuteur de développement. À ce stade, l'enfant soumis à son milieu a déjà acquis certaines aptitudes tempéramentales qui lui permettent de réagir avec plus ou moins d'efficacité. Mais quand vers l'âge de six à huit ans, il affronte la mort proche, imminente, presque réelle, il doit pour triompher, maîtriser la représentation de sa perte et découvrir un autre facteur de résilience : la mise en scène de l'événement traumatisant, par le dessin, le récit, le jeu ou le théâtre. À l'âge de dix-quinze mois, il avait déjà acquis la comédie comportementale du faire semblant qui lui permettait d'agir sur le monde de l'autre et de participer à une intersubjectivité. La poursuite de son développement lui permet maintenant de donner forme à son épreuve grâce à une représentation artistique. L'efficacité résiliente est plus grande puisque l'enfant, mieux outillé grâce au dessin, à la parole ou à la comédie, parvient à maîtriser la forme qu'il veut donner à l'expression de son malheur. Mais s'il est moins soumis à l'immédiateté de ses perceptions, il devient par contre encore plus dépendant du monde psychique des autres. La représentation de sa tragédie passée et de ses rêves d'avenir dépend maintenant des réactions des spectateurs, de l'opinion des juges et des stéréotypes du discours social. Si

---

4. LÉGER J.-M., 1994, *Le Traumatisme psychique*, Masson.

l'autre lui dit que son trauma n'existe pas, qu'il l'a bien cherché ou qu'il est foutu, pourri et ne pourra jamais s'en remettre [5], le trauma devient délabrant puisqu'il empêche tout processus de réparation ou même de cicatrisation. C'est donc dans le discours social qu'il faut chercher à comprendre l'effet dévastateur du trauma, autant que dans les récits intimes de l'enfant.

Or, les sociétés ont pensé le trauma de manières très différentes, le plus souvent elles ne l'ont même pas pensé. Parfois on disait que c'était une illusion, plus récemment on affirmait qu'il était irréparable.

Le carambolage psychique est-il pensable ?

La rage d'expliquer avant d'avoir compris parle de la manière dont une société pense la condition humaine. Dès le début de la pensée médicale, chez Hippocrate, la maladie a été assimilée à une désorganisation de la nature de l'Homme. Toute souffrance du corps ou de l'âme était attribuable soit à un traumatisme, une lésion venue de l'extérieur, soit à un mal, malheur d'origine morale [6]. Tout choc venu de l'extérieur provoquait une rupture, une lésion du tissu vivant, une discontinuité. Tandis que les maladies venues du dedans étaient attribuables à des causes diététiques ou humorales, non traumatiques. Le trauma physique, le plus facile à comprendre, était correctement décrit par les chirurgiens de l'époque. Mais depuis que le concile du Latran avait interdit au XIIe siècle l'usage du scalpel, la discipline ne progressait plus. L'âge des pestes en Europe au XIVe siècle a hébété les médecins qui,

---

5. GUÉNARD T., 2000, Témoignage, *Journées de la résilience*, Fondation pour l'enfance, Paris, 29-30 mai.
6. EY H., 1981, *Naissance de la médecine*, Masson, p. 215-216.

dans leur frénésie explicative, ont dû se réfugier dans les causes inaccessibles : « Ceux qui n'incriminaient pas l'ire céleste demandaient surtout des raisons à l'astrologie. Pour Guy de Chauliac, la conjonction de Saturne, de Jupiter et de Mars au quatorzième degré du Verseau, le 24 mars 1345, avait changé la lumière en ténèbres... Les vapeurs délétères, nées de cette perturbation, avaient lentement cheminé vers l'ouest et continueraient à y exercer leurs méfaits tant que le soleil demeurerait sous le signe du Lion [7]. » Cette explication est irréfutable. Aucune expérimentation ne pourra la démentir. Donc, elle fut tenue pour vraie et, encore aujourd'hui, elle est souvent citée.

L'avantage du trauma, c'est qu'il revalorisait l'événement. Puisque nous avions sous les yeux la cause du mal, nous savions sur quoi il fallait intervenir. Le XIXᵉ siècle scientifique a donc été friand de la notion de traumatisme : l'artilleur de Pinel était tombé idiot parce qu'il avait été fortement ébranlé par l'émotion quand Robespierre l'avait félicité [8]. À cette époque, le traumatisme n'était pas conçu comme quelque chose de grave puisque le discours ambiant prétendait que le progrès était continu : il suffisait donc de mettre un organisme ébranlé au repos et d'attendre que tout se remette en place.

À la fin du XIXᵉ siècle, l'industrie avait tellement hiérarchisé les hommes qu'on expliquait l'inégalité des traumatismes par la dégénérescence de certaines personnalités. Charcot, le fondateur de la neurologie, expliquait les paralysies hystériques par l'incapacité de la femme à affronter un choc émotionnel. Et Pierre Janet, le grand psychologue, évoquait l'insuffisance des forces émotives qui ne permettaient pas d'intégrer le choc.

---

7. SENDRAIL P., 1980, *Histoire culturelle de la maladie*, Privat, p. 228.
8. TATOSSIAN A., 1987, citant SWAIN G., *Conférence*, La Timone, Marseille, décembre.

Dans un tel contexte social de la connaissance, Freud a d'abord cru à la réalité du traumatisme sexuel, avant de penser que le sujet lui-même se traumatisait en l'imaginant. « En 1937 [...] il s'exprime de façon explicite pour affirmer que les causes de la maladie mentale étaient soit constitutionnelles, soit traumatiques [9]. » L'année de sa mort, en 1939, il se souciait encore des effets du trauma dans *Moïse et le monothéisme*, mais cette fois-ci, il y ajoutait la notion plus sociale de « traumatisme de masse ».

En fait, c'est la guerre de 1940 qui a lancé le véritable travail clinique et scientifique en essayant d'évaluer les effets physiques et psychologiques des victimes de la Shoah. Cette nouvelle manière d'aborder la notion de traumatisme dans les années 1950 a été suivie par une tempête d'agressions sociales sur tous les continents et dans toutes les cultures.

Aujourd'hui, le traumatisme est pensé comme un événement brutal qui détourne le sujet de son développement sain prévisible. C'est donc le sujet lui-même qui doit dire ce qui lui est arrivé, et c'est bien un temps du passé qu'il faut employer puisque l'identité humaine étant essentiellement narrative, c'est au sujet de raconter ce qui s'est passé pour lui, et pas pour un autre. Dans notre actuel contexte culturel, la métaphore du choc qui ébranle n'est pratiquement plus organique, elle est de plus en plus narrative. C'est l'accueil de la société, les réactions de la famille, l'interprétation des journalistes et des artistes qui orienteront la narration, cette contrainte à témoigner, vers un trouble durable et secret, vers une indignation militante ou vers une intégration de la blessure quand l'image traumatique sera devenue un simple chapitre passé de l'histoire personnelle. « Le traumatisme peut ainsi aboutir, selon les

---

9. STEWART S., 1991, « Trauma et réalité psychique », *Revue française de psychanalyse*, 4, p. 957-958.

cas, la personnalité, l'environnement, à des troubles durables dans une atmosphère de préjudice ou au contraire à des troubles aménagés assortis d'une réflexion stimulante sur le sens de la vie [10]. » Un même événement traumatisant peut mener à un secret, analogue à une sorte de corps étranger au fond de l'âme, à une compensation combative qui n'avouera jamais pourquoi on se bagarre, ou à une réflexion enrichissante sur le sens de la vie.

Il n'est plus possible de prétendre qu'un trauma provoque un effet prédictible. Il vaut mieux s'entraîner à penser qu'un événement brutal ébranle et dévie le devenir d'une personnalité. La narration d'un tel événement, clé de voûte de son identité, connaîtra des destins différents selon les circuits affectifs, historisés et institutionnels que le contexte social dispose autour du blessé.

C'est à la lumière de ce raisonnement que je propose d'aborder les grands traumatismes planétaires aujourd'hui provoqués par les guerres, la misère, et les blessures intimes occasionnées par les agressions sexuelles et la maltraitance.

Dès la guerre russo-japonaise de 1904, Honigmann avait parlé pour la première fois de « névroses de guerre » chez les officiers russes. Puis les militaires britanniques avaient décrit le « choc des obus » où les troubles psychologiques étaient mécaniquement expliqués par « le vent du boulet » qui provoquait une sorte de « commotion cérébrale » et entraînait des manifestations hystériques [11]. Toutes les théories explicatives du début du siècle se retrouvent dans ce raisonnement où une force mécanique invisible secoue le cerveau qui, altéré, produit des symp-

---

10. FERRERI M., 1996, « Névrose traumatique ou état de stress post-traumatique : repères cliniques et aspects thérapeutiques », *L'Encéphale*, Sp VII, 7-14, p. 2092-2002.

11. VILA G., PORCHE L. M., MOUREN-SIMEONI M.-C., 1999, *L'Enfant victime d'agression*, Masson, p. 13.

tômes pseudo-médicaux. Les troubles constatés étaient « expliqués » par les discours à la mode dans lesquels baignaient malades et médecins.

L'émotion traumatique est un choc organique provoqué par l'idée que l'on se fait de l'agresseur

En fait, c'est Anna Freud et Dorothy Burlingham qui les premières ont cherché à comprendre les conséquences psychologiques dont souffraient les petits Londoniens soumis aux bombardements. Elles ont associé l'observation directe des troubles à une longue prise en charge psychologique.

Aujourd'hui, cette pathologie concerne des centaines de milliers d'enfants, victimes des bombardements des kibboutz israéliens avant la guerre des Six-Jours, déracinés par les déportations idéologiques de Pol Pot et des Khmers rouges, déchirés par la guerre du Liban-Sud, les explosions africaines, les agressions chroniques contre les Palestiniens, les Irlandais, la *violentia* colombienne, les représailles incessantes en Algérie, et mille autres violences d'État.

Les personnes les plus touchées par cette immense violence politique sont les enfants! Des millions d'orphelins, deux millions de morts, cinq millions de handicapés, dix millions de traumatisés, deux ou trois cents millions d'enfants qui apprennent que la violence est un mode de relations humaines!

Le déchaînement des forces politiques et techniques devient un mode légitime de résolution des problèmes humains. Quand l'autre refuse de céder aux désirs ou aux idées des puissants du jour, la violence est légale et tout le monde obéit.

Les conséquences psychiques de ces immenses agressions sont maintenant bien décrites : les troubles de stress post-traumatique [12] constituent une forme d'anxiété incrustée dans la personnalité, sous l'impact de l'agression. Le stresseur oblige à côtoyer la mort et, sous l'effet de l'effroi, l'imprègne si puissamment dans la mémoire de l'enfant que toute sa personnalité se développe autour de cette terrifiante référence. La reviviscence organise la suite du développement quand le souvenir et le rêve font revenir dans le psychisme la mémoire du tourment. L'enfant, pour moins souffrir, doit découvrir des stratégies adaptatives d'évitement : il peut s'engourdir pour ne pas penser, s'appliquer à se détacher, éviter les personnes, les lieux, les activités et même les mots qui évoquent l'horreur passée, encore vivante dans sa mémoire. Et comme il n'a jamais pu exprimer tant de noirceur, parce que c'était trop dur et qu'on le faisait taire, il n'a jamais appris à maîtriser cette émotion, à lui donner une forme humaine, socialement partageable. Alors, soumis à un affect ingouvernable, il alterne l'hébétude avec les explosions de colère, la gentillesse anormale avec une agressivité soudaine, l'indifférence apparente avec une hypersensibilité extrême.

Mais puisqu'on ne peut pas dire qu'un trauma produit des effets prédictibles, il est important d'en analyser les variables [13].

La première variable qui saute aux yeux, c'est qu'on est étonnamment indulgent envers les agressions de la Nature. On pardonne souvent aux catastrophes naturelles, telles que les inondations, les incendies, les tremblements

---

12. APA, 1994, Définition de l'American Psychiatric Association, *DSM* IV.

13. EHRENSAFT E., KAPUR M., TOUSIGNANT M., 1999, « Les enfants de la guerre et de la pauvreté dans le tiers-monde », *in* : HABIMANA E., ETHIER L.S., PETOT D., TOUSIGNANT M., *Psychopathologie de l'enfant et de l'adolescent*, op. cit., p. 641-657.

de terre et les éruptions volcaniques. On construit des hôpitaux à Naples sur les pentes du Vésuve, on rebâtit des villes près de la montagne Pelée à La Martinique, là où elles seront à nouveau détruites. On tente de séduire l'agresseur et de canaliser son courroux au moyen d'offrandes ou en érigeant des digues et des hautes parois. On pardonne parce qu'il nous séduit. On éprouve tant de beauté devant un ciel d'incendie, tant de fascination devant le flot d'un torrent qui arrache les maisons, tant d'éblouissement devant un volcan qui crache sa lave, qu'on désire malgré tout côtoyer l'agresseur. Les foules bloquent les routes devant un incendie, s'agglutinent le long des berges inondées, et escaladent en processions familiales les pentes d'un volcan dangereux.

En revanche, dès qu'il s'agit de relations humaines, l'agresseur perd son pouvoir de séduction. On se rassemble pour regarder l'incendie qui euphorise, mais si nous assistions à une scène de torture, où un groupe d'hommes en humilierait un autre, nous nous identifierions tellement à l'un d'eux que l'indignation nous emporterait. Nous prêterions main forte aux bourreaux pour persécuter les torturés qui n'ont que ce qu'ils méritent, qui ont mangé notre pain, insulté nos croyances ou acheté nos maisons, ce qui mérite plus que la mort. Ou, au contraire, nous volerions au secours des torturés dont nous partageons le monde, les valeurs et l'affection.

Notre fascination pour les catastrophes naturelles (que nous n'appelons jamais « horreurs naturelles ») explique que le pardon si facilement accordé à un volcan contraste avec les effets délabrants et durables de l'horreur des supplices humains [14].

---

14. Sironi F., 1999, *Bourreaux et victimes. Psychologie de la torture*, Odile Jacob.

C'est le style de développement
de la personne blessée
qui attribue au coup son pouvoir traumatisant

L'âge, lui aussi, est une variable importante pour évaluer l'effet traumatisant d'une agression. La signification qu'un enfant attribue à un événement dépend du niveau de construction de son appareil psychique. Un nourrisson souffre de la souffrance de sa mère puisqu'il habite le monde sensoriel qu'elle compose, mais il ne souffre pas des causes de sa souffrance. Alors qu'un adolescent, au moment où il envisage de se socialiser, peut être choqué par la cause de la dépression de sa mère, abattue parce que son mari est devenu chômeur.

On ne peut rencontrer que les objets auxquels notre développement et notre histoire nous ont rendus sensibles, car on leur attribue une signification particulière.

À l'âge pré-scolaire (deux à cinq ans), le traumatisme est surtout matérialisé par la séparation ou la perte affective [15]. L'enfant blessé réagit par des comportements d'attachement anxieux. Il se colle contre l'objet qu'il a peur de perdre et ne peut s'en détacher. Alors que l'attachement sécure lui donne un tel sentiment de confiance qu'il ose s'en séparer pour explorer un autre monde que celui de sa mère. À ce stade, les effets du trauma se manifestent par des comportements régressifs, énurésie, encoprésie, perte des apprentissages, terreurs nocturnes, peur de la nouveauté. Avant six-huit ans, les enfants se représentent la mort comme une séparation, donc tout éloignement

---

15. MACKSOUD, M. S., DYREGROW, A., RAUNDALEN, M., 1993, « Traumatic War Experiences and their Effects on Children », *in* : WILSON, J. P., RAPHAËL, B. (dir.), *International Handbook of Traumatic stress Syndromes*, New York, Plenum Press, p. 625-633.

163

devient pour eux un analogue de mort, une perte irremplaçable, une ruine de leur monde.

À l'âge scolaire, la personnalisation de l'enfant est plus avancée. Il comprend mieux la dépression de ses parents et la cause de son malheur. Or, la principale arme pour affronter l'adversité, c'est la fantaisie. L'aspect répétitif des reproductions artistiques constitue un entraînement, une sorte d'apprentissage, qui permet d'intégrer le traumatisme, de digérer le malheur en le rendant familier et même agréable une fois métamorphosé. La reproduction de l'événement qui, avant la fantaisie n'était qu'une horreur non représentable, devient belle, utile et intéressante. Attention! Ce n'est pas le malheur qui devient agréable! Au contraire! C'est la représentation du malheur qui affirme la maîtrise du traumatisme et sa mise à distance en tant qu'œuvre socialement stimulante. En dessinant l'horreur qui m'est arrivée [16], en écrivant la tragédie que j'ai dû subir [17], en la faisant jouer sur les théâtres de la ville [18], je transforme une souffrance en un bel événement, utile à la société. J'ai métamorphosé l'horreur et désormais ce qui m'habite, ce n'est plus la noirceur, c'est sa représentation sociale que j'ai su rendre belle afin que les autres l'acceptent et en fassent leur bonheur. J'enseigne comment éviter le malheur. La transformation de ma terrible expérience sera utile à votre succès. Je ne suis plus le pauvre petit qui gémit, je deviens celui par qui le bonheur arrive.

La fantaisie constitue la ressource interne la plus précieuse de la résilience. Il suffit de disposer autour du petit blessé quelques papiers, quelques crayons, une estrade, des oreilles et des mains pour applaudir pour que l'alchimie de la fantaisie opère. Anny Duperey témoigne de

---

16. BRAUNER A. et F., 1991, *J'ai dessiné la guerre*, Expansion scientifique française.

17. FOURNIER J.-L., 1999, *Il n'a jamais tué personne, mon papa*, Stock.

18. GRUMBERG J.-C., 1991, *L'Atelier*, théâtre.

la résilience d'une grande fille dont l'attachement était sécure avant la mort de ses parents : « [...] la blessure qu'ils m'ont laissée à la place de leur amour [19]. » Un attachement évitant aurait produit des œuvres froides, techniques, dont la forme aurait convenu à d'autres spectateurs. J'ai connu des enfants obsessionnels étonnamment libérés par la contrainte de la consigne théâtrale où le réalisateur avait codifié chaque geste, chaque mot et chaque posture. Ces enfants n'osaient pas faire un choix dans leur vie quoti-dienne mais étrangement, sur une scène de théâtre ils paraissaient spontanés parce que tout était dirigé, et ça les rendait heureux, ça leur donnait un sentiment de liberté !

Même les attachements confus en exprimant le désordre douloureux de leur monde interne, parviendront à émouvoir certains adultes.

Le plus étonnant chez ces petits artistes, c'est que le fait d'avoir côtoyé la mort modifie leur représentation du temps et leur donne un sentiment d'urgence créatrice. « Mon Dieu, permettez-moi de vivre jusqu'à dix ans, j'ai tant de choses à voir », priait chaque soir ce petit agnos-tique de huit ans, qui ne connaissait pas la religion de ses parents, puisqu'il avait vécu, sans famille, dans des camps de réfugiés depuis l'âge de quatre ans.

« C'est aujourd'hui qu'il faut créer », disent ces enfants qui, dans des conditions matérielles innommables, écrivent leurs « mémoires » sur la partie non imprimée d'un journal sale, ou escaladent des collines d'ordures à cinq heures du matin, juste pour avoir le plaisir de contempler les couleurs du soleil levant. Dans *Les Quatre Cents Coups* de François Truffaut, le petit héros, Antoine Doinel, s'enfuit d'une institution et court pendant plusieurs jours, simplement pour voir la mer. Cette urgence créa-trice explique le courage anormal de ces enfants et leur

---

19. DUPEREY A., 1992, *Le Voile noir*, Seuil, p. 8.

intense besoin de beauté. C'est maintenant qu'il faut vivre, c'est aujourd'hui qu'il faut s'émerveiller, vite, avant la mort si proche.

De nos jours, les groupes qui aident le moins leurs enfants à mettre en place ces défenses créatrices sont les groupes de réfugiés. Les adolescents cambodgiens chassés par Pol Pot dans les camps de Thaïlande ont fourni très peu de résilients (50 %). Dans d'autres camps, en revanche, 90 % des enfants ont surmonté leurs troubles. Seuls 10 % des Afghans ont été altérés [20], 20 % des Kurdes et 27 % des Libanais. Le taux de syndromes pathologiques varie de 10 à 50 %. Ces grandes différences de réponses s'expliquent par la grande variabilité des histoires et des milieux qui accueillent ces enfants. Les Arméniens, qu'ils se soient réfugiés dans un monde chrétien ou dans un monde musulman, n'ont pas connu de tels troubles. Les parents survivants au massacre se taisaient comme tous les blessés, ce qui troublait les enfants, mais ils ont su organiser un milieu sensé. La religion et ses rituels ont certainement fourni le ciment du groupe, mais les parents désireux de s'intégrer et de ne pas revenir dans le pays des tueurs ont transmis à leurs enfants le goût de l'école et de la créativité. Pendant longtemps, ces deux mots ont constitué les principaux facteurs d'intégration, et quand un enfant peut s'épanouir dans son milieu, les processus de résilience se développent sans difficulté. Alors que les groupes de réfugiés cambodgiens en Thaïlande, coupés de leurs racines et de leur milieu, n'avaient même pas la possibilité d'inventer une néo-culture. Perfusés par l'aide internationale, ils ne disposaient pour survivre que de quelques processus

---

20. MGHIR R., FREED R., RASKIN W., KATON W., 1995, « Depression and Post Traumatic Stress Disorder among a Community Sample of Adolescent and Young Adult Afghan Refugees », *The Journal of Nervous and Mental Disease*, 183 (1), p. 24-30.

archaïques de socialisation : le chef de bande renforcé par ses lieutenants prédateurs[21].

L'adaptation qui protège
n'est pas toujours un facteur de résilience

Le devenir des syndromes traumatiques est lui aussi variable : tableaux aigus disparaissant en six mois, tableaux chroniques organisant la personnalité, ou enfouissement qui réapparaît cinquante ans plus tard, on voit tout cela. On note souvent la constitution de personnalité amorale, de psychologie de survivant, d'identification à l'agresseur, de méfiance constante, de difficultés scolaires, parfois même se transmettant à travers les générations. Ces tableaux sont incontestables, mais il faut souligner leur étonnante variabilité selon l'accueil que font à l'enfant meurtri son groupe et sa culture. Aucune de ces souffrances n'est irrémédiable, elles sont toutes métamorphosables quand on propose des tuteurs de résilience. Ce qui ne veut pas dire que le tourment est négligeable, mais puisqu'il est là, il faudra bien en faire quelque chose, on ne peut tout de même pas se laisser aller au malheur !

Alors, face à l'épreuve, plusieurs stratégies sont possibles. Contrairement à ce qu'on pense, une trop bonne adaptation n'est pas une preuve de résilience et il arrive même qu'une culpabilité torturante organise des stratégies d'existence résilientes.

Les enfants face au trauma ne peuvent pas ne pas s'adapter. Mais l'adaptation n'est pas toujours un bénéfice : l'amputation, la soumission, le renoncement à devenir soi-

---

21. HIEGEL J., 1989, Colloque *Les Évolutions*, Chateauvallon-Ollioules et HIEGEL J.-P., HIEGEL-LANDRAC C., 1996, *Vivre et revivre au camp de Khao I Pang*, Fayard.

même, la recherche de l'indifférence intellectuelle, la glaciation affective, la méfiance, la séduction de l'agresseur, constituent certainement des valeurs adaptatives, des défenses non résilientes. S'adapter c'est épouser, mais peut-on épouser un agresseur?... Puisque les enfants ne peuvent pas se développer ailleurs que dans le milieu qui les agresse, quelles seront leurs stratégies adaptatives, et quelles seront leurs défenses résilientes?

Les amnésies post-traumatiques existent quand le choc a été violent ou quand il est survenu chez un enfant auparavant vulnérabilisé par son tempérament confus. Elles sont assez rares. Ce qui existe, dans la majorité des cas, c'est la contrainte au récit. Mais ce récit n'est pas toujours possible. Quand l'enfant a été blessé avant l'âge de sept-huit ans, il n'a pas encore la maîtrise de la représentation du temps et du maniement des mots qui lui permettraient de composer une histoire. De plus, le simple fait d'avoir embrassé la mort, la sienne ou celle de ses proches, rend le temps imminent (« Faites que je vive jusqu'à dix ans ») et crée une psychologie de survivant où, paradoxalement, chaque année passée est une année gagnée qui éloigne de la mort.

Cet événement absolu, le trauma, s'inscrit dans la mémoire avec une précision étonnante. C'est le contexte du trauma qui est brumeux, donc susceptible d'interprétations projectives. Le trauma capture notre conscience et nous aveugle par la précision des détails. Cette trace imprégnée dans la mémoire fait retour dans les rêves et les rêveries. Ce qui explique que les enfants meurtris, entre trois et huit ans, entre la naissance de la parole et la maîtrise du temps, font de l'événement traumatisant le point de départ de leur identité narrative. Le récit de mon existence commence par une catastrophe, une sorte de scène originaire, une représentation tellement intense, tellement lumineuse, qu'elle met à l'ombre les autres souvenirs. Mon histoire commence par un événement extraordinaire : j'ai failli être chassé du monde, et pourtant je suis là, comme un survivant, mon corps est là, mais comment vous dire sans vous faire sourire que toute une partie de mon âme a été chassée de votre planète sociale. Mon récit est tellement inimaginable que vous allez sourire, être frappés de stupidité, vous mettre en colère, me faire la morale ou pire même, vous risquez d'éprouver du plaisir au récit de ma désolation.

Alors, comme je suis contraint à me raconter ma propre histoire pour découvrir qui je suis et comme vous n'êtes pas capable de l'entendre, je vais dans mon for intérieur me détailler sans cesse l'immense épreuve qui gouverne en secret mon projet d'existence, comme un mythe des origines mis en scène devant un seul spectateur, moi-même. Je vais devenir auteur-acteur de mon destin et seul témoin autorisé de mes combats. Votre opinion n'est pas intéressante puisque vous n'avez pas la clé du spectacle que je joue devant vos yeux.

Pero a dix ans. Il n'a jamais été à l'école. Il n'y en a plus dans la banlieue de Zagreb. Sa famille a disparu. Depuis trois ans, il a survécu dans des baraquements où, de temps en temps, on lui apportait à manger. Pour ne pas trop souffrir de l'effondrement humain autour de lui, il s'appliquait à l'indifférence. Un jour, une institutrice a rassemblé quelques enfants et, les faisant étudier, s'est étonnée des performances intellectuelles de Pero. Elle l'a confié à une famille d'accueil qui l'a envoyé à l'école. Le clivage est devenu pour l'enfant une nécessité adaptative. Il lui suffisait de taire son passé pout paraître comme les autres. On l'appelait « le beau ténébreux », car il faisait silence chaque fois qu'autour de lui on parlait de famille ou de vie intime. Il était gai pourtant, et jouait bien au foot. Rapidement il est devenu le premier de la classe. Un camarade l'a invité chez lui, où Pero a découvert le luxe avec un plaisir amusé. Les parents du petit Bozidar étaient plutôt gentils. Ils racontaient à Pero les difficultés que leur fils éprouvait à suivre sa scolarité. Pourtant, il avait une belle chambre, un beau bureau et de bons parents. Le luxe de la maison de Bozidar soulignait la misère de la baraque en planches où habitait Pero, mais c'est Pero qui éprouvait un sentiment de supériorité.

L'effet que provoque une cause dépend de sa signification. Et la baraque en planches, la solitude affective, avaient pris pour Pero la signification d'une victoire. « Malgré les immenses épreuves qui sont à mon origine, je réussis mieux à l'école et au football que mon copain le riche Bozidar. » Ce clivage adaptatif donnait au petit Pero un style relationnel qui ne manquait pas de charme. Quand on l'appelait « le beau ténébreux », il se sentait renforcé par ses ténèbres : « Il suffit que je me taise pour être protégé. » D'ailleurs, il admirait beaucoup les adultes qui agissaient sans parler, sans avoir à se justifier. Les bavards lui paraissaient faibles. Les hommes auxquels il s'identifiait travaillaient sans dire un mot, sans quémander l'approbation des autres.

Quand un combat héroïque
devient mythe fondateur

Cette représentation de soi, dans son for intérieur avait déjà métamorphosé l'horreur du trauma des origines. « Je sais bien que mon silence me protège et me rend fort. » Le fracas du réel impose à ces enfants un mythe des origines. Le trauma les place en position de héros, d'enfants hors normes, de braves malheureux qui sont déjà

170

vainqueurs. La contrainte au récit secret, au monde intime où la honte d'avoir été humilié se mêle à la fierté d'en avoir triomphé, donne une cohérence apparente au clivage : « Je me tais pour être fort, et non parce que j'ai honte. » L'exigence de récit intime les rend maîtres de leur passé : « La mise en récit permet de réintroduire de la temporalité dans la représentation, et par là de transformer la trace en pensée, la scène en scénario, la reviviscence en remémoration [22] », explique Michèle Bertrand.

Le récit héroïque prend un effet défensif. S'ils ne fabriquaient pas du mythe, ces enfants seraient dépersonnalisés par le trauma. Et comme l'événement traumatisant reste sans cesse présent dans leur mémoire, ils en font un récit qui métamorphose l'horreur, une remémoration dont la mise en scène les rend maîtres de leur passé. C'est une légitime défense, bien sûr, mais c'est aussi un risque de délire. Si le théâtre du monde intime n'est jamais socialisé, il peut s'enfler, se renforcer, occuper toute la vie psychique et couper du monde le petit blessé. Donc l'enfant, après avoir été contraint au récit silencieux pour se personnaliser, est contraint à le socialiser pour ne pas délirer. Mais autrui n'est pas toujours capable d'entendre un tel mythe des origines. Alors, l'enfant apprend le langage des adultes et utilise les circuits que lui propose sa culture pour socialiser sa tragédie. Si la culture ne dispose autour de l'enfant blessé d'aucune possibilité d'expression, le délire logique et le passage à l'acte fourniront des apaisements momentanés : l'extrémisme intellectuel, la délinquance politique, ou les impulsions psychopathiques se manifestent régulièrement quand on oblige ces enfants à rester prisonniers de leur passé. Mais dès qu'on leur offre une possibilité

---

22. BERTRAND M., 1997, « Les traumatismes psychiques, pensée, mémoire, trace », *in* : DORAY B., LOUZUN C., *Les Traumatismes dans le psychisme et la culture*, Érès, p. 45.

d'expression, on voit naître des marginaux créateurs. D'ailleurs, tout créateur est forcément marginal puisqu'il met dans la culture quelque chose qui n'y était pas avant lui. Or, ces enfants fracassés, les victimes d'inceste ou les petits maltraités, ont déjà fait ce travail de marginalisation. Les petits blessés ont le choix entre le passage à l'acte ou l'innovation culturelle. C'est la culture ambiante qui les aiguillera.

C'est pourquoi on observe régulièrement chez les traumatisés deux tableaux opposés et pourtant associés. Celui de l'hyperadaptation fait d'indifférence, d'amoralité, de méfiance et de délinquance qui, en une seule rencontre, peut s'aiguiller vers la générosité, l'intellectualisation, l'engagement social et la créativité [23].

Jean Genet a connu ça, lui qui se présente sous ce jour dès la première phrase : « Le vêtement des forçats est rayé rose et blanc... Je ne veux pas dissimuler les raisons qui me firent voleur... J'ai bandé pour le crime. » Une seule rencontre avec un éditeur aiguille son destin vers une direction créatrice : « Par l'écriture j'ai obtenu ce que je cherchais... Ce qui me guidera, ce n'est pas ce que j'ai vécu mais le ton sur lequel je le rapporte. Non les anecdotes mais les œuvres d'art... Réussir une légende. Je sais ce que je veux [24]. »

Ce travail de la mémoire est inévitable pour que les blessés et les délinquants se transforment en héros. « Leur génie n'est pas un don, c'est l'issue qu'ils inventent dans les cas désespérés, c'est l'histoire de leur libération, leur victoire verbale [25]. » Une blessure, même horrible, peut constituer un moment sacré, puisqu'elle devient l'instant de la métamorphose, de la baguette magique, du coup de

23. BAUER C., 1990, *Fractures d'une vie*, Seuil.
24. GENET J., 1949, *Journal du voleur*, Gallimard, p. 9, p. 13 et p. 232-233.
25. SARTRE J.-P., 1952, *Saint Genet comédien et martyr*, Gallimard.

balai de la sorcière qui fait que, désormais, il y aura toujours un avant et un après. Le banal disparaît quand on a
connu l'extrême. Il n'y a plus « d'histoire profane, il n'y a
plus qu'une histoire sainte; ou, si l'on veut, comme les
sociétés dites " archaïques ", [on] transforme continuelle-
ment l'histoire en catégories mythiques [26] ». Ces récits
fabuleux parlent de la condition humaine. Ils mettent en
image notre manière de la ressentir. La faute est au cœur
des mythes, la transgression, l'initiation et la mort aussi.
Tous les enfants qui ont connu des situations extrêmes
sont contraints à devenir auteurs de mythes. Ayant
commis le crime fabuleux d'avoir assassiné leurs parents
ou d'avoir transgressé la sexualité, ils doivent très tôt
affronter la torture de la culpabilité et de l'expiation qui
apaise.

Sans culpabilité, pas de moralité

Dès l'instant où la victoire verbale invite au remaniement émotionnel du passé, la culpabilité prend un effet
étrange, elle devient liante! L'historisation sauve l'enfant
de l'impensable puisque ça lui donne un passé pensé. Mais
c'est aussi la conviction qu'il est responsable de ce qui lui
est arrivé, qui permet à tout être humain de devenir sujet
de son destin [27], auteur de ses actes et non pas objet ballotté, cogné par les circonstances, soumis.

Alors ça, c'est nouveau! La stéréotypie de nos discours
actuels tend à faire croire qu'il faut se débarrasser de
l'empoisonnante culpabilité judéo-chrétienne sans laquelle
nous serions heureux, désempoisonnés. Les pervers,

---

26. *Ibid.*, p. 13.
27. GANNAGÉ M., 1999, *L'Enfant, les parents et la guerre. Une étude clinique au Liban*, ESF éditeur, p. 18.

dépourvus de culpabilité parce que leur empathie, leur aptitude à se mettre à la place d'un autre, ne s'est pas développée, fracassent n'importe qui avec un grand plaisir. Or l'empathie, seul fondement biologique et psychologique du sens éthique, mène à la morale en même temps qu'à la culpabilité.

Se sentir responsable du malheur qui nous est arrivé est une souffrance supplémentaire, bien sûr, c'est un tourment dans la représentation. Il s'ajoute à l'effroi de l'agression réelle, et c'est la conjugaison qui fait le trauma. Supposons que l'étonnante culpabilité des victimes n'existe pas ; on se retrouverait dans deux scénarios opposés ; celui qui dit : « Mon malheur est la faute des autres. Je déteste mes parents d'avoir été assassinés, ils m'ont abandonné. Ils étaient responsables de mon bonheur, en mourant ils sont devenus la cause de mon malheur. Je survis avec la haine que j'éprouve pour eux. » On entend des choses comme ça. Mais j'ai aussi entendu des discours comme celui de cette femme-flic qui adorait la « planque », le baroud et même la bagarre, avant d'être violée : « Je suis faible, je suis passive, je suis le jouet sexuel des hommes qui profitent de moi. Je n'y peux rien, je ne suis qu'une femme. »

Le fait de souffrir de culpabilité permet aux enfants blessés de se signifier à eux-mêmes : « Je ne suis pas passif puisque c'est à cause de moi que mes parents ont été arrêtés par la milice à Beyrouth. Cette culpabilité, qui me torture, me donne aussi la possibilité de me sentir mieux en établissant des relations de rachat et d'expiation. Au moins j'ai quelque chose à faire, une conduite à tenir. Je prends sur moi le malheur des autres et je ne gémis pas en donnant l'amour que je n'ai pas reçu. » Cette défense résiliente est très coûteuse, mais elle tisse du lien. De plus, souffrir de culpabilité, c'est se donner la preuve qu'on n'est pas un monstre. Et même, c'est planter en soi l'intime conviction d'être profondément moral. Dès lors, les catégories sont claires : « Je fais partie des anges, puisque je me sens coupable, seuls les monstres peuvent rire de la mort de leurs parents. »

En donnant de l'amour et en aidant les autres, je répare ma dignité blessée par l'agression. La tendance réparatrice des très petits enfants avait déjà été soulignée par Melanie Klein, et « la gratitude qu'autrui éprouve en retour apprend à l'enfant un style relationnel essentiellement éthique [28] ». Ce sentiment de responsabilité, exacerbé par le trauma, explique la maturité précoce des enfants meurtris et nous fait comprendre que les enfants trop protégés, privés de responsabilités, développent difficilement un sentiment éthique. « Ainsi après une période anomique marquée par l'absence de lois morales, l'ignorance de toute règle et de tout devoir particulier, se met en place, à partir de deux ans jusqu'à environ sept ans, le stade de l'hétéronomie définie par une moralité [29]... » Les enfants meurtris, quand ils deviennent résilients, sont contraints à développer un sens moral précoce.

Le sentiment de culpabilité liante explique une stratégie affective particulière. Tout cadeau les gêne et les angoisse parce qu'il leur paraît immérité. On ne donne pas à un coupable, il n'est pas moral de le récompenser. Ces enfants ne se sentent réparés que lorsqu'ils donnent à leur tour. « Précisément parce qu'il est seul et misérable, parce qu'il meurt d'envie qu'on le secoure, qu'on le console, parce qu'il a un besoin fabuleux de recevoir de l'amour, il décide d'en donner [30]. » C'est le contraire de notre stéréo-

---

28. KLEIN M., 1957, *Envie et gratitude et autres essais*, Gallimard.
29. MAZET P., 1999, « Naissance et développement du sens éthique chez l'enfant. Du sentiment de respect à l'égard de soi au respect d'autrui », *Neuropsychiatrie de l'enfance et de l'adolescence*, 47 (12), p. 525-534.
30. SARTRE J.-P., *Saint Genet comédien et martyr, op. cit.*, p. 93.

typie culturelle qui récite qu' « on ne peut donner que ce qu'on a reçu ». Cette métaphore hydraulique ne correspond pas du tout à ce que l'on entend. La gentillesse morbide qui va jusqu'au don de soi possède une grande efficacité résiliente : masquer la détestation ou même la retourner en son contraire dans un amour auto-sacrificiel.

La haine a un effet protecteur qui permet de s'opposer à l'agresseur, mais cette sauvegarde, qui rend possible l'affrontement avec le persécuteur, se transforme en poison de l'existence quand elle dure trop longtemps. Deux stratégies résilientes sont alors possibles : utiliser la haine pour en faire une force de vengeance, ou la fuir en basculant dans un amour délirant. Ceux qui choisissent la haine et la vengeance mettent en place une petite protection, qui tisse encore un lien entre ceux qui partagent la même haine. Ça renforce l'estime de soi à coups de catégories claires (« le méchant c'est lui »), mais ça clôt l'empathie en cherchant surtout à ne pas comprendre les motivations de l'agresseur. La haine et la vengeance autorisent ainsi à devenir agresseur à son tour avec le sentiment éthique de réparer une injustice. Toutes les vendettas se justifient par cette forme de défense. Tous les États légitiment leurs guerres par des humiliations passées, des ruines économiques ou des territoires volés. Il s'agit d'une résilience partielle puisque la haine est un affect qui remplit la conscience de celui qui l'éprouve. Par ce fait même, il pense sans cesse à l'agresseur et le côtoie pour mieux l'agresser à son tour. C'est un progrès, c'est mieux qu'un syndrome post-traumatique où le traumatisé prisonnier de sa mémoire subit sans cesse le passé sans parvenir à l'intégrer, à en faire un moment douloureux, révolu, un souvenir noir dans une histoire claire. Mais la vengeance n'est pas un soulagement efficace dans la mesure où le blessé éprouve sans cesse l'amertume d'avoir été meurtri, à peine adoucie par le mauvais plaisir de la revanche. C'est encore une manière de rester prisonnier de son passé en préparant une guerre de libération.

Voler ou donner pour se sentir fort

L'autre stratégie résiliente consiste à donner, pour éviter de recevoir. « Puisque je n'appartiens pas à une famille, je ne suis pas inclus dans un réseau affectif », pense l'enfant abandonné. « Puisque je n'appartiens pas, je ne possède rien », disent les enfants isolés quand ils expriment ce curieux sentiment généalogique qui leur fait croire qu'on possède ce qui appartient à ceux qui nous aiment : « Puisque mes parents m'aiment, je possède ce qu'ils ont, notre maison, nos voitures et nos bicyclettes. » Privé d'affection, un enfant ne possède rien. Tout cadeau provoque alors l'émotion angoissante d'un événement extraordinaire impossible à rembourser car il n'est pas dû, ni mérité. C'est le cadeau qui est culpabilisant. L'absence de cadeau crée un vide désolant, mais quand l'enfant blessé devient celui qui donne, alors il éprouve un doux sentiment de bonheur. Il n'est plus la victime, le fautif. En un simple geste il devient l'enfant fort, celui qui aide.

Il y a quelques semaines, Igor, un grand garçon de trois ans, a eu la varicelle. Quand sa mère l'a accompagné un peu trop tôt à l'école, l'enfant encore croûteux a provoqué des cris d'horreur. La directrice s'est écriée en faisant de grands gestes : « Il est contagieux ! Attention ! Écartez-vous ! Écartez-vous ! » hurlait-elle aux autres enfants. Igor a pleuré et a connu trois heures de tristesse, ce qui à cet âge est un indice de traumatisme de la vie quotidienne. Le lendemain, il est entré dans la salle de bains où se lavait son père, il a exploré attentivement sa peau jusqu'au moment où il a enfin trouvé un petit bouton : « Tu as un bouton, lui a-t-il dit, mais je te fais quand même un bisou. » En un simple scénario comportemental, l'enfant s'était signifié à lui-même : « Il est possible d'aimer quelqu'un qui a des boutons, et moi, en plus, je fais partie des gens généreux qui ne blessent pas les boutonneux. La vie vaut donc la peine d'être vécue. » Tout de suite après avoir joué ce petit scénario, l'enfant s'est senti mieux et a repris goût à la vie. J'exagère un peu, bien sûr, mais c'est pour illustrer l'idée qu'un attachement peut redevenir sécure dès que l'enfant reprend en main le gouvernement de ses décisions et de ses émotions. Il faut le rassurer, évidemment, et tout de suite après lui donner la possibilité de se rassurer. Mais quand l'enfant ne dispose pas, autour de lui, d'un entourage capable de lui faire faire ce travail, il le fera tout seul, avec les moyens du bord qui sont le vol et le remaniement de son histoire.

Il est étrange de parler de vol effectué par des enfants dont le sens moral est très développé. Et pourtant, les enfants des rues de Colombie, les « gamins », s'adaptent par la délinquance à un milieu fou. Ils éprouvent, grâce aux vols, leur aptitude à décider, ils revalorisent l'estime d'eux-mêmes grâce à leur vivacité physique puis, fiers de leurs exploits, ils partagent le butin avec les plus petits et vont gentiment les réconforter. La délinquance devient, dans ce contexte-là, une valeur adaptative. Un enfant des rues qui ne serait pas délinquant aurait une espérance de vie de quelques jours seulement. Cette adaptation sociale, preuve de leur force naissante, s'associe à un vrai sens éthique qui leur permet, en s'entraidant, de préserver l'estime de soi [31].

---

31. COLMENARES M.E., BALEGNO L., 2000, « Les enfants des rues à Cali (Los desplazados) », *in* : VANNIER S., CYRULNIK B., *Réparer le lien déchiré*, Salon-de-Provence, 26 mai.

Leurs larcins sont souvent des discours comportementaux car très souvent ils volent des objets signifiants.
« Un jour, je suis passé devant le juge pour avoir volé des
papiers cadeaux [32]. » Que peut bien « vouloir dire » un
papier cadeau pour un petit garçon qui squatte une cave,
vole pour se nourrir et parfois se prostitue ? Il n'est pas
rare que les enfants privés d'affection volent des objets qui
représentent l'affection. Le petit Roger s'était levé la nuit,
dans son institution glacée, pour aller voler, dans le pla-
card de son voisin, les pâtes de fruits envoyées par une
vague marraine. On l'avait surpris, et le lendemain matin
les éducateurs lui faisaient la morale et le traitaient de
« voleur ». Roger s'étonnait de son larcin car il détestait les
pâtes de fruits. Alors il s'est rappelé qu'il avait vu cette
« marraine », une visiteuse pour enfants en difficulté parler gentiment à son camarade de dortoir. C'est elle qui
avait envoyé les pâtes de fruits et Roger, en les mangeant,
évoquait la douce image de ce moment d'affection. La
friandise le dégoûtait, mais l'évocation d'une relation affectueuse le remplissait d'un bonheur plus fort que l'écœurement de la pâte de fruits.

Bien sûr, l'enfant s'était exprimé avec des comportements puisqu'il ne savait pas encore le formuler avec des
mots. Et les adultes éducateurs étaient bien trop heureux
d'exprimer leur sadisme moralisateur en insultant l'enfant
qui volait sans gratitude pour tout ce que la société lui
donnait.

« ... lui donnait », c'était là le problème. Car donner à
un enfant non aimé, donc dépouillé, c'est l'accabler encore
plus. « Bien sûr, il n'a ni faim ni froid. On lui donne le gîte
et le couvert. Mais précisément : on les lui donne. Cet
enfant n'a que trop de cadeaux : tout est cadeau jusqu'à

---

32. Guénard T., 2000, Témoignage in : *La Résilience. Le Réalisme de
l'espérance, op. cit.*

l'air qu'il respire, il faut dire merci pour tout... [33] » Toute bonté l'oblige, alors qu'un vol le libère. Si l'on ne veut pas qu'il vole, il faut lui demander de donner. « Une dame lui disait : " Ma bonne doit être heureuse, je lui donne mes robes. – Très bien, répondit-il, vous donne-t-elle les siennes " [34] ? » Le contre-don libère mieux que le vol puisqu'il rétablit des rapports d'égalité et surtout il socialise en permettant à l'enfant de se signifier : « Je suis fort et généreux puisque c'est moi qui donne. »

Il arrive parfois que le petit délinquant donne en cachette. Roger, celui des pâtes de fruits, avait volé un bibelot, comme ça, pour le voler, pour se l'approprier. Puis il l'avait vendu à un garçon du dortoir des grands. Ensuite il avait couru jusqu'à la maison voisine où habitait une vieille dame seule, qui lui avait fait un jour le vrai cadeau de bavarder avec lui. Elle lui avait confié que c'était parfois difficile pour elle de s'acheter de la nourriture. L'enfant avait escaladé le mur jusqu'au premier étage, poussé la fenêtre, trouvé le porte-monnaie qu'il avait vu traîner sur la table de la cuisine dans une coupe parmi les médicaments. Il y avait déposé ses piécettes au risque de se faire surprendre, puis s'était enfui, comme un voleur... comme un donneur ?

Le scénario secret du vol et du don associés le tracassait quand même. Le larcin qu'il avait transformé en cadeau lui donnait le beau rôle, mais ne lui avait pas permis de jouer un personnage social. Il avait donné en cachette pour ne pas obliger la vieille dame à dire « merci ». Il lui avait laissé un peu de liberté car il savait à quel point un cadeau peut emprisonner. Mais Roger était seul à savoir ça. Le dire aurait altéré la beauté du scénario intime, il fallait qu'il se taise. Alors, il avait trouvé une

---

33. SARTRE J.-P., *Saint Genet comédien et martyr, op. cit.*, p. 17.
34. *Ibid.*

solution : chaque fois que sa difficile existence d'enfant sans lien, donc sans bien, le blessait à nouveau, il se racontait l'histoire du vol transformé en cadeau. En s'appropriant l'objet et en le métamorphosant grâce à la magie de sa mise en scène, l'enfant reprenait possession de son monde intime. Par ce vol transformé en don, c'est lui qui se transfigurait. Il cessait d'être le pouilleux pour se muer en prince invisible : « Vous qui croyez que je suis petit et misérable, vous ne soupçonnez pas à quel point je peux être souverain. »

Les chimères du passé sont vraies, comme sont vraies les chimères

C'est exactement ce processus de résilience que peuvent suivre les enfants gravement traumatisés. Quand ils donnent des choses réelles, ils parviennent à se socialiser. Mais auparavant, ils doivent transformer leur monde de représentations intimes et se réapproprier leur passé blessé afin de ne plus souffrir de leur passivité. Agissant sur le réel autant que sur sa représentation, ils parviennent ainsi à modifier les deux chocs qui font le traumatisme.

Nos enfants découvrent très tôt que le simple fait de parler les invite à choisir leurs mots pour décrire l'événement. Alors, dès qu'ils deviennent capables de faire un récit, ils cherchent dans leur mémoire les images et les émotions dont ils feront une représentation verbale. Un récit est forcément chimérique puisqu'on ne peut pas tout mettre en mémoire et que notre développement tempéramental nous a rendus sensibles à certains objets de préférence. Attention! « chimérique » ne veut pas dire « faux », puisque chaque élément est vrai dans un animal qui pourtant n'existe pas. C'est la recomposition d'éléments existants qui explique que la chimère n'existe pas dans le réel, mais prend son envol dans la représentation du réel. Et les sentiments que nous éprouvons véritablement dans notre corps sont provoqués cette fois-ci par nos représentations chimériques.

Nous sommes tous obligés de nous composer une chimère de notre passé à laquelle nous croyons avec un sentiment d'évidence. Et les enfants blessés sont, plus que tout autres, contraints à se faire une chimère, vraie comme sont vraies les chimères, afin de supporter la représentation de la blessure car le seul réel supportable est celui qu'ils inventent.

Dès l'instant où un enfant peut faire le récit de son épreuve, ses interactions changent de style [35] et le sentiment qu'il éprouve en est métamorphosé. Mais il faut des années pour parvenir à ce résultat. Lors des dix-huit premiers mois, il y a eu cette intersubjectivité qui a façonné son tempérament. Puis l'enfant a compris qu'avec des gestes et des mimiques il pouvait modifier le monde mental des autres. Mais dès qu'il est parvenu à faire le récit d'un événement marquant, il a changé la nature de l'intersubjectivité puisque désormais elle n'est plus sensorielle, ni mimée par des comportements, elle devient verbale et adressée à quelqu'un qui n'était pas là au moment de la tragédie. Recomposant l'événement avec des mots qui modifient le monde mental de la personne à qui il se confie, l'enfant non seulement change la représentation de l'événement et le sens qu'on lui attribue mais en plus, il s'attache les partenaires de la confidence.

Dès l'âge de trois à quatre ans, un enfant sait construire un récit composé d'éléments saillants, peu coor-

---

35. Favez N., 2000, « Le développement des narrations autobiographiques chez le jeune enfant. Perspectives et revue de littérature », *Devenir*, vol 12, n° 1, p. 63-76.

donnés, mis en lumière par des émotions relationnelles. « Papa a pris le balai. Il a jeté l'oiseau dans la mer. Il s'est envolé », veut dire dans un récit d'adulte : « Il y avait un oiseau sur la terrasse. Papa l'a chassé avec un balai. Il s'est envolé en plongeant vers la mer avant de remonter en l'air. »

Dès l'âge de cinq ans, un enfant maîtrise suffisamment la grammaire et la représentation du temps pour en faire un récit bien monté, aux séquences articulées qui, en exposant les points saillants de l'événement, développeront dans l'esprit de l'auditeur une représentation cohérente et émouvante... comme au cinéma.

Mais quand l'événement est un fracas, il est difficile à représenter puisqu'on ne peut pas en faire un récit banal et qu'on n'ose pas en faire un récit sacré, un mythe fondateur. L'intensité de la blessure a mis en mémoire certains détails qui ont capturé la conscience de l'enfant et l'ont coupé du contexte qui aurait pu donner sens à ses perceptions. C'est pourquoi les enfants ne sont des témoins fiables que lorsque les adultes leur posent des questions pertinentes. Il ne faut pas chercher à les influencer ni même répéter la question car alors l'enfant pense qu'il s'est trompé et donne une réponse différente à la deuxième question. La non-fiabilité des témoignages d'un enfant révèle souvent la non-pertinence des questions de l'adulte [36].

Souvent, l'évocation des souvenirs provoque des émotions qui submergent l'enfant et l'empêchent de parler. Mais le plus souvent, c'est l'adulte qui, trop directif, provoque les réponses qu'il attend et étouffe l'expression de ce qui ne lui convient pas. Quand le témoignage d'un enfant

---

36. PETER S., WYATT G., FINKELHOR D., 1986, « Prevalence », in : FINKELHOR D. (éd.), *A Source Book on Child Sexual Abuse*, Beverly Hills, CH Sage, p. 15-59.

ne correspond pas à la représentation que l'adulte espère, celui-ci a tendance à disqualifier le petit, en disant que son témoignage n'est pas fiable. Dans ce cas, c'est l'adulte qui provoque les troubles qu'il décrit. En empêchant l'enfant d'exprimer ce qui constitue une immense partie de son monde intime, il entraîne un clivage de la personnalité, une division du moi en deux personnalités qui se méconnaissent. Dans un premier temps, ce mécanisme est déconfusionnant [37] puisqu'il apprend à l'enfant qu'il y a des choses qu'on peut dire et d'autres qui ne seront pas accep-tées. Il s'adapte à la pathologie de l'adulte grâce au clivage qui constitue un bénéfice immédiat et met en place une bombe à retardement. Les proches devront plus tard éta-blir des relations avec un adulte ambivalent parfois bavard, au contact agréable, et soudain sombre ou explo-sif, selon ce que la situation évoque. L'enfant traumatisé s'adapte grâce au clivage à l'impossibilité des adultes d'entendre un témoignage hors norme. Sa personnalité apprend à se développer dans deux directions différentes. La première se tisse autour des tuteurs de développement affectivement et socialement proposés par les adultes. Et la deuxième se travaille en secret, dans l'intimité d'un monde mental récusé par les adultes.

Dans ce monde-là, l'enfant blessé doit inventer lui-même ses propres tuteurs de résilience. Il en trouve deux, généralement. Le premier se passe dans ses récits intimes quand l'enfant meurtri se demande pourquoi ça lui est arrivé, qu'est-ce que ça veut dire et qu'est-ce qu'il y a à comprendre pour s'en sortir. Puisque les adultes ne veulent pas entendre son discours, c'est à lui tout seul de faire ce travail et de reprendre en main la représentation de son passé, la création d'un nouveau monde. Une telle

---

37. IONESCU S., JACQUET M.-M., LHOTE C., 1997, *Les Mécanismes de défense. Théorie et clinique*, Nathan Université, p. 148-149.

défense peut mener au délire puisque, coupé de la société, son travail intime échappe à l'effet correcteur des autres.

Le deuxième tuteur de résilience est souvent constitué par des scénarios agis. En fait, les saynètes sont des discours comportementaux grâce auxquels les petits blessés tentent de reprendre en main la situation et de grandir avec bonheur, malgré tout.

Quand un souvenir précis est entouré de brume, il rend le passé supportable et beau

Quand le petit Bernard a été arrêté à l'âge de six ans, il a tout de suite compris que sa vie était finie. Sa chambre envahie la nuit par des policiers, arme au poing, les couloirs bloqués par des soldats allemands, tout raides. Dehors dans le noir, les camions bâchés, et la rue barrée par les militaires ne provoquaient pas la peur. Curieusement, toute cette puissance militaire pour arrêter un petit garçon amenait un sentiment de tranquillité tant la résignation était inévitable. Bernard comprenait qu'il était condamné à mort, mais il ne savait pas pourquoi. À peine emprisonné dans ce qui lui paraissait être un grand théâtre, il devint particulièrement attentif aux fenêtres et au rythme d'ouverture des portes. Deux tentatives de fuite naïves se soldèrent par quelques coups de bottes dans les fesses et de crosses de fusil dans le dos. Mais ces tentatives ne furent pas inutiles puisqu'elles ont permis à l'enfant de repérer qu'à l'envers de la porte des toilettes, de grosses planches clouées dessinaient un grand Z, presque jusqu'au plafond.

Quand l'évacuation des prisonniers a commencé, l'enfant, discrètement, s'est éloigné vers les toilettes, a escaladé le Z jusqu'en haut, et là, en appuyant son dos contre une paroi et ses pieds contre l'autre, il a été étonné de découvrir qu'on pouvait tenir ainsi sans grande fatigue. Le bruit de l'évacuation s'est lentement calmé, le hurlement des ordres a cessé et le silence est devenu presque angoissant puisqu'il signifiait que, maintenant, c'était à l'enfant d'agir.

Un policier est venu pisser. Il n'a pas levé la tête. Quelques minutes plus tard, Bernard a entendu claquer les portes voisines. Celle des toilettes où il se cachait s'est brusquement ouverte. Un soldat allemand a jeté un coup d'œil et, juste avant de refermer, a levé les yeux et a hurlé. Délogé par les coups de crosse, l'enfant s'est laissé tomber et s'est enfui en courant. Le « théâtre » paraissait étrange. Beaucoup de fumée. Quelques petits groupes d'hommes en civil parlaient à voix qui paraissait basse après le tumulte de l'évacuation. Le portail grand ouvert laissait entrer le soleil. Dehors, les cordons de soldats qui avaient canalisé les détenus vers les cars commençaient à se dissocier. Au lieu de se diriger dans l'espace qui menait aux cars, l'enfant s'est précipité vers la gauche, dans le dos des soldats en train de ranger leurs armes. Une ambulance se trouvait un peu à l'écart. Une infirmière voyant l'enfant l'a appelé. Bernard a couru jusqu'à la camionnette dont les portes de derrière étaient encore ouvertes et s'y est engouffré. Il a plongé sous un matelas sur lequel agonisait une femme toute blanche. Un long moment, personne n'a bougé. La femme mourante, l'infirmière immobile et l'enfant sous le matelas. Un médecin militaire allemand est venu, a examiné la dame et donné l'autorisation du départ pour l'hôpital.

Voilà l'histoire gravée dans la mémoire du petit Bernard. Pendant plus de vingt ans, quand il pensait à son passé, Bernard faisait commencer le récit de sa vie par cette histoire sans paroles. Il savait bien que cet événement n'était pas le début de sa vie, mais il en faisait le point de départ de son identité narrative, comme un mythe fondateur, un événement qui caractérisait et peut-être même expliquait les efforts qu'il aurait à faire pour devenir humain, quand même. Pourquoi n'a-t-il jamais raconté cette histoire, alors qu'il se la racontait sans cesse ? C'est que cet événement marquant lui permettait de composer dans sa mémoire un objet signifiant : « Malgré les coups du sort et la cruauté des hommes, il est toujours possible d'espérer. »

Puisqu'il était contraint au clivage, il fallait absolument que ses représentations intimes ne provoquent pas un sentiment d'horreur qui aurait empoisonné son existence. Un souvenir trop réel et non interprété aurait empêché le processus de résilience. Quelques heures après son évasion, le petit Bernard avait été caché dans la cuisine d'une association d'étudiants dont le président était un jeune résistant. Un cuisinier, en découvrant l'enfant, s'était fâché : « Je ne veux pas de cet enfant ici. Nous risquons notre vie en le gardant. » Non seulement Bernard se sentait coupable de la mort de ses parents, non seulement il savait qu'il était lui aussi condamné à mort, mais en plus il devenait responsable de la mort de ceux qui s'occupaient de lui.

Quand le réel est monstrueux, il faut le transformer pour le rendre supportable. Alors, au cours de la répétition de ses récits intimes, Bernard s'est rappelé qu'avant son évasion, un soldat allemand venait régulièrement lui rendre visite. Il s'asseyait près du petit captif et lui montrait des photos de ses propres enfants. Ce souvenir était curieusement agréable. Plus tard, en évoquant la scène de l'ambulance, l'enfant se demandait si le médecin militaire n'avait pas croisé son regard au moment où il était caché sous le matelas. Il n'était pas très sûr de cette image, mais quand il l'associait au souvenir réel du soldat venant chaque jour lui parler gentiment en lui montrant des photos, l'image incertaine lui paraissait de plus en plus claire, et même cohérente. Lorsqu'on n'a vu que trois pieds d'une chaise, on est convaincu d'avoir vu le quatrième, puisque logiquement il a dû être là. Progressivement, un souvenir incertain se faufilait parmi les détails étonnamment clairs, imprégnés pour toujours dans la mémoire de Bernard.

De récits en récits, l'histoire sans paroles devenait trop cohérente pour être honnête. Bernard se rappelait maintenant que le médecin militaire avait examiné la mourante, puis soulevé le matelas, croisé le regard de l'enfant et donné le signal du départ signifiant par ce geste de la main la grâce qu'il accordait à l'enfant, l'autorisation de vivre.

Il se trouve que presque soixante ans plus tard, Bernard a retrouvé l'infirmière et la mourante! Tous les détails ont été confirmés, étonnamment précis, sauf un : le médecin allemand n'a jamais soulevé le matelas. Il a simplement regardé la mourante et dit en français : « Qu'elle crève! Ici ou ailleurs! Ce qui compte c'est qu'elle crève! » Son désir n'a jamais été réalisé parce que le coup de crosse, qui avait éclaté la rate de cette femme et provoqué une hémorragie interne, avait aussi permis l'intervention chirurgicale. Sans ce coup de crosse, cette dame serait probablement morte à Auschwitz. L'infirmière, elle, confirme les détails, mais se demande quand même s'il n'y a pas eu un échange de regards.

À quoi correspond ce style de mémoire si souvent constaté chez les traumatisés : une charpente étonnamment précise, entourée d'un halo de souvenirs recomposés? L'accumulation de souvenirs de faits réels aurait rendu l'enfant confus, sans vision claire du monde, incapable de juger : « Un Allemand peut être gentil et puis décider de me tuer ? » En entretenant des souvenirs précis sans les remanier, sans les rendre cohérents, l'enfant aurait vécu dans un effroi constant, comme cela se passe lors des reviviscences post-traumatiques. Le blessé doit remanier son passé pour le rendre supportable et lui donner une cohérence que n'a pas le réel. En ajoutant une touche d'humanité au médecin militaire, analogue à celle de l'Allemand aux photos, Bernard s'autorisait à vivre dans un monde où les persécuteurs n'étaient pas inexorables. Il parvenait ainsi à se faire croire que la bonté existe et que même les bourreaux ont des failles humaines par lesquelles il est toujours possible de les toucher et de gagner le droit de vivre.

Cette représentation gauchie qui mélange des souvenirs précis avec des recompositions fantasmatiques possède un important effet de résilience : non seulement les agresseurs ne sont plus tout-puissants, mais la petite victime se transforme en héros secret, celui qui parvient à s'évader malgré toute une armée et celui qui, après la blessure, sait comment renouer des liens et reconstituer un attachement sécure.

L'événement traumatisant, admis à la conscience, peut être envisagé, travaillé et intégré dans l'histoire de l'enfant grâce à cette « falsification créatrice [38] ». Sans ce remaniement du passé, interprété par l'enfant pour y mettre de la générosité et un peu d'héroïsme, le réel aurait été insoutenable. Gravé dans la mémoire par l'émotion du stress, il serait revenu chaque jour, à chaque moment de moindre vigilance quand les défenses tombent, comme dans les syndromes post-traumatiques.

Parfois l'enfant se laisse piéger par un refoulement de son passé quand il repousse dans l'inconscient une repré-

---

38. FERENCZI, S. 1934, « Réflexions sur le traumatisme », *in* : FERENCZI S., 1984, *Psychanalyse 4*, Payot, p. 144.

sentation d'image, un souvenir lié à une pulsion inacceptable, comme tuer, se tuer ou se soumettre par lâcheté. Le déni coûte moins cher car il n'expose pas au risque du retour du refoulé et permet de ne plus éprouver comme un danger ou une douleur, une agression passée. Mais pour cela, il faut travailler son histoire, remanier la représentation de la tragédie afin que le sujet parvienne à supporter ses récits intimes. Parfois même, l'histoire traumatisante devient socialement acceptable quand le blessé a le talent d'en faire un journal, un théâtre ou une relation qui contribuera à rendre sa souffrance utile aux autres.

Ordalie secrète et réinsertion sociale

Mais avant de parvenir au don de soi, il faut que le petit blessé redevienne maître de ses émotions et de ses actions. Certaines saynètes comportementales surprenantes pour un adulte possèdent cette fonction qui permet à l'enfant de reprendre possession de son destin bousculé.

Quand Tinho Banda, sept ans, vit que les rebelles de Renamo revenaient dans son village, il n'a pas eu trop peur. Pourtant la veille, ils avaient tué à coups de hache sa mère et le bébé qu'elle portait dans son dos [39]. Il se cacha tranquillement sous un meuble, tira devant lui un coussin, et s'appliqua patiemment à ne pas bouger et respirer à peine. Après le départ des tueurs, l'enfant s'est rendu à pied près de Petauke, dans un campement à l'est de la Zambie. Il raconta simplement comment il avait échappé au massacre et deux fois de suite entendit un adulte expliquer : « Heureusement qu'il n'a pas éternué, il aurait été massacré. » Cette phrase, prononcée au-dessus de lui,

---

39. FOZZARD S., 1995, *Surviving Violence. A Recovering Programme for Children and Families*, International Catholic Child Bureau, Genève.

entre adultes, signifiait dans l'esprit du petit garçon que sa vie ou sa mort dépendait d'un comportement qui aurait pu lui échapper.

Cette passivité lui déplaisait sans qu'il sache pourquoi. Quand il se remémorait la scène où il était caché et l'associait à la phrase des adultes, il éprouvait une sorte d'irritation. Ce qui l'angoissait, c'était la phrase qui indiquait un destin de soumis : « Une force peut s'imposer à moi et me contraindre à exprimer quelque chose qui me condamnera ! » Le simple fait d'envisager son avenir avec cette menace tapie au fond de lui le tracassait beaucoup. Un jour où il s'ennuyait au camp, ce qui était fréquent, il prit une herbe sèche et l'introduisit dans son nez pour se faire éternuer. Les adultes avaient raison : le fait de ne pas être maître de son corps pouvait menacer sa vie. Alors il s'entraîna. Après quelques tentatives, il parvenait à se mettre des herbes dans le nez, saigner un peu, pleurer beaucoup, mais ne pas éternuer du tout. Les adultes pensaient que le gamin était dérangé, mais ils lui pardonnaient après ce qu'il avait vécu. Quant à Tinho, cette saynète cent fois répétée lui permettait de se signifier : « Je suis plus fort que les agressions que je m'inflige dans le nez. Je suis maître de mon corps. Il suffit que je m'entraîne à résister à la douleur et au besoin d'éternuer. Je sais ce qu'il faut faire pour ne plus avoir peur. Je peux penser à mon avenir. Je décide que le bonheur est possible. »

Il existe encore aujourd'hui, dans certaines cultures africaines ou océaniennes des rituels ordaliques par le fer rouge ou l'immersion. L'individu jugé coupable par son groupe ou par lui-même se met à l'épreuve de ces agressions naturelles. En surmontant la souffrance du feu ou de l'eau, il se donne la preuve qu'il n'est pas coupable et que la société lui permet d'exister. L'ordalie intime de l'herbe dans le nez permettait à Tinho de se signifier que, grâce à ce procédé, il avait conquis le droit de vivre, même si les assassins en décidaient autrement. La saynète apparemment absurde devenait pour Tinho fondatrice d'un processus de résilience qui plus tard a pris un aspect adulte : « Même si l'on m'agresse et si je souffre, rien ne m'empêchera de réaliser mes rêves. »

L'attente du malheur est déjà un malheur, alors que Tinho, grâce à sa saynète ordalique, se mettait en attente de bonheur : « Aujourd'hui, je suis seul, petit et malheureux, mais je viens de gagner la preuve qu'un jour le bonheur sera possible, si je le veux. »

La perception, sur le coup, n'est pas symbolisable. Mais après coup, quand l'acte s'intègre dans une saynète signifiante, la perception « veut dire » quelque chose. Le scénario de l'herbe dans le nez symbolisait le moyen de s'en sortir, de ne plus être soumis, ballotté par les agressions de la vie. Tinho désormais savait affronter.

On peut imaginer qu'à l'âge de quinze mois, Tinho savait déjà jouer à faire semblant et que ce petit scénario lui avait donné confiance en lui, puisqu'il lui permettait de devenir un petit comédien capable de modifier le monde mental des adultes qui l'aimaient. Après sa terrible épreuve, Tinho se refaisait acteur de son développement. L'exploit de se reprendre en main lui redonnait la confiance qu'il avait acquise quand il était tout petit. Même quand un enfant pense : « Je ne pourrai jamais oublier », c'est dans la représentation du trauma qu'il peut se remodeler. « Je ne peux pas ne pas avoir connu ça. C'est dans ma mémoire, dans mon passé, dans mon histoire, dans moi. » Mais il faut deux souffrances pour faire un traumatisme et la deuxième se passe dans la représentation qu'on s'en fait. Elle dépend donc autant du regard des autres (« Cet enfant est foutu ») que d'une aptitude à la créativité : « Il faut absolument que j'en fasse une représentation supportable, une œuvre d'art, une œuvre utile. » Cette promotion de la subjectivité est une puissante invitation à l'aventure intellectuelle.

Ce processus n'est pas rare à condition que l'enfant ait la possibilité d'apprendre qu'il peut se faire aimer. Il faut ensuite, après le trauma, que l'entourage lui propose des lieux d'expression. Alors on pourra assister à une « brusque éclosion des capacités intellectuelles insoupçonnées qui permet au sujet d'accomplir de super-performances, d'évaluer la situation avec une grande clairvoyance totalement inconsciente, et de faire très exactement ce qu'il faut pour assurer la survie [40] ». Un trauma peut donc marquer à vie le développement d'un être humain et ne pas obligatoirement mener à la névrose. Ce qui n'empêche que l'agression reste la référence intime du blessé et gouverne en secret la plupart de ses choix.

Déclaration de guerre contre les enfants

Les plus grands agresseurs d'enfants, aujourd'hui sur la planète, sont les États quand ils font la guerre ou provoquent des effondrements économiques ou sociaux. Les agressions familiales physiques, morales ou sexuelles viennent ensuite, bien avant les agressions dues à la malchance.

Les chiffres de l'agression sont obscènes. Dire qu'il y a trente millions d'orphelins en Inde dont douze millions en situation d'extrême misère, cinq millions d'enfants handicapés et douze millions sans abri provoque un certain

---

40. BERTRAND M., « Les traumatismes psychiques, pensée, mémoire, trace », *in* : DORAY B., LOUZUN C., *Les Traumatismes dans le psychisme et la culture, op. cit.*, p. 42.

engourdissement intellectuel, comme si l'énormité des nombres entraînait une impossibilité de représentation, comme si la distance du crime inhibait l'empathie : « C'est trop loin de chez nous, on ne peut pas prendre en charge tous les malheurs du monde. » En fait « ces grands événements planétaires hypothèquent, pour la vie, le développement de centaines de millions d'enfants actuellement, et le poids de ce fléau est suffisamment lourd pour ralentir le développement social et économique de nombreuses nations [41] ».

Grâce à la technologie des armes et des transports, le xxe siècle a découvert une barbarie que ni l'Antiquité ni le Moyen Âge n'avaient connue : la guerre contre les enfants ! La Turquie au début du xxe siècle a massacré volontairement des enfants parce qu'ils étaient arméniens. Vingt ans plus tard, la très cultivée Allemagne a profité des prouesses industrielles et de son impeccable administration pour mieux organiser l'anéantissement de centaines de milliers d'enfants qui avaient commis le crime de naître dans des foyers à peine différents. Et même les généreux Américains, qui ont donné la victoire aux démocraties, auraient peut-être pu éviter de lancer la bombe sur Nagasaki [42].

Si Auschwitz avait lieu aujourd'hui, il passerait au journal télévisé. Une chaîne montrerait la propreté des camps et la politesse des gardiens. Un journaliste voyou s'étonnerait de l'existence de cheminées incongrues dans un lieu destiné à libérer par le travail. Alors, le soir en

---

41. EHRENSAFT E., KAPUR M., TOUSIGNANT M., 1999, « Les enfants de la guerre et de la pauvreté dans le tiers-monde », in : HABIMANA E., ETHIER L. S., PETOT D., et TOUSIGNANT M., *Psychopathologie de l'enfant et de l'adolescent*, op. cit., p. 641.

42. TOMKIEWICZ S., 1997, « L'enfant et la guerre », in : BERTRAND M., *Les Enfants de la guerre et les violences civiles*, op. cit., p. 12, et TODOROV T., 2000, *Mémoire du Mal, passion du Bien*, Seuil.

ville, dans nos dîners d'amis, nous nous disputerions un peu, en buvant un bon vin. Ce qui entre dans la parole publique des gens civilisés est tellement différent de ce qui se passe dans le monde de ceux qui se débattent dans la boue du réel. C'est là qu'il faut aller.

La mise en place du processus de résilience externe doit être continue autour d'un enfant blessé. Son accueil après l'agression constitue la première maille nécessaire et pas forcément verbale, pour renouer le lien après la déchirure. La deuxième maille, plus tardive, exige que les familles et les institutions offrent à l'enfant des lieux pour y produire ses représentations du traumatisme. La troisième maille, sociale et culturelle, se met en place quand la société propose à ces enfants la possibilité de se socialiser. Il ne reste plus qu'à tricoter sa résilience pendant tout le reste de sa vie.

Au Kosovo, tout de suite après la guerre, beaucoup d'enfants étaient blessés. À Pocklek, une petite fille âgée de cinq ans avait été enfermée dans une pièce avec une cinquantaine d'adultes de sa famille et de son village. Les soldats les ont mitraillés puis ont mis le feu au tas de corps. Comme l'enfant était tombée la première contre le mur, au fond de la pièce, le poids des cadavres ne l'a pas écrasée et l'a protégée des balles et du feu. C'est son père qui l'a découverte, après avoir enlevé un à un les corps de ses amis et de sa famille. Mais cet homme, vivant un cauchemar, n'a pas eu la force de sécuriser la fillette. Non seulement il a dû soulever les corps de ses proches déchirés et brûlés, mais chaque fois qu'il portait dehors un débris, il pensait : « Je n'étais pas là... je cherchais des champignons dans la forêt pendant qu'on les fusillait... je m'amusais quand on les brûlait... » Le père, hébété par le malheur et la culpabilité, n'a pas compris quand la fillette, ruisselante de graisse noire et du sang des autres, s'est dressée der-

195

rière les cadavres. Il ne l'a pas embrassée. Une voisine a lavé l'enfant qui aussitôt a saisi deux poupées et s'est réfugiée dans une brouette qu'elle a refusé de quitter pendant deux mois.

Quand nous avons rendu visite au père [43], il a refusé d'être aidé. Si par malheur il s'était senti mieux, si par malheur le plaisir de vivre était revenu en lui, il aurait eu l'impression d'être un monstre et se serait puni. Il fallait qu'il expie le crime de pas avoir été là pour mourir avec les siens. Alors, il se dévouait pour ses voisins et pour la fillette qu'il entraînait dans sa souffrance.

Il a fallu beaucoup négocier pour lui demander d'emmener la petite chez « Enfants réfugiés du monde » qui avait installé un centre à Pristina. En nous montrant l'enfant qui se balançait dans sa brouette, le père nous disait qu'il ne croyait pas à la résurrection. David, le preneur de son, a entrepris de faire le pitre en sautant sur place comme un kangourou, ce qui a beaucoup intéressé l'enfant. Après quelques minutes de cette psychothérapie non verbale de haut niveau intellectuel, la petite fille a rejoint le jeune homme et, elle aussi, s'est mise à sauter comme un kangourou. Le père était ahuri de voir le visage enfin souriant de son enfant. Son immense malheur avait composé autour de la fillette une bulle sensorielle dont elle ne pouvait se désengluer. Après avoir eu la preuve comportementale que sa fille désirait encore vivre, le père a accepté de l'emmener chez « Enfants réfugiés du monde » où l'on n'a pas parlé de sa tragédie. Accueillie par des sourires, quelques caresses et des jeux, elle a repris goût à la vie, entraînant son père dans sa renaissance. Une tentative plus ambitieuse n'aurait peut-être pas eu d'aussi bons résultats que cette réaction humaine élémentaire et

---

43. ANGLADE M., PIROT D., CYRULNIK B., 1999, *in* : ALLAIN-REGNAULT M., *Va-t'en la guerre*, émission France 2, 11 novembre.

pourtant si difficile. On n'a pas toujours le talent de faire le pitre ou de sourire à un enfant blessé. C'est alors que la détresse et la stupeur risquent de se transformer en traits stables de son caractère.

Depuis les bombardements de Londres en 1942, on sait que les réactions psychologiques des enfants dépendent de l'état des adultes qui les entourent. Mais le bombardement, dangereux dans la réalité, n'est pas ce qui donne le plus de troubles subjectifs. Le trauma, c'est l'assomption de l'intersubjectivité. Quand, lors des bombardements, les enfants étaient entourés par des adultes anxieux, ou quand l'instabilité du groupe, les évacuations, les fuites, les blessures ou les morts empêchaient la mise en place de tuteurs de résilience, une grande proportion de ces enfants manifestait des troubles parfois durables. Mais quand ils étaient entourés par des familles sereines, ce qui n'était pas toujours facile, ils ne manifestaient aucun trouble psychique[44]. Et même les enfants seuls s'en sortaient mieux quand, loin de leurs parents, ils éprouvaient du plaisir à monter sur les toits pour assister au merveilleux spectacle des déflagrations, des incendies et de l'écroulement des maisons. Le pouvoir toxique de l'événement ne réside pas seulement dans les caractéristiques des circonstances. « C'est dans la mesure où il rompt l'étayage parental que l'événement provoque une perturbation chez l'enfant[45]. » C'est la manière dont les figures d'attachement traduisent la catastrophe en exprimant leurs émotions qui calme l'enfant ou l'affole. Un événement intense qui n'altère pas les proches de l'agressé provoque finalement

---

44. CAREY-TREZFER C.J., 1949, « The Result of a Clinical Study of War-damaged Children who Attended the Child Guidance Clinic », The Hospital for Sick Children, Greet Ormond Street, London, *Journal of Mental Science*, 95, p. 335-599.

45. BADDOURA C., 1998, « Traverser la guerre », *in* : CYRULNIK B. (éd.), *Ces enfants qui tiennent le coup*, Hommes et perspectives, p. 81.

assez peu de dégâts psychiques. Alors qu'un événement moins violent peut entraîner de graves altérations quand il détruit son entourage.

Agir et comprendre pour ne pas souffrir

Ceci explique que les guerriers libanais, qui ont manifesté le moins de syndromes post-traumatiques alors qu'ils avaient parfois subi des épreuves terribles, sont ceux qui étaient fêtés, soignés et adulés quand ils rentraient chez eux. Alors que les « vétérans » américains du Viêt Nam ont été très altérés parce que, dès leur retour dans leur propre pays ils ont été critiqués. De même certains soldats français, qui se demandaient ce qu'ils fabriquaient en Algérie et qui ont été couverts d'insultes et de crachats en revenant à Marseille, ont fait de véritables confusions mentales. Longtemps, ils ont revécu chaque jour les drames auxquels ils avaient participé sans les comprendre, sans maîtriser l'action, ni sa représentation. Quand une épreuve est insensée, nous devenons incohérents puisque, ne voyant pas clairement le monde où nous vivons, nous ne pouvons pas y adapter nos conduites. Il est nécessaire de penser un fracas pour lui donner du sens, autant qu'il est nécessaire de passer à l'acte en l'affrontant, en le fuyant ou en le métamorphosant. Il faut comprendre et agir pour enclencher un processus de résilience. Quand l'un des deux facteurs manque, la résilience ne se tricote pas et le trouble s'installe. Comprendre sans agir est propice à l'angoisse. Et agir sans comprendre fabrique des délinquants.

Lors des guerres, ceux qui voient le drame sans agir, ceux qui observent passivement, composent le groupe qui fournit le plus fort contingent de syndromes post-traumatiques. « Restriction de l'emploi des armes, absence d'ennemi désigné, perte du sens de la mission, tous ces éléments vont dans le sens de la passivité, facteur de vulnérabilité éminemment déstabilisant et doulou-reux [46]. »

Selon les guerres, le nombre des stress traumatiques varie énormément [47]. La variabilité de ces troubles dépend du contexte qui donne à certains soldats une possibilité de résilience, alors qu'il en rend d'autres vulnérables.

Agir sans comprendre ne permet pas non plus la rési-lience. Quand la famille s'effondre et que le milieu social n'a rien à proposer, l'enfant s'adapte à ce milieu insensé en mendiant, en volant et parfois en se prostituant. Les fac-teurs d'adaptation ne sont pas des facteurs de résilience, puisqu'ils permettent une survie immédiate mais arrêtent les développements et préparent souvent une cascade d'épreuves.

Dans un milieu sans lois ni rituels, un enfant qui ne serait pas délinquant aurait une espérance de vie très brève. Le fait de mettre son talent, sa vitalité et sa débrouillardise au service de la délinquance, prouve qu'il est sain dans un milieu malade. Quand la société est folle, l'enfant ne développe une estime de soi qu'en réussissant de beaux coups et en rigolant des agressions qu'il inflige aux adultes empotés. Quand le monde tombe en ruine et que la famille disparaît, l'approbation parentale ne sert plus à l'enfant de modèle de développement et cède la place « à l'approbation des pairs comme prédicteur de l'estime de soi [48] ». Or les « premiers pas de l'estime de soi

46. LEBIGOT R., 7° Entretien Science et Défense, in : RIOU S., 1996, « Le stress des soldats de la Paix », Impact Médecin, n° 307, 26 janvier.

47. CHNEIWEISS L., 1998, « Les états de stress post-traumatiques », Abstract Neuro-Psy, n° 176, janvier, p. 12-17.

48. HARTER S., 1998, « Comprendre l'estime de soi de l'enfant et de l'adolescent. Considérations historiques, théoriques et méthodolo-giques », in : BOLOGNINI M., PRÊTEUR Y., Estime de soi, Delachaux et Nies-tlé, p. 63.

se font toujours sous le regard de l'autre[49] ». Quand, à cause d'un effondrement social, les rapports se réduisent à la force, l'enfant se sent confiant dès qu'il a réussi à voler ou ridiculiser un adulte. C'est sa manière de s'adapter à une société folle, mais ça n'est pas un facteur de résilience car ça ne lui permet ni de comprendre ni d'agir : pas de sens, juste dans l'immédiat une misérable victoire.

Tom raconte : « Je pense au train qui, au début du mois de juin 1945, m'amenait avec une centaine d'enfants de Buchenwald à Paris. La traversée de l'Allemagne a duré trois ou quatre jours. Chaque fois ce fut une véritable horde d'Attila qui s'abattait sur la campagne, ravageant champs, vergers, granges, détruisant tout ce qui ne pouvait pas être volé. Or, dès que nous avons franchi la frontière française, un mot d'ordre impératif circula : " Nous sommes dans un pays ami, on se tient bien. " Le résultat était là, de Thionville à Paris, bonne tenue, enfants propres, des sourires et des mercis[50]. »

Avec un recul de cinquante ans, on sait aujourd'hui que la plupart de ces loups délinquants, bagarreurs, voleurs et vandales ont évolué vers une bonne adaptation sociale, parfois même surprenante. Certains sont devenus tailleurs ou commerçants. Beaucoup se sont épanouis dans des milieux intellectuels, en tant que romanciers ou professeurs d'université. Il y a eu un nombre important de créateurs, gens de théâtre ou de cinéma, il y a même eu un prix Nobel de littérature, car « l'expérience traumatique peut exacerber la créativité[51] ». Si cette cohorte de deux cents enfants était restée dans une culture effondrée, ou

---

49. André C., Lelord F., 1999, *L'Estime de soi, op. cit.*, p. 78.
50. Tomkiewicz S., 1997, « (Résumé) L'enfant et la guerre », *in* : Bertrand M., *Les Enfants dans la guerre et les violences civiles, op. cit.*, p. 28-29.
51. Gannagé M., 1999, *L'Enfant, les parents et la guerre. Une étude clinique au Liban, op. cit.*, p. 30.

dans une institution ne sachant établir que des rapports de force, un grand nombre d'entre eux aurait probablement connu une carrière de délinquants.

Pourtant, dans ce même cheminement qui les a presque tous fait passer de l'effondrement familial, de la torture à Buchenwald, à l'accueil en France, les réactions individuelles étaient déjà différentes. Presque tous étaient âgés de huit à quatorze ans au moment de la blessure, presque tous avaient connu les mêmes immenses épreuves, presque tous ont été métamorphosés par l'accueil de la France. Mais quelques-uns avaient trop bien appris le mécanisme de défense par la délinquance, pour se laisser aller au plaisir de l'intégration. Ces enfants-là n'étaient pas ceux qui avaient été les plus agressés mais plutôt ceux qui avaient auparavant acquis un type d'attachement insécure, évitant ou ambivalent. Ayant incorporé une aptitude à réagir par des conduites autocentrées, ils se sont défendus, lors de l'agression sociale, par des passages à l'acte impulsifs au lieu de réaliser des conquêtes exploratoires. D'ailleurs ces enfants-là éprouvaient de la fierté à s'opposer à l'institution pourtant généreuse. Ils interprétaient comme une tentative de racolage les efforts des moniteurs attentifs et n'éprouvaient de joie que lors de leurs fugues, larcins ou bagarres. Ils étaient mal jugés par les autres enfants, ce qui les marginalisait encore plus. Il ne s'agit pas de dire qu'un attachement insécure mène à la délinquance, mais de proposer l'idée que l'apprentissage d'un attachement sécure avait rendu plus facile la reprise du tricot de la résilience après la déchirure de l'agression.

Comme il arrive souvent, la réciproque n'est pas vraie. Certains enfants maltraités au cours de leurs premiers mois répondent à ces immenses agressions quotidiennes de cris, de coups, de brûlures et d'intenses secouements, par une hébétude, un repli sur soi qui les protège en arrêtant leur développement. En se faisant oublier, ils sont moins agressés. Ce type d'attachement hébété, qui les préserve un peu, les désocialise beaucoup, puisqu'ils apprennent à mal côtoyer les autres. Plus tard, l'école n'aura aucun sens pour eux et deviendra même dérisoire : « Le théorème de Pythagore est ridicule, non-sens. Ça ne veut rien dire, rien, comparé à ce qui m'attend ce soir à la maison. » La rue, au contraire, les apaise un peu, leur donne un sentiment de liberté, de distraction, et même de gaieté... en attendant l'épreuve du froid, de la faim, des coups et de la prostitution qui les sauve, dans un premier temps. Ces défenses adaptatives protègent ces enfants, mais ne constituent pas un facteur de résilience puisqu'elles engagent leur trajectoire existentielle vers un monde encore plus brutal qui les blessera de plus en plus.

Pourtant, un attachement hébété, l'adaptation par la brutalité à un monde brutal n'empêche pas la possibilité de résilience.

Tim a illustré cette idée : « Moi fils d'alcoolique, enfant abandonné, j'ai tordu le coup (*sic*) à la fatalité... J'ai trois ans et ma mère vient de m'attacher à un poteau électrique... Elle s'éloigne. » À l'âge de quatre ans, Tim dort tout nu dans la niche de Semla, son ami le chien. Son père l'enferme dans la cave, le frappe, le défigure, lui casse les jambes. Il a cinq ans. Soigné à l'hôpital pour une longue rééducation, il sait à peine parler. À sept ans, mis sur le marché des orphelins, il subit la maltraitance institutionnelle, le mépris, l'isolement affectif puis la « prison des fous ». On le place à la campagne où un petit copain, en jouant dans la grange avec des bougies, met le feu à la ferme. C'est le gosse de l'Assistance que les gendarmes viendront chercher. En maison de correction, il apprend à se bagarrer. Sa violence devient sa seule fierté dans un monde gouverné par l'humiliation. Il admire les crânes rasés des enfants voleurs et les grands qui ont commis des hold-up. La vengeance devient sa seule dignité qui l'entraîne dans la fugue, le vol, la bagarre, le viol, la prostitution. Il a douze ans.

Pourtant dans ce cauchemar, un tout petit fil permettait d'espérer la résilience. Il gardait au fond de lui-même un désir d'amour, une flammèche d'images tendres qu'il ne pouvait pas exprimer puisqu'il parlait à peine et qu'on le faisait taire. Il se blottissait la nuit contre son chien dans la niche. Dans le désert affectif de l'hôpital, il rêvait de voir entrer son père, élégant et gentil. À la ferme, avant l'incendie, il avait pu nouer un attachement sécure avec « papa Gaby » qui l'appelait « fils » et ne lui demandait pas de l'appeler « papa ». Ce lien a été bref, dans le réel, mais dans la mémoire il a duré longtemps, or c'est là que se construit l'identité. Cette flammèche affective lui a permis de ne pas rater les rencontres avec les personnages signifiants qui ont rendu possibles les premières mailles du tricot de sa résilience. Bien sûr, c'est le hasard qui les a mis sur sa route, mais c'est un hasard signifiant puisqu'il a su le rencontrer. Sans cette flammèche affective, il l'aurait simplement croisé. Alors, il aurait raté Léon le vagabond qui chaque soir lui commentait *Le Monde*. Il n'aurait pas été sensible à cette femme juge qui, au lieu de le punir comme d'habitude ou de le condamner à l'aide sociale, a exigé qu'il revienne six mois plus tard avec un bon livret scolaire. Il n'aurait pas écouté ce prêtre qui a donné un sens à sa terrible existence. Et surtout, il n'aurait jamais su rencontrer Martine qui l'a métamorphosé.

Aujourd'hui, père de quatre enfants, ce n'est pas la maltraitance qu'il répète. Bien au contraire, ses rencontres avec des personnages signifiants ont transformé la flammèche affective en amour constant. Devenu apiculteur, il est bouleversé par les tordus, les cassés, et les handicapés qui lui donnent des leçons de courage. Depuis, il se sert de son existence fracassée pour expliquer à tous les enfants, et surtout aux blessés, que l'amour et le pardon sont les ingrédients de sa résilience. « Je témoigne qu'il n'y a pas de blessures qui ne puissent être lentement cicatrisées par l'amour [52]. »

Quand la guerre allume des flammèches de résilience

Les guerres, quand on parvient à les traverser, ne constituent pas forcément un milieu plus traumatisant que les agressions quotidiennes. Ce qui façonne un enfant, c'est la bulle affective qui l'entoure chaque jour et le sens que son milieu attribue aux événements. C'est ça qui détruit un enfant ou tricote sa résilience.

Tout se passe comme si chaque guerre avait sa « personnalité » propre qui crée pour les enfants des conditions de blessures et de réparations différentes. Assez curieusement, la structure de l'événement de guerre permet ensuite à la culture de lui attribuer des significations plus ou moins traumatisantes.

Quand les aristocrates faisaient la guerre pour s'approprier une terre voisine, ils payaient de leur poche les armes, les uniformes et les hommes. Ils n'aimaient pas qu'on les leur casse. Depuis la victoire populaire de Valmy, les guerres napoléoniennes dépassaient parfois cent mille morts par bataille, car les hommes devenaient moins coûteux et qu'une grande partie du budget de la nation leur était consacrée. La mort frappait majoritairement les soldats pendant la guerre de 14-18. Mais la Seconde Guerre

---

52. GUÉNARD T., 1999, *Plus fort que la haine*, Presses de la Renaissance, p. 269.

mondiale, grâce aux progrès techniques, a rendu possible les massacres de civils, en jetant des bombes approximatives. Les soldats étaient encore civilisés. Les nazis violaient peu et n'assassinaient en riant que les groupes humains que leur fiction collective présentait comme des non-hommes à supprimer au nom de leur morale. Depuis quelques décennies, le viol, la torture des civils et le massacre des enfants font partie des plans de guerre. Les soldats des Balkans se sont rendus célèbres par leurs viols. « Les violences politico-ethniques en cours au Burundi depuis octobre 1993 ont complètement bouleversé la prise en charge des deuils par la tradition », provoquant ainsi « la destruction massive de l'appareil psychique avec la faillite des valeurs morales [53] ». Au Moyen-Orient, certains groupes armés ont installé leurs canons et leurs quartiers généraux dans les hôpitaux et les écoles de façon à provoquer l'indignation internationale en cas de riposte. Pourtant, au Liban, certaines règles humaines étaient encore respectées : trêves religieuses, respect des civils, tortures moins systématiques. Dans un tel contexte où l'on s'entretuait de manière encore civilisée, le massacre de Sabra et Chatila par les milices chrétiennes, devant une armée israélienne aux yeux fermés, a pris un relief scandaleux. Dans un autre contexte, en aurait-on seulement parlé ?

C'est à partir de la Seconde Guerre mondiale, et surtout à propos des enfants survivants de la Shoah qu'on a commencé à décrire les troubles attribuables aux persécutions et aux privations affectives. Le concept de « carence affective » a été vivement combattu par les féministes des années 1940. La grande anthropologue Margaret Mead notamment, avait soutenu que les enfants n'avaient pas

---

53. BARANCIRA S., 1997, « Aspects psychiatriques en situation de catastrophe au Burundi. La crise d'octobre 1993 », p. 45 et 53, *in* : BERTRAND M., *Les Enfants dans la guerre et les violences civiles, op. cit.*

besoin d'affection pour se développer et que les descriptions cliniques de René Spitz et John Bowlby correspondaient en fait au désir des hommes d'empêcher les femmes de travailler [54]. Pour avoir une telle position en 1948, il fallait s'appliquer à ne pas lire les travaux d'Anna Freud, Dorothy Burlingham, qui allaient être suivis par ceux de Myriam David, Geneviève Appel, Mary Ainsworth et beaucoup d'autres femmes qui ont réalisé exactement les mêmes descriptions comportementales et les mêmes prises en charge psychologiques. Aujourd'hui, cette critique n'a plus aucun sens.

Le devenir des enfants agressés par la guerre du Liban (1975-1991) permet de mieux comprendre pourquoi certains s'en sont sortis alors que d'autres en souffriront peut-être toute leur vie [55]. Myrna Gannagé a comparé des enfants qui ont vécu la guerre au Liban avec d'autres qui, immigrés à Paris, ont vécu la guerre à travers les paroles de leurs parents. Un troisième groupe de petits Parisiens servait de contrôle. Cette méthode comparative permet de repérer les troubles, d'en suivre le devenir et de découvrir parfois une cause.

Ce qui saute aux yeux, c'est qu'un tiers des enfants « vont bien » malgré leur traversée de seize années de guerre. Mais, fait remarquable, ils appartiennent tous aux niveaux socioculturels favorisés. Ce n'est certainement pas le chiffre de la feuille de paye des parents qui a sauvé ces enfants, mais la manière de vivre et de parler qui a composé autour d'eux une bulle protectrice. Très jeunes, ces enfants se sont bien exprimés et sont passés avec souplesse de la description du réel à l'expression de leurs fantasmes. Ils craignaient qu'on agresse ceux qu'ils aimaient ou qu'on les

---

54. Lebovici S., Lamour M., « L'attachement chez l'enfant. Quelques notions à mettre en évidence », *Le Carnet psy, op. cit.*, p. 21.
55. Gannagé M., *L'Enfant, les parents et la guerre, op. cit.*

en sépare. Quand le contexte social est agressif, on constate régulièrement la fonction apaisante de l'attachement. Les couples se soudent, les familles s'entraident et deviennent des havres quand le monde est hostile.

En revanche, on trouve des enfants perturbés à tous les niveaux socioculturels. Leurs postures abattues, leurs comportements lents, leurs visages défaits expriment la tristesse, mieux que les mots qu'ils maîtrisent encore mal. Leur peu de goût pour les jeux, leur faible intérêt pour l'école témoignent de leur perte de vitalité, de leur difficulté à jouir des choses de la vie et du retrait relationnel que cela risque d'entraîner. Souvent quand ils font un dessin ou une construction en pâte à modeler, ils les détruisent soudain et sont désespérés. On a l'impression que ce scénario comportemental veut dire : « Tout ce qui vient de moi est sans valeur. Ça ne mérite pas d'être regardé car c'est le témoin de ma médiocrité. »

Pourtant, là aussi on pourrait saisir quelques flammèches de résilience. Ces enfants mûrissent trop tôt parce que, ayant été rendus sensibles aux malheurs, c'est ce qu'ils savent le mieux voir. Ils sont attirés par les blessés et désirent les aider. Ils comprennent ce mode de relation qui les revalorise. Le comportement oblatif qui consiste à donner à ses propres dépens leur permet de gagner un peu d'affection, au risque de rencontrer quelqu'un qui en profitera, car ils sont faciles à exploiter. Ce don de soi n'a pas la grandeur du sacrifice puisqu'ils le font discrètement, parfois même en cachette. L'oblativité prend plutôt l'effet d'un rachat par ceux qui ont commis le crime de survivre quand leurs proches sont morts.

Ces enfants, adultes trop tôt, aiment devenir parents de leurs parents[56]. Ils se sentent un peu mieux en vivant de cette manière qui les prive d'une étape de leur développe-

---

56. LE GOFF J.-F., 2000, *L'Enfant parent de ses parents*, L'Harmattan.

ment mais les revalorise et les socialise. Ne les félicitez pas pour ce comportement, car ils détestent tout ce qu'ils font. Vous risqueriez de saboter ce lien fragile. Vous les trouvez mignons et touchants parce que ce sont des enfants. Mais leur fraîcheur apparente masque leur malaise. Quand on est malheureux, le plaisir nous fait peur. Non seulement, on n'a pas le désir du plaisir, mais encore on a honte à l'idée d'avoir du plaisir. Alors, l'enfant trop adulte découvre un compromis : il s'occupera des autres.

Ces enfants qui veulent fuir leur enfance haïssent le passé qui s'impose dans leur mémoire encore fraîche. Ils la combattent grâce à une préparation comportementale au déni, une jovialité excessive, une recherche exaspérée de ce qui peut faire rire, une quête d'engagements superficiels, une hyperactivité incessante qui les pousse vers le présent en fuyant le passé.

Une autre flammèche importante est constituée par les fantaisies de toute-puissance, justifiée par le réel puisqu'ils ne sont pas morts, eux. Dans leurs fantaisies, ils demandent aux fées de leur donner la force, l'argent, le savoir et surtout l'amour. Très souvent, ils inventent un compagnon ou une compagne avec qui ils vivent jour et nuit. Ces rêveries délicieuses les protègent du réel sordide. Ils donnent rendez-vous chaque soir, en rêve éveillé, à un copain, une copine, un cheval ou un chien qui saura les aimer sans discuter. Un sourire, un geste, une présence imaginaire suffisent quand on est tout seul. On invente des films intimes qu'on se projette dans l'espace du dedans quand le réel est trop cruel. Les animaux jouent un rôle vital dans ces blessures affectives. Ils sont toujours présents, disponibles, prêts à aimer et à se laisser soigner, ce qui pour un enfant-parent est une bonne affaire [57].

---

57. Matignon K. L., 2000, *Sans les animaux le monde ne serait pas humain*, Albin Michel.

Il arrive que les parents éteignent ces flammèches de résilience quand ils surinvestissent l'enfant. Certaines mères seules, veuves, ou très malheureuses, s'apaisent elles-mêmes grâce à ce processus de parentalisation désespérée. « Je ne me sens bien que lorsque je m'occupe de mon enfant. J'aime renoncer à moi-même, jusqu'à l'épuisement. » Le dévouement envahissant apprend à l'enfant une passivité qu'il reprochera plus tard à sa mère, au moment de la nécessaire autonomie des adolescents. La mère hyper-protectrice, qui comble immédiatement les besoins de son enfant, risque d'induire dans son psychisme une difficulté à la représentation, puisque tout est toujours là.

Lors des premières années, la résilience est facile et pourtant fragile. Selon les réactions du milieu, les flammèches de résilience pourront s'éteindre, se dévoyer ou se renforcer jusqu'à devenir une solide manière d'être.

Le plus sûr moyen d'éteindre les flammèches de résilience, c'est de placer l'enfant dans un milieu abîmé où il s'attachera à des adultes dépressifs. Le processus de développement le plus altéré est l'anaclitisme, quand le petit enfant ne trouve rien autour de lui pour étayer ses développements [58]. Lorsque le milieu de vie, avant l'âge de deux ans, a été plusieurs fois de suite bouleversé par un fracas social, l'enfant ne trouve aucun étayage physique ou affectif sur lequel s'appuyer. C'est dans ce groupe-là qu'on trouve le plus fort pourcentage de nourrissons anaclitiques ou d'enfants gravement déprimés [59]. On ne peut pas se développer dans un milieu où aucun repère physique n'est stable et où les figures d'attachement du triangle parental sont elles-mêmes éteintes par le malheur.

---

58. Laplanche J., Pontalis J.-B., 1967, *Vocabulaire de la psychanalyse*, *op. cit.*, p. 23.
59. Gannagé M., *op. cit.*, p. 74.

Ces flammèches peuvent se dévoyer si elles ne sont pas socialisées et ne bénéficient pas de l'effet correcteur de l'intersubjectivité. Un petit blessé se repasse sans cesse le film des événements quand personne n'est là pour partager l'émotion, demander des explications ou se taire quand le chagrin est trop fort. Il finit même par douter de ce qui lui est arrivé. « C'est tellement énorme, exceptionnel, invraisemblable que je ne sais plus si c'est vrai ou si je l'ai rêvé. De toute façon, personne ne me croit. » Quand il n'y a pas de différence entre le réel et le fantasme, ce raisonnement, imposé par la solitude dans laquelle on enferme les blessés, risque de mener plus tard à la mythomanie, au passage à l'acte ou au fantasme tout-puissant qui gouverne en secret. Cette pathologie narcissique qui se met en place dans les petites années risque d'exploser lors de l'adolescence.

On ne peut pas dire simplement que la guerre provoque des effets sur les enfants. Il vaut mieux s'entraîner à penser que chaque type de guerre agit différemment sur la bulle affective qui entoure l'enfant et que c'est cette modification qui altère l'enfant ou le renforce ! Quand une guerre détruit la société et éteint les figures d'attachement, quand les institutions de substitution pensent que ça ne vaut pas la peine de s'occuper de ces enfants sans valeur, leur résilience aura peu de chances de se développer. Mais il arrive que la guerre renforce la bulle affective quand l'ennemi est bien repéré à l'extérieur, quand le discours social fait rayonner les parents en leur donnant un rôle de héros, ou quand ceux qui entourent l'enfant lui donnent sa place et écoutent sa parole. Alors, la résilience devient possible.

La guerre dans ce cas apporte le même bénéfice psycho-affectif que la haine : elle unit contre l'agresseur, elle découpe dans le monde des catégories claires et protège ceux qui partagent la même croyance. Chaque enfant, inspiré par les récits et les comportements de ses figures d'attachement, repère sans douter l'ami, l'ennemi, le bien, le mal et celui d'où lui vient tout le malheur. Ce mécanisme de bouc émissaire aide la construction de toute société [60] car en donnant une vision claire, il induit un répertoire de conduites et un sentiment de certitude qui participe au bien-être. Ceci explique pourquoi tant d'êtres humains aiment la guerre.

L'effet délabrant d'une agression sexuelle dépend beaucoup de la distance affective

Une telle catégorisation est plus difficile pour les agressions sexuelles qui viennent de la part de celui ou de celle dont on attendait un attachement et un mode identificatoire.

Quand l'agresseur sexuel est un ennemi, la haine prend un effet protecteur. Mais quand la femme agressée est enceinte, ses sentiments se brouillent, la vision n'est plus claire. La victime est confuse, hébétée, sans défense possible. Il est à noter qu'aujourd'hui les soldats qui violent le plus sont ceux qui défendent l'idée de pureté : c'est en plantant un enfant « hybride » dans le ventre d'une femme ennemie qu'ils la souillent sans limite, en lui infligeant la torture d'élever, d'abandonner, de haïr et peut-être d'aimer le produit du pire ennemi.

La plupart du temps, les viols ne sont pas idéologiques. Celui qui passe à l'acte est souvent un proche étonnamment incapable de se représenter ce que peut ressentir la personne violée. Le violeur se sert, puis s'en va, sans grand sentiment de crime. Or, le sentiment est toujours une émotion provoquée par une représentation. On peut se demander

---

60. GIRARD R., 1980, *Des choses cachées depuis la fondation du monde*, Grasset.

par quel mystère le violeur ou le père incestueux a échappé à ce mouvement culturel, à cette image de culpabilité qu'il n'a pas intériorisée. En était-il incapable ? Son développement psycho-affectif ne lui a-t-il pas permis d'intérioriser l'image de l'interdit ? Ou la société ne l'a-t-elle pas énoncé assez clairement ?

Les trois hypothèses coexistent probablement, mais la défaillance de l'énoncé culturel est la plus facile à observer.

André Gide a été désigné en 1912 comme juré dans cinq affaires de mœurs (la loi à cette époque n'interdisait pas la divulgation des notes [61]). La première affaire concernait un attentat sexuel sur une petite fille de six à huit ans « sans circonstances aggravantes ». André Gide note que « la mère avait un air de maquerelle », que la victime s'était avancée « très résolument vers la Cour » et avait même beaucoup ri quand le président lui avait demandé de monter sur une chaise parce qu'il entendait mal. La preuve que la victime n'était pas opposée à l'acte sexuel fut fournie par le fait qu'elle n'avait pas crié. Enfin, tout plaidait en faveur de l'accusé qui, après avoir avoué, jouait le rôle de l'homme coupable et abattu. Il fut donc acquitté. Certains jurés s'indignèrent qu'on s'occupe de « vétilles comme il s'en commet chaque jour de tous les côtés ».

Dans cet exemple, les juges se sont laissé piéger par le théâtre des apparences. C'était tellement plus confortable pour eux, ça leur permettait de mieux se laisser aller au déni culturel qui les protégeait en empêchant une représentation insoutenable. Récemment on a jugé en Italie qu'une femme en blue-jean ne pouvait pas être violée. Un instituteur qui avait dénoncé un père incestueux a dû quitter le village qui défendait cet homme « tellement sympathique » et les petits garçons violés par des femmes ne peuvent toujours pas en

---

61. GRUEL L., 1991, *Pardons et châtiments*, Nathan, p. 64-66.

témoigner sans provoquer l'incrédulité ou même les sarcasmes [62].

On peut penser qu'après un tel jugement, la fillette a eu du mal à mettre en place un processus de résilience, alors que le père a dû se sentir protégé par la culture, puisqu'il suffisait de jouer la comédie de l'honnête homme, d'avouer puis de se repentir pour être acquitté.

Quand la culture n'énonce pas clairement l'interdit, elle encourage le passage à l'acte des personnalités dont l'empathie s'est mal développée. Quant aux victimes agressées par le violeur puis par les juges, elles auront du mal à s'en sortir. À moins que les flammèches de reprise de développement, étouffées par la culture, n'orientent les victimes vers une résilience dévoyée : personnalité dédoublée, garçons timides qui surprennent tout le monde en commettant un hold-up, adultes qui se servent de leurs meurtrissures passées pour s'offrir une vengeance, une répétition de la violence, un comportement anti-social ou un extrémisme politique ou religieux.

L'agression sexuelle contre un enfant se passe toujours sans témoin. Porter un tel événement sur la place publique revient donc à jouer une parole contre une autre. Les témoins expriment ce qu'ils pensent de l'agression et non pas ce qu'ils ont vu puisqu'ils n'ont rien vu. C'est pourquoi les données sont variables et difficiles à recueillir [63].

Les chiffres diffèrent selon la méthode de recueil des informations, mais le consensus des études rétrospectives auprès des adultes estime que la proportion des individus

62. BENEDECK E., 1985, « Children and Psychic Trauma », *in* : ETH S., PYNOOS R., *PTSD in Children*, American Psychiatric Press, Washington DC.
63. WRIGHT J., LUSSIER Y., SABOURIN S., PERRON A., 1999, « L'abus sexuel à l'endroit des enfants », *in* : HABIMANA E., ETHIER L.S., PETOT D., TOUSIGNANT M., *Psychopathologie de l'enfant et de l'adolescent*, *op. cit.*, p. 616.

agressés sexuellement avant dix-huit ans est de 20 % chez les femmes, et de 10 % chez les hommes [64]. Tous les enfants ne courent pas les mêmes risques : les filles sont deux fois plus agressées sexuellement et les enfants les plus exposés se trouvent dans les familles « traditionnelles ».

Les blessures infligées par l'agression sexuelle sont elles aussi très variables. Les agressions violentes, durables et humiliantes, provoquent les séquelles les plus importantes. Mais les dysfonctions familiales ne sont pas négligeables. C'est dans les familles classiques où les communications sont inefficaces et où les rôles parentaux sont confus que les processus de résilience sont les plus faibles. Le traumatisme sexuel est probablement constitué par une cascade d'agressions où le lien avec l'agresseur, et avec les adultes protecteurs, donne une signification particulière à ce type de violence.

La plupart du temps, les filles connaissent l'agresseur qui est un proche parent dans 70 % des cas. Pour les garçons, c'est plus souvent un inconnu. Cette distinction est importante puisque le garçon peut se battre, fuir, haïr ou mépriser l'agresseur, ce qui constitue pour lui un facteur de protection proche de la situation de guerre où les catégories sont claires. Mais les filles agressées par un homme auquel elles sont attachées ou par un ami des parents peuvent difficilement bénéficier de cette défense : « Si je dis à ma mère ce que son frère m'a fait, elle va en mourir. »

En revanche, quand les filles estiment qu'elles n'ont pas à protéger l'offenseur, elles hésitent moins à en parler. Officiellement, 90 % des plaintes pour agression sexuelle sont déposées contre des hommes et 10 % contre des femmes. On estime qu'une fille sur trois dénonce l'agresseur et moins d'un garçon sur dix quand l'initiative vient d'une femme.

---

64. FINKELHOR D., 1994, « Current Information on the Scope and Nature of Child Sexual Abuse », *The Future of Children*, 4 (2), p. 31.

Sachant que « le taux d'abus commis par les femmes est actuellement sous-estimé [65] » et que les garçons en parlent très peu, on peut penser qu'il y a là un tabou de la représentation qui empêche la résilience des garçons victimes de femmes.

La possibilité de résilience
après une agression sexuelle
dépend beaucoup des réactions émotionnelles
de l'entourage

La méconnaissance des représentations sexuelles de l'enfant explique parfois les réactions maladroites des parents. Je pense à ce garçon qui travaillait à l'usine à l'âge de douze ans dans les années 1940 et qui, presque quotidiennement, était entraîné par des femmes dans les vestiaires ou les toilettes. Un jour où il avait été effrayé par la brutalité sexuelle d'une ouvrière, il s'était confié à ses parents qui avaient éclaté de rire : « Toi, alors, tu ne perds pas de temps. » Cette phrase l'a muré dans un silence total. Imaginons qu'une petite fille de douze ans ait subi le même traitement, la réaction des adultes aurait été totalement différente.

Ce qui protège un enfant, et l'aide à récupérer en cas d'agression, c'est la stabilité familiale et la clarté des rôles parentaux qui organisent la bulle affective. La pauvreté, le chômage, le désespoir social qui jouent un rôle assez net dans les maltraitances physiques, sont inconsistants lors des agressions sexuelles. D'ailleurs, chez certaines minorités ethniques pauvres, violentes et mal socialisées comme celle

---

65. Wright J., Lussier Y., Sabourin S., Perron A., 1999, « L'abus sexuel à l'endroit des enfants », *in* : Habimana E., Ethier L.S., Petot D., Tousignant M., *Psychopathologie de l'enfant et de l'adolescent, op. cit.*, p. 620.

des Afro-Américains, il y a très peu d'agressions sexuelles contre les enfants [66].

Les facteurs de résilience dépendent donc du type d'agression, de la signification que l'enfant lui attribue et surtout de la manière dont la famille l'entoure. Or, 67 % des mères d'enfants agressés souffrent de syndrome traumatique et 60 % en feront ensuite une dépression durable. C'est dans ce groupe-là que les enfants blessés récupèrent le plus mal [67]. La réponse émotionnelle de la famille constitue l'indicateur le plus fiable de la résilience de l'enfant et de la durée de sa souffrance. Les familles bouleversées par l'agression de l'enfant ne l'aident pas à récupérer. Quant aux familles rigides, elles empêchent toute résilience en faisant la morale à l'enfant. Au contraire, les enfants agressés qui ont récupéré sans séquelles ont tous bénéficié des soutiens affectifs et verbaux qui permettent la résilience [68].

On peut se demander pourquoi le récit de l'agression est tellement efficace. En fait le blessé se sent réhabilité en regardant celui qui l'écoute. Quand l'auditeur manifeste des mimiques de dégoût, de désespoir ou d'incrédulité, il transforme la blessure en traumatisme. Mais quand il partage l'émotion, il resocialise l'agressé en lui signifiant non verbalement : « Je te garde mon estime, mon affection, et je cherche à comprendre ce qui se passe en toi. »

Marina avait eu dans son enfance une encéphalopathie dont elle avait gardé quelques séquelles. N'ayant jamais été scolarisée, elle avait dû être confiée à une institution où elle

---

66. FINKELHOR D., 1994, « Current Information on the Scope and Nature of Child Sexual Abuse », *The Future of Children, op. cit.*, p. 31.

67. WRIGHT J., SABOURIN S., LUSSIER Y., CYR M., THÉRRAULT C., PERRON A., LEBEAU T., 1996, « Recent Developments in the Evaluation and Treatment of Child Sexual Abuse in Quebec », *Symposium of Child Sexual Abuse*, XXVIe Congrès international de psychologie, Montréal, Québec.

68. VALENTINE L.N., FEINAUER L. L., 1993, « Resilience Factors Associated with Female Survivors of Childhood Sexual Abuse », *The American Journal of Family Therapy*, vol. 21, n° 3, p. 216-224.

était devenue silencieuse et passive. Toujours à la traîne au cours des promenades dans la colline, elle suivait à distance le groupe des handicapés. C'est pour ça qu'elle a pu être attrapée par un jeune impulsif qui a tenté de la violer. Marina s'est battue, a roulé dans les rochers avec l'agresseur, a été coupée par les cailloux et les épines, et finalement a chassé l'offenseur. En courant, elle a rejoint son groupe où pour la première fois, elle a parlé sans cesse, recontant ses blessures, les coups qu'elle avait portés et ceux qu'elle avait reçus. Elle a même eu l'impression que les éducateurs l'admiraient et que ses compagnons la considéraient comme une vedette. Alors elle racontait encore son aventure à qui voulait l'entendre. Si son comportement a changé de manière durable après l'agression, c'est parce que les autres l'ont écoutée avec un étonnement admiratif. Ils auraient pu la faire taire ou l'humilier en lui disant comme les juges du témoignage d'André Gide : « Puisque tu n'as pas crié, tu étais consentante. »

Paradoxalement, c'est en dehors de la famille que ce facteur de résilience est le plus facile à trouver puisque les proches, eux-mêmes blessés par l'agression de leur enfant, ne peuvent pas l'aider aussi facilement qu'un tiers.

Devenues adultes, les fillettes violées expliquent que ce qui les a le plus aidées n'est pas la compassion. Elles se sont senties réconfortées quand elles ont compris, dans le regard des autres, qu'on pouvait encore croire en elles. C'est le fait de leur demander de l'aide qui a le plus efficacement reconstitué leur estime de femme blessée.

Contrairement à ce qu'on dit, le mariage aussi les a revalorisées, car elles sentaient que désormais un homme les attendait et comptait sur elles. La religion a offert à certaines d'entre elles un chemin sensé, des rencontres amicales et le partage d'une transcendance. Ce qui ne veut pas dire qu'elles avaient oublié l'agression, mais l'expérience religieuse leur permettait de comprendre que leur personnalité ne pouvait pas être réduite au traumatisme : « Elle a été violée par son père pendant quatre ans. » Si une tragédie définit l'enfant, la résilience ne sera pas possible. Mais si l'entourage permet à la partie saine de sa personnalité de s'exprimer et de reprendre son développement, la blessure se réduira, pour devenir plus tard, en prenant de la hauteur, une tache noire dans la mémoire, une motivation intime pour de nombreux engagements, une philosophie de l'existence.

Le récit de la tragédie devient alors un facteur d'aggravation ou de résilience selon les réactions de l'entourage. Quand les juges condamnent la victime, quand les auditeurs sont goguenards ou incrédules, quand les proches sont effondrés ou moralisateurs, la résilience est empêchée. Mais quand le blessé peut partager son monde et même le transformer en militantisme, en intellectualisation ou en œuvre d'art, alors l'enfant traumatisé deviendra un adulte réhabilité.

Les autres enfants participent aussi à la résilience ou à l'aggravation car ils relayent les valeurs des adultes. Beaucoup de filles violées par leur père n'ont mis un nom sur l'acte que le jour où elles ont entendu prononcer à l'école : « inceste ». Auparavant, elles étaient confuses et ne savaient même pas nommer ce qui leur arrivait puisque les structures familiales et les rôles parentaux, autour d'elles, étaient confus. Qui est qui ? Qui fait quoi ? Aucune réponse n'est possible quand le contexte est embrouillé.

Même quand les flammèches de la résilience existent, ce qui est presque toujours le cas, il faut savoir les repérer et faire en sorte que le discours social ne les éteigne pas ou ne les oriente pas vers des formes dévoyées.

Quand une fille est traumatisée sexuellement et que sa famille en souffre encore plus qu'elle-même, elle trouve parfois un refuge qui lui offre une adaptation coûteuse. Condamnée à se taire, elle ne peut ni oublier ni résilier. Alors, elle s'adapte à cette double contrainte par un mode d'existence qui rassure ses parents et qui calme sa propre angoisse : elle devient bonne élève ! Mais cette résilience qui convient à tout le monde peut devenir un moyen d'adaptation coûteux quand il met en place une vie dépourvue de plaisir. La petite s'isole, ne peut plus lever la tête de ses cahiers et se coupe du monde. Elle tiendra ainsi quelques années, se protégeant de la souffrance et apaisant ses parents, jusqu'au jour où son effondrement scolaire et psychique surprendra tout le monde [69]. Cette défense n'aurait pu se transformer en processus de résilience que si elle avait permis à la fillette de se revaloriser et de se resocialiser en partageant le plaisir. Dans cet exemple, ce n'était pas le cas puisque son excellent travail scolaire l'avait isolée.

Les petits garçons découvrent parfois ce mécanisme qui, après l'hébétude du trauma, aménage leur souffrance et soigne la famille. Le plus souvent ils en découvrent un autre, plus gratifiant dans l'immédiat : ils font les pitres ! Leurs mimiques exagérées, leurs bouffonneries sans gaieté crispent souvent les témoins, mais il arrive qu'un garçon plus talentueux donne à cette défense un effet de résilience. C'est encore le contexte qui aiguillera vers l'une des deux directions opposées. Certains adultes interprètent ces saynètes outrancières en répondant à l'enfant par des encouragements, alors que d'autres exaspérés les font taire ou les ridiculisent. D'autant que l'exhibitionnisme parfois sexuel de ces petits garçons provoque des interprétations violentes qui les désespèrent : « Cet enfant est déjà pervers. Il faut le punir, le dresser. »

---

69. RUTTER M., 1990, « Psychosocial Resilience and Protective Mechanisms », *in* : ROLF I., MASTEN A. S., CICCHETTI D., NUECHTERLEIN K. H., WEINTRAUB S., *Risk and Protective Factors in the Development of Psychopathology*, Cambridge University Press, p. 185.

Le désir de vengeance ne mène pas à la résilience. Peut-être même oriente-t-il vers la répétition de l'agression ? 10 % des garçons agressés et 3 % des filles deviennent agresseurs à leur tour [70]. Presque tous ont été durement et longuement violentés. Ils venaient des milieux familiaux les plus perturbés, et, mal accompagnés au moment de la révélation, ils n'ont pas trouvé de nouveaux liens affectifs. Ils n'ont découvert, pour seul moyen de défense, que la colère constante et un désir de vengeance autour duquel s'est développée leur personnalité.

Un autre effet possible de résilience dévoyée s'observe quand le traumatisé s'identifie à sa propre tragédie. C'est le blessé lui-même qui se réduit à son traumatisme et qui lui attribue trop de valeur explicative. Tout ce qui lui arrive par la suite sera « expliqué » par son fracas. Le bénéfice d'une telle attitude, c'est qu'il donne une vision claire de sa vie. Le maléfice, c'est qu'il met à l'ombre d'autres souvenirs qui sont peut-être la cause véritable de ses difficultés. Ce souvenir-écran « prend un effet protecteur en empêchant la résurgence d'expériences de perte, de blessures narcissiques précoces non résolues [71] ». Mais la fixation au trauma aveugle le blessé en expliquant trop.

Michel avait six ans quand son oncle en le taquinant lui a frotté le sexe. Il a dit : « Dès ce jour, je suis devenu anxieux. » Toutes ses difficultés scolaires, sociales, affectives et sexuelles étaient attribuées à ce trauma jusqu'au jour où, en parlant avec ses parents, Michel a appris qu'il avait été hospitalisé de l'âge de quatre à huit mois pour troubles alimentaires graves ayant entraîné une déshydratation. Le père était en voyage, sa mère elle-même hospitalisée après un accident, le nourrisson avait souffert d'une

---

70. GIL E., JOHNSON T., 1994, *Sexualized Children : Assessment and Treatment of Sexualized Children and Children who Molest*, Rockville Md, Launch Press.
71. DAYAN M. (dir.), 1995, *Trauma et devenir psychique*, PUF, p. 108.

véritable dépression anaclitique qui, en laissant une trace dans sa mémoire biologique, l'avait rendu sensible à tous les accidents de la vie [72]. L'explication trop claire par le « traumatisme » sexuel avait empêché la découverte de l'acquisition de sa vulnérabilité lors des premiers mois de sa vie. Le traumatisme réel n'était pas représentable car il était survenu à un stade où l'amnésie infantile précoce empêche les souvenirs, mais la trace restait inscrite dans sa mémoire biologique. Plus tard, le jeu sexuel, en prenant trop de valeur explicative, a fait l'effet d'un traumatisme véritable.

Comme ce monsieur de soixante-dix ans très doux et cultivé qui pendant toute sa vie avait été entouré par sa femme et ses deux enfants : « Il ne peut pas travailler, disait sa famille, parce qu'il est orphelin. Alors, il s'occupe de la maison et lit beaucoup. » En fait, il avait perdu sa mère à l'âge de vingt-deux ans et son père à vingt-quatre, mais se sentant orphelin même à l'âge où il avait encore ses parents, il avait organisé, avec la complicité inconsciente de sa femme et de ses deux enfants, une biographie d'orphelin ou plutôt du sentiment d'orphelinage qu'il éprouvait.

On peut penser que dans les deux cas, un accident réel mais non représenté, probablement antérieur à la parole, avait laissé dans le système nerveux une trace de vulnérabilité. L'événement incorporé dans la mémoire biologique du sujet, mais pas dans ses souvenirs racontés, avait imprégné dans son psychisme une sorte de goût du monde, une aptitude à ressentir « comme si » on l'avait agressé sexuellement, ou « comme si » il avait été orphelin. Rendus hypersensibles à de tels objets, ces hommes avaient de fortes chances de les rencontrer puisqu'ils les voyaient mieux que tout autre.

---

72. FREDEN L., 1982, *Aspects psycho-sociaux de la dépression*, Bruxelles, Pierre Mardaga.

*Quand le travail du rêve endormi
s'incorpore dans notre mémoire
et nous gouverne, le travail du rêve éveillé
nous permet de reprendre le gouvernement*

Or, c'est le travail du rêve biologique et verbal qui permet d'incorporer un traumatisme, de le digérer en quelque sorte. Quand ce travail ne se fait pas ou qu'on ne le fait pas, le trauma reste indigeste, comme un corps étranger qui s'impose à notre mémoire.

Il y a longtemps que le problème a été clairement énoncé. Dès 1934, Sándor Ferenczi parlait de « commotion psychique » afin de souligner le premier temps du traumatisme : le coup, le vide ou l'altération qui ébranle un organisme [73]. Mais pour transformer un coup en traumatisme, il faut une deuxième agression qui, elle, se passe dans la représentation du coup. Or, pour résilier un traumatisme, il faut le dissoudre dans la relation et l'incorporer dans la mémoire organique. C'est grâce au travail du rêve biologique et verbal que cette résilience est possible, en constituant un trait d'union entre la relation verbale et l'incorporation neurologique. Quand un adulte fait taire un enfant meurtri en le punissant au lieu de le réconforter, en manifestant son incrédulité ou ses sarcasmes, il provoque un « silence de mort [74] » qui scinde la personnalité de l'enfant en une partie socialement acceptée et une autre, secrète, qui lui échappe. Cette zone d'ombre de sa personnalité s'impose en lui comme s'imposent les rêves. La partie non maîtrisée de sa personnalité revient en lui la nuit et

---

73. Ferenczi S., 1934, « Réflexions sur le traumatisme », *in* : S. Ferenczi, *Psychanalyse*, Payot, tome 4, p. 139.
74. *Ibid.*, p. 141.

réveille les problèmes enfouis qui resurgissent au cours des rêves.

Quand Mireille, alors étudiante en médecine, a senti que son affaire avec Paul prenait un tour sérieux, elle a pensé qu'il faudrait bien lui dire ce qui s'était passé avec son père. « Tu as certainement fantasmé », lui a répondu le jeune homme qu'elle aimait tellement. Que faire ? En se fâchant, en cherchant à convaincre Paul, elle aurait fait remonter à sa mémoire des détails terribles qui l'auraient torturée, une fois de plus. Et puis, pourquoi faire l'effort de convaincre l'homme dont justement elle espérait le soutien total ? Pourquoi se justifier comme si elle avait commis la faute de se tromper ou de mentir ? Quelque chose s'est gelé en elle, localement, comme un glaçon : « Je ne pourrai donc jamais parler de ça avec lui, partager cette épreuve et m'en sortir. » Mireille ne pouvait pas quitter son ami, puisque c'était l'homme le plus important de sa vie. Mais avec lui, elle ne pourrait jamais être entière. Il y aurait toujours une zone d'ombre, de souffrance secrète. Si elle avait pu s'exprimer totalement, son état émotionnel aurait été modifié, elle se serait sentie acceptée. Là, son émotion clivée ne lui permettait d'être normale et gaie que pendant la journée. Le soir, elle retrouvait sa part d'ombre inexprimée, le tracas mal conscient qui induit les rêves. Or, le songe éveillé ou endormi joue un rôle important dans l'apprentissage, la familiarisation, la métabolisation des événements. Paul avait fait taire Mireille parce qu'il ne supportait pas une telle révélation. Mais en se protégeant, lui, il avait imposé le silence à sa compagne qui, contrainte à garder au fond d'elle-même l'impression traumatique, en rêvait chaque nuit depuis qu'elle fréquentait Paul. Si elle avait pu simplement le dire, elle se serait apaisée et n'aurait pas connu les rêves d'angoisse qui ont incorporé le cauchemar dans sa mémoire.

Le travail biologique du rêve a un effet paradoxal. La consolidation des traces dans « le magasin de la mémoire » se produit en augmentant le sommeil rapide dont l'alerte électrique fraye un plus grand nombre de synapses. Ce type de sommeil, qui correspond au moment des rêves les plus fantasmagoriques, augmente précisément lors de la nuit qui suit l'affrontement d'un problème[75]. Dans les situations d'engourdissement émotionnel, l'organisme sécrète un minimum de rêves. Mais lorsque la journée a été perturbée, l'augmentation du sommeil rapide, la nuit suivante, permet d'incorporer l'événement dans les traces mnésiques. Une alerte émotionnelle dans la journée entraîne la nuit suivante une alerte onirique.

Si les blessés ont acquis au cours des années précédentes une personnalité suffisamment stable pour tenir le coup, et surtout si, après l'agression, ils rencontrent autour d'eux quelques soutiens affectifs et des lieux où s'exprimer, l'analyse de leurs rêves témoigne d'une grande sérénité[76]. Les résilients sont blessés, mais non traumatisés.

Si, au contraire, leurs petites années ne les ont pas stabilisés et s'ils n'ont pas trouvé autour d'eux une enveloppe affective et des lieux d'expression, alors, le cerveau seul tentera d'éponger l'alerte émotionnelle en augmentant les alertes oniriques[77]. C'est pourquoi les blessés résilients rêvent peu à leur agression, alors que les traumatisés la revivent chaque nuit. Il faudra attendre des années pour que ces cauchemars s'effacent[78]. Parfois même ils

---

75. LAVIE P., 1998, *Le Monde du sommeil*, Odile Jacob, p. 164.
76. *Ibid.*, p. 104.
77. HARTMANN E., 1998, *Dreams and Nightmares*, New York, Plenum Press, p. 7.
78. METRAUX J.-C., 1999, « Au temps du silence la nosographie reste muette », *in* : MAQUEDA F., *Traumatismes de guerre*, Hommes et perspectives.

reviennent au cours du grand âge quand les défenses s'estompent.

Quand ces processus de résilience verbale, émotionnelle et cérébrale, ne peuvent pas se mettre en place, le blessé reste prisonnier de l'événement passé : « [...] la vie onirique des névroses traumatiques se caractérise en ceci qu'elle ramène sans cesse le malade à la situation de son accident, situation dont il se réveille avec un nouvel effroi... On voit dans l'insistance à faire retour même dans le sommeil du malade, une preuve de la force de l'impression qu'elle a produite [79]. » Mais le blessé n'est soumis à l'impression traumatique que lorsqu'il n'a pas la possibilité de mettre en place quelques facteurs de résilience.

Le petit Stephan avait six ans en 1942 à Amsterdam, quand les soldats allemands sont entrés chez lui pour arrêter sa famille [80]. La troupe était menée par un instituteur qui venait souvent le soir jouer aux cartes et bavarder avec ses parents. « L'ami » instituteur se tenait à distance des soldats en train de procéder à l'arrestation. Sortant sur le palier devant les voisins atterrés, un homme en robe de chambre a appelé Stephan et expliqué aux soldats qu'il s'agissait d'un petit cousin dont il avait la garde. Le lendemain, le couple, qui venait ainsi de récupérer l'enfant, décida de partir à la campagne pour lui trouver une cachette plus sûre. Stephan s'ennuyait dans ce village trop calme. Il traînait dans les rues en éprouvant l'oppressante sensation d'un danger invisible, une alarme sans visage. Il avait bien compris que la situation était grave, mais il s'empêchait d'y penser, pour se préserver du désespoir. Cette apparente indifférence correspond en fait à la perception d'une zone anesthésiée. Dans le langage courant,

79. FREUD S., 1920, « Au-delà du principe de plaisir », in : *Essais de psychanalyse*, 1951, Payot.
80. LAVIE P., *op. cit.*

on dit qu'on est indifférent, alors qu'en fait on perçoit une zone qui aurait dû être douloureuse et qui, étrangement, ne l'est pas. Stephan promenait son ennui dans ce monde où il percevait la disparition de ses parents comme on perçoit une anesthésie, quand soudain, nez à nez, il se trouva face à « l'ami » instituteur. Stupéfaits tous les deux, ils se regardèrent longuement, et se croisèrent sans un mot. Le soir même, Stephan commençait un long épisode de cauchemars traumatiques. L'impression avait été trop forte, et cette fois, il n'en avait plus la maîtrise. Le soir de l'arrestation de ses parents, Stephan, avec sa petite personnalité déjà solide, avait trouvé autour de lui ce couple de voisins qui lui parlaient gentiment, lui expliquaient l'événement en lui donnant un sens tragique, mais un sens tout de même. Un programme d'actions était donc possible : partir, se cacher, se taire afin d'éviter les agresseurs. Cette conduite avait un effet tranquillisant tant qu'il parvenait à s'y tenir, comme sur une passerelle où l'on pose ses pieds. Mais depuis cette rencontre, Stephan ne maîtrisait plus la situation, l'instituteur allait le dénoncer encore une fois. L'enfant, par ce simple croisement de regards, tenait la preuve de sa propre culpabilité. Il en avait eu la vague sensation après l'arrestation de ses parents, mais cette fois-ci, c'était certain, le couple de gentils voisins allait être arrêté à son tour, à cause de lui. On lui avait bien dit, pourtant, de se taire, de ne pas se montrer.

L'instituteur n'a pas parlé. Les voisins n'ont pas été arrêtés. Mais Stephan, pendant des mois, subissait à chaque cauchemar une fantasmagorie qui ne mettait en scène qu'une seule sensation : enfermé dans une prison de verre, il voyait intensément qu'on battait ses parents et qu'on écrasait ses voisins. Il aurait voulu crier, les prévenir, les aider, s'enfuir, voler à leur secours, mais dans son aquarium d'air comprimé, aucun cri ne sortait et la constriction était si lourde que ses gestes ralentis devenaient douloureux.

« Ne dis pas ton nom, sinon tu mourras et tu entraîneras dans la mort ceux qui s'occupent de toi », lui avaient conseillé les gentils voisins. Le secret devenait tombeau. En le protégeant de l'agression sociale, il enfermait Stephan dans une cage de verre d'où il pouvait tout voir et tout comprendre, mais où il devait ne rien dire et ne rien faire. Le rêve de la cage de verre devenait une métaphore de sa réalité sociale. Stephan qui avait été résilient après l'arrestation de ses parents, ne l'était plus après un simple croisement de regards avec le dénonciateur. Il ne pouvait ni parler ni agir, et même, il avait l'impression que les gentils voisins lui reprochaient maintenant de les mettre en danger. Alors, il dormait mal, se réveillait fatigué et, crispé toute la journée, il agressait ses protecteurs à la moindre occasion.

Placé dans une institution anonyme, Stephan s'y est adapté en travaillant anormalement bien. Cette trop bonne adaptation, d'un trop gentil garçon, trop bon élève, trop bon camarade, trop sérieux, lui permettait de mieux cacher la crypte douloureuse qui l'angoissait chaque soir. Pourtant, ce mécanisme de défense, cette adaptation coûteuse qui déformait le développement de sa personnalité, lui a permis lentement d'éteindre l'impression traumatique. Les rêves se sont espacés. Rassuré par son pouvoir d'adaptation, il reprenait peu à peu la maîtrise de ses comportements et réparait son estime de soi. Il a fait des études, s'est marié et a été heureux pendant cinquante ans, vivant sur la partie compensée de sa personnalité, celle qui était devenue anormalement normale. Jusqu'au jour où il a bénéficié d'une promotion à Paris, tandis que sa femme en avait une à Anvers. Incapable de choisir entre ses besoins de compensation sociale et de sécurité affective, il a plongé dans une dépression anxieuse où les rêves de l'aquarium sont revenus chaque nuit, avec la même acuité qu'au cours de son enfance. Le déni qui l'avait protégé pendant cinquante ans, ne lui avait pas permis d'affronter le problème et de le liquider. « Plus qu'une simple négation, le déni est une attitude de refus catégorique à l'égard d'une perception désagréable de la réalité extérieure [81]. » Il entraîne une trop bonne adaptation, une absence étonnante de conflictualité puisque le sujet dénie le danger et la douleur de son épreuve : « Je travaille beaucoup, j'établis d'excellentes relations avec ma femme, mes enfants et mes collègues. Je me fournis ainsi la preuve que je suis fort et équilibré. Ce qui m'est arrivé n'est pas si grave que ça. » Cette défense associée au clivage est différente du refoulement puisque le sujet n'oublie pas ce qui s'est passé. Ça fonctionne efficacement (comme un avion qui volerait avec un seul moteur), jusqu'au jour où le réel fait surgir un événement qui touche le blessé dans la partie cryptique de sa personnalité. Alors, on est surpris par l'effondrement douloureux d'une personne auparavant résiliente.

Quand le déni conscient protège le sommeil et quand l'impression traumatique entraîne la reviviscence onirique

Il se trouve que le déni, en évitant au cours de la journée les ruminations douloureuses, diminue en même temps l'impression traumatique. Les personnes résilientes font donc moins de rêves que les traumatisées et même moins que la population témoin, inévitablement tracassée par les

---

81. Ionescu S., Jacquet M.-M., Lhote C., *Les Mécanismes de défense. Théorie et clinique*, *op. cit.*, p. 167.

conflits quotidiens [82]. Le déni n'efface pas l'empreinte du traumatisme dans la mémoire biologique, mais en évitant les ruminations, il diminue les rêves. L'évitement de l'affrontement avec la réalité douloureuse est un bénéfice immédiat puisqu'il empêche de ressasser. C'est un avantage relationnel car il donne une personnalité aux relations agréables. Mais c'est le blessé qui paye le prix de cette facilité. « La confrontation avec la mort, je ne voulais pas la faire revivre à mes proches. J'avais envie qu'ils m'aiment... Je ne voulais en aucun cas leur imposer cette souffrance supplémentaire... Je voulais qu'ils soient heureux et fiers [83]. » Cette jeune infirmière du maquis du Vercors, déportée à Ravensbrück, avait surmonté son épreuve avec une force et une grâce étonnantes. Elle a même ajouté : « Je ne voulais pas embêter mon psychanalyste avec ça [84]. » Ce n'est pas mal comme déni de la part d'une femme qui est devenue aujourd'hui une brillante psychanalyste. Pourtant, cette protection qui apporte tant de bénéfices immédiats met en place une bombe à retardement. « Il peut alors s'installer entre parents et enfants un non-dit empreint de culpabilité [85]... » La machine infernale explose le jour où un événement, apparemment anodin mais très signifiant pour le blessé, touche la partie douloureuse de sa personnalité. C'est ce qui est arrivé à Stephan qui s'est effondré le jour où il a pensé : « Ma promotion à Paris compromet la réussite de ma femme que je désire tant aider. Ma promotion empêche mes comportements de rachat. À cause de moi,

82. DAGAN Y., LAVIE P., BLEICH A., 1991, « Elevated Awakening Thresholds in Sleep Stage 3-4 in War-related Post Traumatic Stress Disorder », *Biological Psychiatry*, n° 30, p. 618-622.

83. CRÉMIEUX R., SULIVAN P., 1999, *La Traîne-sauvage*, Flammarion, p. 99-100.

84. CRÉMIEUX R., 1999, Témoignage lors de l'émission *Le Cercle de minuit*, 8 juin.

85. CRÉMIEUX R., *op. cit.*, p. 107.

ma femme va échouer. » Cette malheureuse réussite détrui-
sait son processus de résilience.

On peut se demander par quel mystère le processus
cérébral du rêve parvient à mettre en images de rêve l'événement qui thématise la vie secrète de la crypte. En fait, ce
n'est pas l'événement traumatisant qui est mis en rêve, c'est
l'impression qu'il déclenche. Si notre entourage permet à
nos défenses de rester maîtresses de cette impression, nous
rêverons moins. Mais si le contexte relationnel empêche nos
défenses, nous deviendrons prisonniers de nos rêves. Leur
étonnante capacité à faire revivre dans le présent de la nuit
une représentation intense réveille la trace des émotions
provoquées lors du réel passé. Et le rêve, représentation
d'images, réveille ces fortes émotions.

On peut trouver une similarité, une structure ressem-
blante entre une idée et une illustration. Dans le langage
courant nous pratiquons souvent la pensée analogique au
moyen de nos métaphores. Quand on dit « il a des idées
noires », ça dit bien ce que ça veut dire, et pourtant elles ne
sont pas noires, ses idées. Quand on dit « la montagne a
accouché d'une souris », cette image crée une sensation qui
ressemble à l'émotion qu'on éprouve quand on pense « il a
fait tant d'efforts, pour un si petit résultat! ». Le rêve opère
comme une métaphore de ce qui se passe dans la crypte
qu'on n'ose pas ouvrir[86]. Mais comme le rêve est aussi un
processus d'apprentissage qui fraye des voies dans les neurones, il incorpore dans la mémoire ce que nous avons
pensé des événements exceptionnels. Si notre entourage
nous présente cette épreuve comme une victoire, nous
éprouverons de la fierté, mais s'il nous raconte que cette
même épreuve est une humiliation, nous rêverons la méta-

---

86. LAKOFF G., 1993, « How Metaphor Structures Dreams, *in* .
ORTONY A., (éd.), *Metaphor and Thought*, Cambridge University Press.

phore de celui qui se promène tout nu parmi les invités élégants de la réception du préfet.

Quand le blessé a pu remanier la représentation de son trauma par la parole, l'art, l'action ou l'engagement social, n'éprouvant plus un sentiment de honte, il ne mettra pas en images de rêve la même impression. La mémoire du traumatisme mieux imprégnée, mieux familiarisée, s'estompera et ne pourra plus provoquer les reviviscences du rêve. Mais quand on fait taire le blessé, le rêve devient le para-dit de ce qui n'a pu être dit. Son effet d'incorporation de l'événement rend l'organisme sensible à toute souffrance qu'il apprend trop bien puisqu'il la révise chaque nuit.

Pour être résilient, il faut d'abord avoir été traumatisé. Quand le passage d'un processus à l'autre n'est pas encore installé, on assiste à des mouvements de balançoire où le blessé subit son trauma une nuit et passe à la défense résiliente le lendemain. Souvent même, il met en images ces deux sensations opposées au cours d'un même rêve.

L'analyse des rêves de ceux qui ont échappé de justesse à un incendie retrouve très souvent des images de raz de marée ou de fosse où l'on est enfermé. Tandis que le recueil des rêves de femmes violées décrit des sensations d'étouffement sous un tas de chiffons sales et humides ou de paralysie sous un camion huileux [87]. Ce n'est pas la photo de l'événement traumatisant qui revient en rêve mais le sentiment éprouvé lors de la représentation du trauma. Au moment de l'agression, les idées sont curieuses : l'enfant qui coule et qui sait qu'il va se noyer pense, juste avant de perdre connaissance : « C'est dommage, ce soir, il y avait un bon dessert. » L'adolescent qui perd le contrôle de son deltaplane se dit : « Je vais me faire engueuler par mes parents. »

---

87. SAREDI R., BAYLOR G., MEIER B., STRAUCH I., 1997, « Current Concerns and REM-dreams : A Laboratory Study of Dreams Incubation », *Dreaming*, 7, p. 3.

Mais au moment de la représentation du rêve, c'est le contexte émotionnel qui est évoqué[88]. Ce que l'événement évoque, c'est la signification qu'il prend dans l'histoire du sujet. L'instant du rêve est déjà un après-coup, une interprétation du fait qui dépend de l'histoire du sujet et de son contexte. Plus tard, le récit du rêve amplifiera ce processus de remaniement de la vision de son passé. Ce qui revient à dire que les empreintes précoces, en façonnant le tempérament, constituent de puissants organisateurs du moi. Elles instaurent les références initiales qui éclairent le présent à la lumière du passé. Quand l'expérience n'est pas intégrable parce que le trauma n'est pas représentable, parce que le blessé isolé ne peut pas lui donner une forme communicable ou parce que son passé l'a rendu trop sensible à ce type d'événement, alors l'agression se transforme en traumatisme.

Tant que l'évolution hésite entre le traumatisme et la résilience et n'est pas encore stabilisée dans la mémoire et les comportements du blessé, on recueille des rêves-balançoires où le sujet, tout petit-petit, est écrasé par les objets et les personnages de son rêve, jusqu'au moment où il se débat furieusement, donne un coup au fond de l'eau, et enfle, enfle jusqu'au vertige.

Celui qui a donné corps à cette sensation de balançoire et en a fait un récit mythique, c'est Gulliver.

Jonathan Swift fut un orphelin très précoce puisqu'il a perdu son père dès les premières semaines de la grossesse de sa mère. Bébé fragile, dans le contexte d'extrême pauvreté de Dublin au XVIIIᵉ siècle, il fut kidnappé par sa nourrice qui s'enfuit avec lui en Angleterre. Récupéré par sa mère pendant quelque temps, elle l'abandonna à l'âge de quatre ans. On peut penser que les empreintes précoces n'ont pas stabilisé chez Jonathan un attachement sécure et

---

88. Hartmann E., *Dreams and Nightmares, op. cit.*, p. 18.

que cette difficulté affective a été aggravée par la dureté des pensionnats de Kilkeny et de Trinity College. C'est donc un adolescent clivé qui se lance dans la vie affective et dans l'aventure sociale. Terrorisé par le mariage et la responsabilité parentale, il propose dans *Modeste proposition, pour empêcher les enfants des pauvres d'Irlande d'être à la charge de leurs parents...* (1729) de les rôtir et de les servir à la table des riches. Paniqué par l'attachement auquel il attribuait une importance démesurée, il a souffert toute sa vie de la « vision excrémentielle » qu'il avait de lui-même [89].

La partie résiliente de son identité a été composée par l'attirance qu'il éprouvait pour la compagnie des femmes et par la littérature où il trouvait une aventure intellectuelle, politique et religieuse qui l'a fortifié. Rendu sensible à la souffrance des autres, il a toute sa vie milité pour défendre les droits des enfants. Il fut parmi les premiers à demander que les femmes reçoivent la même éducation que les hommes, à s'engager en faveur de la tolérance religieuse, à défendre le peuple irlandais et la beauté de la langue anglaise.

On peut imaginer que la partie résiliente de sa personnalité, socialement épanouie, que l'on couvrait d'honneurs et de responsabilités, contrastait avec sa vie intime, secrète et douloureuse.

Cette personnalité clivée résultait probablement des constantes menaces affectives dans lesquelles il avait eu à se développer. Il adorait les Irlandais, la littérature, Dieu et les femmes, mais il était terrorisé par l'idée d'avoir à aimer un enfant. Peut-être était-il épouvanté par le sentiment de ne pas être capable de l'aimer suffisamment, et de le rendre malheureux comme il l'avait été lui-même ?

---

89. HERSOU L., 1992, « Stress et développement de l'identité et de la parentalité : problèmes soulevés par la clinique et la recherche », *in* : ANTHONY E.J., CHILAND C., *L'Enfant dans sa famille. Le Développement en péril*, PUF, p. 35.

Il se trouve que ce sentiment, qui imprègne la vie psychique de ceux qui s'adaptent à une menace angoissante en se clivant, se manifeste au cours de leurs rêves par un scénario typique. Ils se voient eux-mêmes dans une boîte ou dans une pièce aux murs nus. Une boule se met à rouler dans la boîte et enfle tandis qu'eux-mêmes deviennent tout petits. La boule qui gonfle devient imprévisible et le rêveur a de plus en plus de difficultés à l'éviter pour ne pas se faire écraser. Il éprouve un sentiment d'affolement lorsque, soudain, c'est lui-même qui se met à enfler et la boule à rapetisser. Au moment de la bascule, il éprouve un sentiment de soulagement, puis d'euphorie, qui finit par provoquer un vertige anxieux tant le rêveur est devenu grand et la boule minuscule.

La civilisation du fantasme entraîne la créativité qui répare

Cette manière de voir le monde, ce goût des autres, est mis en scène littéraire dans *Les Voyages de Gulliver* (1726). En fait, le récit sert de métaphore psychologique et sociale à un sentiment de bascule où il est aussi angoissant de dominer que d'être dominé. Se trouve ainsi constituée une chaîne de représentations d'images qui, plantées dans les rêves au cours du développement, constituent des archétypes charpentant nos symboles. Jonathan, clivé par le désastre affectif de ses petites années ressent un goût du monde qui, la nuit, prend la forme d'un rêve d'alternance. Mais, dès son réveil, le futur écrivain manifeste sa résilience en reprenant la maîtrise de son rêve pour en faire un récit en forme de balançoire. Par cette résistance active, le blessé devient un créateur utile à ses proches. Le pouvoir intellectuel et social qu'il va ainsi gagner leur sera consacré. Le petit Jonathan vient de transformer sa blessure en œuvre d'art. Son monde du dedans, abîmé par le désastre affectif, se métamorphose en monde du dehors beau, amusant, et utile socialement. Ainsi opère la symbolisation : « [...] en civilisant le fantasme à travers la parole et les activités créatrices, artistiques, scientifiques ou autres[90]. »

D'ailleurs, la sagesse des mots nous apprend que « créer » signifie dans la langue de l'Église « faire naître du néant[91] », mettre au monde un objet ou une représentation qui n'existaient pas avant que le créateur n'y ait œuvré. Face au néant, quels sont nos choix ? Ou bien on se laisse fasciner, happer par le vertige du vide jusqu'à en éprouver l'angoisse de la mort, ou bien on se débat et on travaille à remplir ce vide. Au début, nous ressentons l'énergie du désespoir puisque le vide est vide, mais dès qu'apparaissent les premières constructions, c'est l'énergie de l'espoir qui nous stimule et nous contraint à la création à perpétuité, jusqu'au moment où, à la fin de sa vie, « on meurt en plein bonheur de nos malheurs passés[92] ». Karen Blixen analyse le même procédé de résilience que Cioran : la contrainte à la métamorphose qui, grâce à l'alchimie des mots, des actes et des objets, parvient à transmuer la boue de la souffrance en or de la « création qui est une préservation temporaire des griffes de la mort[93] ».

Même pour les enfants qui se développent bien, l'éveil de la créativité nécessite un manque. Tant que la figure maternelle est présente, c'est elle qui capture l'esprit et organise son monde intime. Mais dès que la mère s'absente, le monde de l'enfant se vide et, pour ne pas trop souffrir de cette pri-

---

90. Legendre P., 1998, *La 901ᵉ Conclusion. Étude sur le théâtre de la Raison*, Fayard, p. 251.

91. Picoche J., 1995, *Dictionnaire étymologique du français*, Robert, « Les Usuels ».

92. Blixen K., cité par Saint-Angel, E. de, 1999, « Un songe en hiver », *Télé Obs*, novembre, p. 3.

93. Cioran E. M., 1995, *Cioran*, Gallimard, « Quarto », p. 22.

vation, il doit remplir l'espace réel et psychique avec un objet qui la représente. Un chiffon, un foulard, un nounours provoqueront, en prenant sa place, une familiarité analogue à la sienne. Ce processus mental est une création puisque c'est l'enfant qui choisit un objet et le met là pour représenter celle qui n'est plus là[94]. Le symbole nécessite une perception réelle avant de se charger d'une signification partagée. Tous les bébés savent symboliser de cette manière, mais pour les y pousser, pour éveiller leur créativité, il faut leur offrir un manque et non pas les gaver d'affects. « La création du symbole découle de la perte de l'objet qui auparavant apportait toute satisfaction[95]. »

Ce procédé, qui est harmonieux pour les enfants bien entourés, devient violent pour les petits blessés. Reconnaître la perte jusqu'à la mort et l'affronter pour ressusciter l'amour perdu est au « berceau de la culture humaine[96] ».

Quand la conscience douloureuse de la perte provoque la rage de réparer, la créativité devient une bienheureuse contrainte. C'est pendant la minute de silence collectif que l'image du disparu revient dans notre mémoire intime. Ceci nous prouve que l'image et la magie sont associées puisqu'il suffit de décider d'un rituel social et d'adopter une posture pour faire jaillir en nous le souvenir de quelqu'un qui n'existe plus dans le réel. On comprend que le mythe du double ou la magie du miroir possèdent un effet euphorisant, au bord de l'angoisse[97], puisque c'est en se coltinant

---

94. WINNICOTT D. W., 1951, « Objets transitionnels et phénomènes transitionnels. Une étude de la première possession du " non-moi " », *in* : *De la pédiatrie à la psychanalyse*, 1969, Payot, p. 109-125.

95. HAYNAL A., 1987, *Dépression et créativité. Le Sens du désespoir*, Lyon, Cesura, p. 154.

96. *Ibid.*, p. 154.

97. LACAN J., 1949, « Le stade du miroir comme formation de la fonction du " Je ", telle qu'elle nous est révélée par l'expérience psychanalytique », *in* : *Écrits*, 1966, Seuil, p. 93-100.

avec la mort qu'on fait naître une image. Le sevrage est donc nécessaire pour se représenter l'absence car si l'objet est trop là, il ne peut être que perçu. Or, le plaisir de la perception est immédiat, fugace, alors que le bonheur de la représentation est durable. En s'inscrivant dans la mémoire, il structure nos représentations et gouverne notre avenir. Le sevrage n'est douloureux que s'il est ressenti comme une perte. Quand le développement est harmonieux, la séparation d'avec la figure d'attachement donne plutôt un sentiment de progrès. Et pour que cette impression passe de la perte au progrès, il suffit d'un petit geste ou d'un simple mot qui oriente l'enfant vers la créativité et fait naître en lui l'émerveillement de la magie. « Ma mélancolie [...] fit place à un enthousiasme créateur », dit Segantini racontant son enfance quand, orphelin de ses deux parents, il décide de les peindre pour les garder en mémoire [98]. Georges Perec, à l'âge de huit ans, décide d'écrire afin que ses parents disparus soient là, dans ses livres, qui leur servira de tombeau : « [...] il y avait un trou, [...] il y avait un oubli, un blanc [...] d'abord l'omission : un non, un nom, un manquant [99]... » Alors Perec écrit La Disparition [100] où l'on met longtemps à découvrir que ce qui a disparu, c'est la voyelle E qui vient à la place de « eux » et les désigne, ses parents disparus. Plus tard, il leur dédie W ou le souvenir d'enfance [101]. Désormais ils sont là, dans ce tombeau que je leur ai construit, où je les ai écrits et déposés. Émerveillé par cette création magique au bord de la douleur, je peux faire mon deuil, les aimer encore et ne plus les attendre.

L'acte de création dans ce cas est autant une contrainte qu'un plaisir. L'effort de faire surgir une image, dessinée

---

98. Cité in : HAYNAL A., op. cit., p. 157.
99. BURGELIN C., 1996, Les Parties de dominos de M. Lefevre. Perec avec Freud. Perec contre Freud, Circé, p. 192.
100. PEREC G., 1969, La Disparition, Denoël/Gallimard.
101. PEREC G., 1975, W ou le souvenir d'enfance, Denoël/Gallimard.

avec la douleur de la perte, place l'auteur sur le fil du rasoir. Pour un mot, pour un geste, il connaîtra l'euphorie ou bien le désespoir. Sans compter que l'objet de remplacement ne sera jamais aussi beau que l'objet disparu qui est parfait, lui, puisqu'il est idéal. Réparer la brèche pour se réparer, remplir le vide laissé en soi par l'objet arraché, contraint le petit blessé à inventer sans cesse des substituts euphorisants et décevants. La douleur et la beauté naissent dans le même temps, dans le même mouvement, dans le « feu de la création[102] ». Freud, Joyce, Pascal, Proust et Victor Hugo n'ont osé devenir créatifs qu'après la mort de leur père, le douanier Rousseau après celle de sa femme, et Montaigne après celle de son ami La Boétie[103]. L'orphelinage et les séparations précoces ont fourni une énorme population de créateurs : Balzac, Gérard de Nerval, Rimbaud, Zola, Baudelaire, Dumas, Stendhal, Maupassant, Loti, George Sand, Dante, Tolstoï, Voltaire, Dostoïevski, Kipling... la liste serait longue s'il fallait la compléter. Et même la maladie physique contraint à la créativité quand le sentiment d'être diminué provoque la rage de vaincre. Alfred Adler avait bien compris ça au cours de sa propre enfance quand, faible et rachitique, il avait décidé de devenir médecin pour lutter contre la mort. Adulte, il en a fait une théorie générale : toute faiblesse peut être compensée et un enfant difficile, mal socialisé, peut transformer cette négativité quand son milieu lui propose un but social[104]. Cette idée a été vérifiée par Catherine Hume qui a demandé à des adolescents difficiles d'accompagner des enfants trisomiques et de les aider

---

102. Jamison K. R., 1994, « Le feu de la création », *Nervure*, tome VII, janvier, p. 13-16.
103. Anzieu D., Mathieu M., Besdine M., 1974, *Psychanalyse du génie créateur*, Dunod.
104. Adler A., 1970, *Le Tempérament nerveux. Éléments d'une psychologie individuelle et applications à la psychothérapie*, Payot.

à escalader l'Himalaya [105]. Le fait de se mettre à l'épreuve et de devenir celui qui aide, au lieu d'être le vilain caractériel assisté, a changé l'image qu'ils se faisaient d'eux-mêmes et tissé des liens entre ces enfants différents qui, auparavant, ne se seraient jamais rencontrés.

L'action aussi est un mode de créativité, une lutte contre l'angoisse du vide, la représentation du rien. Quand un enfant perd sa mère parce qu'elle l'abandonne, parce qu'elle meurt ou parce qu'elle disparaît, il se retrouve dans une situation de contrainte à la créativité. Mais il n'a pas encore acquis la maîtrise des représentations verbales ou picturales, ou celle des arts proposés par sa culture. En revanche, dès l'âge de dix mois, il sait jouer à faire semblant et inventer des scénarios comportementaux. Il lui suffit, quelques années plus tard, d'ajouter une légère sauce verbale pour mettre en scène la partie douloureuse de sa personnalité et combler son manque en jouant à : « On dirait que tu es ma maman. » Quand un adulte veut bien tenir un rôle dans cette saynète, la représentation théâtrale d'actes, de mots et de décors « restaure la sécurité dans un monde interne apaisé [...] et permet de surmonter la séparation... [106] ». Mais il faut aussi du talent à la mère de substitution pour évoquer la maman sans la révoquer, sinon l'enfant lui reprocherait : « Tu n'es pas ma vraie mère. Ce n'est pas pour de bon. » C'est lui qui, dans ce jeu, se crée une mère avec la complicité d'un adulte qui n'oublie pas le conditionnel dans : « Tu serais ma maman. »

Parfois les parents sont là, mais ils sont eux-mêmes tellement troublés qu'ils sont mal là. Les enfants, attachés à des adultes en difficulté auront à se développer le long de ces tuteurs fragiles. Les épreuves quotidiennes leur

105. HUME C., 1997, *Pas si nuls que ça !* émission France 2, 2 octobre.
106. MIOLAN C., 1992, « Quand l'enfant abandonnique crée », *Le Journal des psychologues*, mars, n° 95, p. 50.

imposent à eux aussi la stratégie de la balançoire des enfants agressés qui, comme Gulliver, ont le « choix » entre devenir tout petits et se laisser écraser ou devenir énormes et prendre en charge leurs parents fragiles. Pour supporter ces responsabilités précoces qui ne correspondent pas à leur stade de développement, beaucoup « choisissent » de développer un monde intime de créativité où ils se réfugient quand le réel devient trop lourd. On retrouve souvent ce type d'épreuves à l'origine des vocations artistiques. Lord Byron souffrait beaucoup du délire de son père qu'il aimait. Virginia Woolf, la mélancolique, était entourée par une famille mélancolique. Il a fallu quatre générations de psychotiques pour donner Géricault. Ernest Hemingway s'est développé dans une famille endolorie où tous les rapports étaient fiévreux. Robert Schuman et Van Gogh ont tissé de forts liens avec des pères, des frères et des sœurs psychiatriquement altérés [107]. Avec de tels liens, l'impulsion à la créativité vient facilement en tête puisque de toute façon l'équilibre est dérangé, et que la création d'un nouvel ordre constitue justement un travail créateur. Le père délirant sort du sillon, la mère mélancolique laisse sa place à son fils, la sœur déséquilibrée demande à son petit frère de la surveiller et de la calmer. Le quotidien familial invite à une constante transgression, non criminelle, puisque l'ordre est déjà bousculé et que l'enfant, pour s'adapter et aider les adultes fragiles qu'il aime, doit inventer de nouveaux rôles familiaux. C'est peut-être pour cette raison qu'on trouve dans les familles d'écrivains trois fois plus de troubles mentaux que dans la population du tout-venant [108].

Le fait que ces enfants soient invités à la créativité pour s'adapter à un milieu qui les bouscule, ne veut pas dire

---

107. JAMISON K. R., 1994, « Le feu de la création », *Nervure*, tome VII, janvier, p. 13-16.
108. ANDRASEN C., 1994, « Créativité, fonction cognitive et troubles de l'humeur », *Nervure, op. cit.*, p. 18.

qu'ils deviendront tous créateurs. Leur devenir dépend de l'aiguillage que leur donnera une rencontre extra-familiale puisque la famille est défaillante. Quand la famille troublée emprisonne l'enfant ou quand le milieu extra-familial ne propose pas de tuteur de résilience pour tenter l'aventure de la création, l'enfant s'écroule avec sa famille.

Les cultures normatives éradiquent l'imagination

Or, les cultures trop normatives empêchent la créativité au nom de la morale. On cherche dans le discours social environnant l'argument qui permettrait d'exclure ces familles hors normes. À l'époque où le contexte scientifique parlait de « dégénérescence » qui empêchait certains individus d'accéder au sens moral, ce concept était utilisé pour évoquer ces « familles dégénérées » qu'il fallait jeter hors de la société, massacrant ainsi d'éventuels petits Schuman, Van Gogh ou Hemingway.

Quand le rendement social est devenu une valeur culturelle prioritaire, il a fallu « éradiquer l'imagination ». Lire de la poésie, faire de la musique, ou colorier des dessins devenaient « une scandaleuse perte de temps, un signe évident d'inadaptation aux " faits " [109] ».

J'ai même connu des immigrés italiens ou polonais tellement désireux de s'intégrer grâce au travail, qu'ils s'indignaient quand ils voyaient leurs enfants en train de lire. D'un coup de pied, ils envoyaient valdinguer le livre que leur fille tentait de découvrir pour échapper au réel sordide, d'un sarcasme ils humiliaient leur garçon qui voulait faire des études : « Le bac, c'est pour les filles ou les pédés. Un homme, un vrai, doit avoir le courage d'aller à l'usine. »

---

109. THIERRY P., 2000, « Les temps difficiles. Charles Dickens », *in :* *Le Télémaque, l'amour des enfants*, n° 17, mai, p. 105-112.

L'argent qui donne accès à la consommation transforme aujourd'hui les spectacles en marchandise : foot,
danse, théâtre et cinéma. Alors, pour démocratiser l'accès à
cette culture, on donne de l'argent public afin que les
pauvres puissent également aller au spectacle. Cette
démarche constitue un généreux contresens puisque la
créativité n'est pas un loisir. Elle doit inventer un nouveau
monde pour changer celui qui fait souffrir. La culture créa-
tive est un liant social qui donne espoir aux épreuves de
l'existence, alors que la culture passive est une distraction
qui fait passer le temps, mais ne résout rien. Pour que la
culture offre des tuteurs de résilience, il faut engendrer des
acteurs bien plus que des spectateurs. Il faut donner aux
pauvres l'occasion de donner, en leur permettant de créer
un spectacle, une soirée, un débat, une journée de fête.
Catherine Hume qui emmène des adolescents dans l'Himalaya en fait des acteurs, alors que l'éducateur qui promène à
Venise quelques enfants des quartiers en fait des consom-
mateurs passifs.

L'art n'est pas un loisir, c'est une contrainte à lutter
contre l'angoisse du vide suscitée par notre accès à la liberté
qui nous donne le plaisir de créer. « Chaque petite souffrance qui apparaît devient un repère, comme un jalon dans
la création [...] donc là est l'endroit d'un changement possible [110]. » Tandis que la culture créatrice nous fait évoluer,
la culture passive nous aide à digérer. Peut-être faut-il les
deux pour se sentir bien ? Car trop de création provoquerait
de la confusion, tandis que trop de digestion produirait de
la flatulence psychique (Bof... Pfff...).

Le fait qu'il y a une nette corrélation entre créativité et
souffrance psychique ne veut pas dire qu'il en existe une

---

110. CHARPAIL N., 1996, « La création comme processus de transformation », *Art et Thérapie*, n° 56-57, juin, p. 41.

entre créativité et équilibre mental [111]. Tous les enfants sont créateurs afin d'incorporer leur milieu et de le faire évoluer. Tous les enfants qui souffrent sont contraints à la créativité, ce qui ne veut pas dire que tous les créateurs sont contraints à la souffrance.

La vie fantasmatique des enfants favorisés est elle aussi très productive [112]. Dès l'âge de quatre ans les garçons dessinent des scènes où leur force leur permet de déjouer les dangers, tandis que les filles illustrent des motifs plus relationnels. Ces représentations donnent une forme dessinée aux fantasmes qu'auparavant les enfants mettaient en acte : pour les garçons la compétition, pour les filles la relation. Entre cinq et sept ans, l'imagerie évolue vers des formes socialement valorisées : le sport, le romantisme, le beau, la science. Tous les dessins se perfectionnent dans un climat de sérénité. Les fantasmes agressifs que les garçons exprimaient avec des dessins de guerre se maîtrisent plus tard grâce aux récits de performances sportives et de connaissances scientifiques. Les filles idéalisent des relations harmonieuses pour vaincre la solitude où l'esthétique embellit leur construction identitaire.

Mais les enfants fracassés, eux, n'ont pas le choix. Ce qu'ils ont réussi à transformer en hymne à la joie, c'est la cacophonie du désespoir. Dans ces deux situations où la créativité participe au développement, le bonheur n'a pas le même goût. Chez les enfants favorisés, le doux bonheur de créer remplit leur monde intime. En cas d'échec, ils souffriront un peu, puis découvriront une autre voie de création. Alors que chez les enfants blessés, le bonheur de

---

111. VAILLANT G., 1994, « La créativité chez les hommes et les femmes ordinaires », *in* : « Génie, créativité et troubles de l'humeur », *Nervure, op. cit.*, p. 25.
112. GAUTHIER Y., 1982, « Étude de la vie fantasmatique d'enfants vulnérables des milieux favorisés », *in* : ANTHONY E.J., CHILAND C., KOUPERNIK C., *L'Enfant vulnérable*, PUF, p. 135.

créer est vital, comme l'attachement désespéré qu'on éprouve envers le débris flottant qui nous empêche de couler. Jusqu'au moment où, à force de produire, les enfants désespérés rejoignent les enfants favorisés, en gardant dans leur mémoire la blessure passée autour de laquelle ils ont reconstruit leur existence et leur personnalité.

L'adultisme des enfants blessés, cette maturation précoce qui émeut les adultes, se repère dès les premiers dessins. Vers l'âge de cinq à six ans, avec son coup de crayon encore incertain, l'enfant témoigne, comme un enfant de douze à treize ans, de la part qu'il a assimilée des valeurs et des difficultés de ceux qu'il aime [113]. Il exprime en dessinant ce qu'il a compris des événements qui imprègnent sa mémoire. Maîtrisant mal la représentation du temps, à ce stade de son développement, il a du mal à en faire un récit. Alors, c'est avec des bonshommes et des fusils noirs, du rouge pour le sang et du vert pour les arbres qu'il reprend le contrôle des émotions qui l'ont submergé. Quand l'enfant blessé ne peut ni jouer, ni dire les épreuves dans lesquelles il baigne, il reste soumis aux perceptions qui le cognent. C'est par la représentation qu'il prend en main son destin. Ce qui implique que le milieu lui fournisse quelques tuteurs de résilience tels qu'une oreille, une scène, un papier et des crayons. Le dessin prend alors une forme narrative où l'enfant exprime et adresse à quelqu'un son monde intime. Plus tard, quand l'écriture permettra une autobiographie, le dessin auparavant aura rendu possible l'auto-biographisme [114]. Comme si l'enfant disait : « Je deviens auteur de mon monde interne et je le donne à partager. Quand vous pleurez, quand vous riez, quand vous applaudissez, vous

---

113. GREIG P., 2000, *L'Enfant et son dessin. Naissance de l'art et de l'écriture*, Érès.
114. *Ibid.*

m'acceptez avec ma blessure. Je cesse d'être un anormal, un enfant hors culture, un monstre. »

Le talent consiste à exposer son épreuve dans une intrigue souriante

Le talent suprême consiste à exposer son malheur avec humour. Quand cette métamorphose de la représentation est possible, l'événement douloureux aura subi le même cheminement que dans le théâtre ou le dessin. « Si je parviens à donner une version plaisante de mon fracas, le sourire que je vais provoquer réduira la distance entre nous et ma blessure perdra de son pouvoir d'aliénation. »

Dans une note de son journal, Anne Frank se plaignait, debout face à une fenêtre aveugle de sa cachette : « Un bon fou rire vaut mieux que dix cachets de valériane [115]... » Il y a dans l'humour une intention thérapeutique qui ressemble un peu à la fonction du déni : faire croire pour se faire croire que ce n'est pas si grave. Ce leurre est une falsification créatrice qui met la douleur à distance. Si je parviens à mettre en scène la tragédie qui me torture, si je vous arrache un sourire, une émotion amicale ou une mimique d'intérêt, je cesserai de jouer le rôle navrant du pauvre petit et de donner l'image un peu dégoûtante de la victime perdue, violée, abandonnée, amoindrie. Au contraire même, en vous invitant à participer à un sourire, nous nous lierons comme nous lient les émotions partagées, telles que le plaisir de la table ou l'échange de mots. Ce n'est pas la fusion que provoque la passion amoureuse ou la haine d'un ennemi commun, c'est un petit lien agréable et léger.

---

115. Eisen G., 1993, *Les Enfants pendant l'Holocauste. Jouer parmi les ombres*, Calmann-Lévy.

Freud avait déjà noté l'existence de ces comportements de défi face à un réel trop pénible [116]. Faire « l'économie d'une dépense de sentiment » ou « sourire au milieu des larmes » permet de mettre à distance la douleur. L'humour n'est pas le ricanement de l'ironie, ni la négation de l'agression, ni même la transformation d'une souffrance en plaisir. C'est la mémoire du trauma, sa représentation qui devient moins douloureuse quand le théâtre, le dessin, l'art, le roman, l'essai et l'humour travaillent à construire un nouveau sentiment de soi.

C'est un mécanisme de défense sur le fil du rasoir. Proche de l'isolation qui atténue le sentiment lié à un souvenir ou à une pensée, le sujet sait bien que le traumatisme est grave, mais en le disant sur un ton léger, au moins il peut le dire et renouer avec ses proches : « Je ne les embête pas avec mon fracas, je ne les pétrifie pas avec mon horreur, au contraire, je les amuse et je les intéresse, ce qui me revalorise puisque je deviens celui qui égaye et qui intrigue. Mais je sais bien au fond de moi que ce qui m'est arrivé n'est pas rien. En vous faisant sourire, j'agis sur ma souffrance et je transforme mon destin en histoire. Voilà. Ça m'est arrivé. J'ai été blessé. Mais je ne veux pas faire ma vie avec ça, me soumettre à mon passé. En en faisant une représentation belle, intéressante et gaie, c'est moi qui maintenant gouverne l'effet que je vous fais. En modifiant l'image que vous avez de moi, je modifie le sentiment que j'éprouve de moi. »

L'humour, hyperconscient, s'oppose au refoulement. C'est un travail de représentation qui exige un spectateur, un témoin, quelqu'un d'autre. Parfois le clivage des traumatisés leur permet d'être cet autre et de devenir spectateurs d'eux-mêmes. Comme ces femmes au cœur déchiré qui pouffent de rire à travers leurs larmes quand elles sur-

116. FREUD S., 1927, « L'humour », in : *L'Inquiétante Étrangeté et autres essais*, 1985, Gallimard, p. 321-328.

prennent dans le miroir, leur gros nez rougi par le chagrin et le rimmel qui barbouille leurs joues qu'elles voulaient rendre fraîches. Cette défense est facile à dévoyer quand elle se rigidifie en masque ou en stéréotypie, quand les blessés se spasment de rire en racontant leurs souffrances ou quand l'humour se transforme en procédé qui empêche toute relation authentique.

Bien sûr, il y a des moments où l'on ne peut plus rire, où l'humour devient impossible, indécent même. Tant que la perception de la douleur nous capture, on ne peut pas en modifier la représentation. Les enfants qui ont vu leurs parents torturés ou humiliés devant leurs yeux ne pourront jamais en rire. Il faut trop de recul pour ça. Les torturés et surtout les enfants de torturés remanient l'image d'eux-mêmes par l'action extrême et par la réflexion grave. Pas par l'humour. Le plus souvent, ils s'engagent dans des actions militantes contre le parti des bourreaux [117]. Ils se réparent en réparant la mémoire de leurs parents, prouvant ainsi que le plus sûr moyen de renforcer une idée, c'est de la persécuter.

Le simple recul du temps modifie la représentation de la tragédie. Dès qu'un enfant demande « que m'est-il arrivé ? » il commence son travail de remaniement de son passé. Il ne peut pas ne pas se demander d'où il vient et où il va, puisqu'il est enthousiasmé d'être au monde et curieux de ce qui l'attend. Mais pour répondre à cette question ou même simplement la poser, il faut une relation avec des figures d'attachement qui sont censées savoir, puisqu'elles sont arrivées au monde avant lui. Un enfant sans relations ne se pose même pas la question puisqu'il vit dans une suc-cession de présents. Il n'a pas la possibilité de penser : « Je viens de faire une bêtise dans mon passé récent qui va être sanctionnée dans mon futur proche. » Privé de relations, il

---

117. SIRONI F., *Bourreaux et victimes, op. cit.*

n'est pas ouvert à la représentation du temps. Plus tard, l'enfant ne comprendra ce qui lui est arrivé qu'en attribuant à l'événement un sens venu du regard des autres : « Ce qui m'est arrivé est honteux... terrible... extraordinaire... héroïque... » De même que les objets saillants étaient mis en relief par le comportement sensé des parents, les événements historisés sont mis en lumière par le discours des autres. La mémoire traumatique est donc particulière puisqu'elle associe l'apprentissage non conscient du corps, avec l'éclairage du discours social. Un enfant qui côtoie un parent maltraitant s'imprègne à son insu de ce type d'interaction qui se grave dans sa mémoire biologique. Mais ce qui fait récit de soi, c'est la signification que prend cet événement, éclairé par le discours culturel.

Apprendre à son insu

On peut apprendre à son insu en affirmant qu'on n'a jamais appris. On ne peut pas prendre conscience de tout, il faut réduire pour ne pas être confus. L'objet perçu en conscience est sélectionné, mais certains objets perçus sans conscience sont quand même imprégnés dans la mémoire.

Il existe en pathologie neurologique le syndrome des hémi-négligences : un accident a altéré un point précis de la zone pariéto-occipitale droite du cerveau, si bien que le patient perçoit ce qui se passe dans son espace gauche (il ne se cogne pas aux obstacles), mais ne sait pas qu'il les perçoit. Si on lui montre la photo d'une assiette contenant un bifteck à gauche et des frites à droite, il ne dessine que les frites en soutenant qu'il a tout dessiné. Il suffit de retourner le dessin pour que le patient ne dessine que le bifteck en soutenant qu'il a tout dessiné. Il dessine son évidence, puisqu'il lui est neurologiquement impossible de prendre conscience de ce qui se passe dans son espace gauche. Ce qui ne veut pas dire qu'il ne s'en imprègne pas à son insu. Quand on lui propose un puzzle, la première fois il mettra dix minutes pour en réaliser la partie droite seulement. La semaine suivante, il mettra six minutes, et la dernière semaine deux minutes. Il n'a jamais reconstitué la partie gauche et pourtant il soutient qu'il a tout reconstruit. Si, à ce moment, on retourne le puzzle de façon à ce que la partie gauche devienne la partie droite, il réalisera le puzzle en quatre minutes, prouvant ainsi qu'il avait bien perçu les éléments de l'espace gauche et même commencé à résoudre le problème. Cet inconscient cognitif prouve que notre corps peut apprendre à notre insu [118]. Notre vision du monde est un patchwork de consciences partielles. Si l'une d'elles disparaît, la vision du monde reste quand même totale et cohérente. L'évidence du malade reste inaccessible à tout raisonnement puisque pour lui, c'est une image aussi évidente et cohérente que pour un daltonien un monde sans rouge, ou pour nous tous un monde sans ultraviolets.

Il en est de même pour nos récits intimes et sociaux où chaque élément du puzzle de notre identité mis en lumière par nos relations et nos intentions réalise un ensemble cohérent, évident pour l'un et pas forcément pour l'autre.

Il est donc concevable qu'un enfant maltraité ou traumatisé garde des traces dans sa mémoire. Mais elles sont de nature différente de celle des souvenirs dont il fait des récits. La trace dépend des informations qu'il reçoit de son milieu, alors que le récit dépend des relations qu'il établit avec son entourage. La trace est une empreinte biologique, le récit est une conscience partagée.

Si bien que les souvenirs traumatiques n'ont pas la même forme que les souvenirs ordinaires. Les parachutistes se

---

118. BOTEZ M. I., 1987, *Neuropsychologie clinique et neurologie du comportement*, Presses universitaires de Montréal.

mettent à l'épreuve afin « de remporter une victoire sur eux-mêmes ». Au moment où ils pensent : « Je vais avoir à plonger dans le vide pour atteindre ce minuscule point, tout en bas », ils éprouvent une très forte émotion. Mais c'est la représentation de ce qui va se passer qui provoque leur stress puisque, quand ils n'ont pas à sauter, ils regardent par la lucarne et perçoivent le même paysage dans la plus grande tranquillité.

Pour préciser cette notion, deux psychiatres militaires ont réalisé une vigoureuse expérimentation : au moment où le parachutiste s'apprête à sauter, un expérimentateur lui envoie sur la cuisse un choc électrique dont il a mesuré l'intensité et la durée afin qu'il soit proche de la douleur. Quand le parachutiste arrive au sol, un autre psychiatre le questionne et lui demande s'il a senti quelque chose de désagréable avant de sauter. Tous les parachutistes affirment qu'ils n'ont rien ressenti. Le sentiment provoqué par l'imminence du plongeon, en monopolisant leur conscience, a engourdi les autres perceptions [119]. Cette expérimentation illustre la forme que prennent les souvenirs traumatiques : la représentation est si forte qu'elle capture la conscience et l'hyperclarté de certains détails signifiants met à l'ombre toutes les autres perceptions.

Les parachutistes se retrouvent dans une situation analogue à celle des hémi-négligents. Mais cette fois, ce n'est pas une altération cérébrale qui provoque la restriction sensorielle, c'est une représentation si puissante qu'elle asservit leur conscience.

Les souvenirs ordinaires prennent une autre forme. Un enfant épanoui aura, lui aussi, des traces cérébrales. La caméra à positons révèle qu'un élève qui apprend à jouer du violon, à parler plusieurs langues ou à pratiquer un sport ne

---

119. Van der Kolk B.A., Fischler R., 1995, « Dissociation and the Fragmentary Nature of Traumatic Memories : Overview and Exploratory Study », *Journal of Traumatic Stress*, 8, p. 505-552.

façonne pas les mêmes zones de son cerveau [120]. Ces traces constituent un entraînement plutôt qu'un souvenir. Ce qui fait qu'un événement demeure un souvenir, c'est l'émotion provoquée par la relation dans un contexte humain et la signification que cet épisode prend dans l'histoire. Les enfants isolés se développent à l'intérieur d'un énorme trou de mémoire. Rien ne fait souvenir pour eux car, privés de relations, ils vivent dans un monde appauvri en événements.

Ce qui compose notre identité narrative est donc rendu possible par des relations. De même que les figures d'attachement mettent en relief nos objets saillants, les discours sociaux mettent en lumière les scénarios événementiels qui constituent le puzzle de notre identité. Sans autre, il n'y aurait pas d'autobiographie. Mais dans mon autobiographie, je raconte la saillance des objets et des événements que mes relations avec mes autres ont imprégnés dans ma mémoire. La manière dont on se raconte dure tant que dure notre vie, mais change sans arrêt puisqu'elle dépend de nos rencontres. La manière change, mais pas le thème qui reste au fond de nous, exprimé ou caché, et qui constitue la colonne vertébrale de notre identité.

La falsification créatrice transforme la meurtrissure en organisateur du Moi

Un souvenir autobiographique abusivement généralisé [121] devient ainsi le paradigme de notre cheminement

120. BEVER T.G., CHIARELLO R.J., 1974, « Cerebral Dominance in Musicians and Non-Musicians », *Science*, p. 185-537.
121. WILLIAMS J. M. G., 1992, « Autobiographical Memory and Emotional Disorders », *in* : CRISTIANSON S. A. (éd.), *The Handbook of Emotion and Memory. Research and Theory*, Hillsdale N. J., p. 451-457.

dans l'existence. Notre itinérance [122], comme une étoile du Berger, donne la direction qui oriente nos choix et rend probables nos rencontres.

Un enfant trop stabilisé par un milieu rigide connaîtrait un itinéraire, une route fixe, comme à l'époque encore récente où le père décidait le métier et le mariage de sa descendance. À l'inverse, un enfant abandonné sans substitut familial connaîtrait l'errance, il voguerait là où l'entraîneraient les événements. Entre les deux, un enfant blessé, mais résilient, connaît l'itinérance, comme les itinérants qui s'orientent vers un but, un rêve, une étoile du Berger qui donne la direction. Mais comme les vents leur sont contraires, ils doivent louvoyer, s'éloigner du but pour y revenir plus tard. La voie du détour est fréquente chez les résilients qui finissent quand même par retrouver leur chemin après de longs écarts et des méandres laborieux.

Le processus de résilience permet à un enfant blessé de transformer sa meurtrissure en organisateur du moi, à condition qu'autour de lui une relation lui permette de réaliser une métamorphose. Quand l'enfant est seul et quand on le fait taire, il revoit son fracas comme une litanie. C'est alors qu'il devient prisonnier de sa mémoire, fasciné par la précision lumineuse du souvenir traumatique. Mais dès qu'on lui donne la parole, le crayon ou la scène où il peut s'exprimer, il apprend à se décentrer de lui-même pour maîtriser l'image qu'il tente de produire. Alors, il travaille à sa modification en adaptant ses souvenirs, en les rendant intéressants, gais ou beaux pour les rendre acceptables. Ce travail de recomposition de son passé le resocialise, lui qui avait été chassé d'un groupe qui ne supportait pas d'entendre de telles horreurs. Mais l'ajustement des souvenirs, qui associe la précision de l'événement au flou du

---

122. CYRULNIK B., 1998, « Les enfants sans lien », in : AÏN J., *Errances. Entre dérives et ancrage*, Érès, p. 31.

contexte, le prépare à la falsification créatrice qui transformera sa souffrance en œuvre d'art.

Assez curieusement les souvenirs des résilients, en associant la précision avec le remaniement créatif, sont moins biaisés que les souvenirs de ceux qui souffrent de syndromes post-traumatiques. La mémoire résiliente ressemble à celle des romanciers qui vont sur le terrain relever des faits précis afin d'alimenter leur fiction. Alors que la mémoire traumatisée est prisonnière, non pas du fait qui l'a blessée, mais de l'éveil fantasmatique que l'événement a provoqué. Dès la guerre de 14-18, John Mac Curdy[123], un des premiers observateurs des syndromes post-traumatiques, notait que la reviviscence empoisonnait la mémoire des combattants. Or, ce n'était pas une scène de combat qu'ils revoyaient sans cesse, mais une mise en scène des combats qu'ils craignaient. Un vétéran du Viêt Nam se revoyait chaque nuit en train de mitrailler des familles de Vietnamiens dans leurs cabanes. Cette torture par l'image ne correspondait absolument pas au réel puisqu'il n'avait jamais eu l'occasion de tirer un seul coup de feu pendant toute la guerre. Mais ce faux souvenir n'était pas un mensonge puisqu'il mettait en scène le fantasme qui terrorisait cet homme : avoir à massacrer une famille innocente.

Quand le petit Bernard a été arrêté par l'armée allemande et la police française, quelques bénévoles aidaient les soldats à grouper les enfants en leur distribuant des boîtes de lait condensé offertes par la Croix-Rouge. Après son évasion, Bernard avait des souvenirs étonnamment précis, confirmés cinquante années plus tard par les archives et les témoins. Mais il associait ces réminiscences avec un

---

123. MAC CURDY J., 1918, « War Nevroses », Cambridge University Press, *in* : SCHACTER D. L., 1999, *À la recherche de la mémoire. Le Passé, l'esprit et le cerveau*, De Bœck Université, p. 245.

remaniement de sa mémoire où l'enfant attribuait à un officier allemand un acte généreux probablement inventé. Cette falsification prenait un effet de résilience puisqu'elle lui permettait d'amnistier l'agresseur et de survivre malgré tout dans un monde où l'espoir était encore permis. En revanche, pendant plusieurs décennies, chaque fois que Bernard a eu l'occasion de boire du lait condensé, la simple vision de la boîte déclenchait une curieuse angoisse de mort enjouée. L'objet devenait maléfique en évoquant la mort, mais bénéfique en rappelant qu'il lui avait échappé. L'image mise en mémoire n'est donc pas la trace mnésique de l'événement. C'était un bout de réel qui représente le fracas : un symbole.

Quand les traumatisés ne parviennent pas à maîtriser la représentation du trauma en le symbolisant grâce au dessin, à la parole, au roman, au théâtre ou à l'engagement, alors le souvenir s'impose et capture la conscience en faisant revenir sans cesse, non pas le réel, mais la représentation d'un réel qui les domine.

Au moment de leur histoire où les enfants blessés commencent leur carrière sociale, c'est avec leur tempérament façonné par l'histoire de leurs parents, c'est avec les procédés de résilience mis en place après l'agression, qu'ils iront à l'école, se feront des amis et tisseront des liens d'un style particulier.

CONCLUSION

CONCLUSION

À l'époque où la pensée culturelle était fixiste, il suffisait d'observer le monde autour de soi pour avoir la preuve que l'ordre régnait. Le seigneur, au-dessus des hommes possédait un château, le prêtre côtoyait Dieu, et l'immense majorité des humains se débattait contre la mort. L'énergie principale qui permettait la survie était fournie par les corps : le ventre des femmes fournissait les enfants, les muscles des hommes et des animaux produisaient l'énergie.

Il n'était pas difficile de constater que les aristocrates étaient les plus beaux, les plus intelligents et les plus cultivés. Ils possédaient la terre, les châteaux et le maniement des armes. Alors que les hommes du peuple, réduits au rôle de fournisseurs d'énergie, étaient sales, fatigués, incultes et malades. La hiérarchie sociale était donc justifiée, comme une « loi naturelle » à laquelle personne ne pouvait échapper. Chacun prenait la place que lui attribuait un ordre immuable : les femmes par leur ventre, les hommes par leurs bras, et les aristoprêtres par leurs mots.

L'accumulation technologique a donné une autre vision du monde. Aujourd'hui, on sait qu'on peut changer l'ordre social et même celui de la Nature. Il faut une tête et des doigts pour commander aux machines qui fournissent une énergie bien supérieure à celle des muscles. Les enfants du peuple peuvent y réussir. Et le ventre des femmes ne dicte plus leur destin depuis que la maîtrise de la fécondité a libéré leur tête.

La fantastique explosion des techniques du XIXe siècle a supprimé l'évidence fixiste et nous a appris à regarder la condition humaine avec le mot « devenir ». La biologie a découvert l'évolution, l'embryologie a pensé le développement que Freud a introduit dans sa découverte du continent intérieur [1].

C'est dans un tel contexte technologique et culturel que la notion de traumatisme s'est lentement dégagée. Bien sûr, le trauma existait dans le réel, mais pas dans les mots qui le mettaient en conscience. L'Antiquité décrivait des guerriers devenus aveugles sans avoir été touchés, des soldats frappés de terreur s'agitant en tous sens, Charles IX revoyait sans cesse les images des massacres de la Saint Barthélemy, Dostoïevski racontait le mélange d'effroi et de désir de mort qu'il avait éprouvé quand on lui avait fait subir un simulacre de fusillade.

En fait, c'est le chemin de fer, en 1890, qui a préparé la naissance du concept de traumatisme : « L'action mécanique sur le cerveau attribuable à la vitesse » expliquait les troubles du sommeil, les cauchemars et l'irritabilité [2]. Le contexte mécanique était tellement évident que l'on ne pouvait expliquer le trauma qu'en termes mécaniques. La guerre des Boers en Afrique du Sud (1899-1902), le conflit russo-japonais (1904), évoquaient « l'ébranlement émotionnel ». Pendant la guerre de 14-18, on a évoqué pour la première fois une épreuve psychique. Mais c'est lors la Seconde Guerre mondiale, avec les camps de déportés de la Shoah, puis la guerre de Corée et du Viêt-Nam que, devant l'ampleur

---

1. RITVO L., 1992, *Darwin, ascendant de Freud*, Gallimard, et CYRULNIK B., 1995, « Freud, précurseur de l'éthologie entre Darwin et Mac Lean », *Acta Psychiatrica Belgica*, 94, p. 299-311.
2. VILA G., PORCHE L.-M., MOUREN-SIMÉONI M.-C., 1999, *L'Enfant victime d'agression*, Masson, p. 13.

des dégâts et le changement de contexte culturel, les psychiatres ont formulé le problème de manière relationnelle.

Depuis que le concept de traumatisme psychique est né, l'enchaînement des idées exige qu'après la description clinique et la recherche des causes, on s'applique à prévenir les traumatismes et mieux les réparer. Dans ce cas, on aura besoin du concept de résilience. Mais puisqu'on a compris qu'un concept ne peut pas naître en dehors de sa culture, il est intéressant de se demander pourquoi ce mot français s'est si bien développé aux États-Unis : « Il y a dans le tempérament américain une qualité que l'on traduit là-bas par le mot *resiliency* [...] qui unit les idées d'élasticité, de ressort, de ressource et de bonne humeur. » Paul Claudel, assistant à l'effondrement économique de 1929, décrit « l'angoisse qui étreignait les cœurs [et] la confiance qui éclairait les visages ». Cette attitude mentale face à la tragédie est tellement marquante que « si quelques financiers se jetaient par la fenêtre, je ne puis m'empêcher de croire que c'était dans l'espérance fallacieuse de rebondir [3] ».

Il y a longtemps que le concept de résilience est nouveau, mais cette fois-ci, on peut l'analyser. Il s'agit d'un processus, d'un ensemble de phénomènes harmonisés où le sujet se faufile dans un contexte affectif, social et culturel. La résilience, c'est l'art de naviguer dans les torrents. Un trauma a bousculé le blessé dans une direction où il aurait aimé ne pas aller. Mais puisqu'il est tombé dans un flot qui le roule et l'emporte vers une cascade de meurtrissures, le résilient doit faire appel aux ressources internes imprégnées dans sa mémoire, il doit se bagarrer pour ne pas se laisser entraîner par la pente naturelle des traumatismes qui le font bourlinguer de coups en coups jusqu'au moment où une main tendue lui offrira une ressource externe, une relation

---

3. CLAUDEL P., 1936, *L'Élasticité américaine*, *Œuvre en prose*, Gallimard, La Pléiade, p. 1204 (communication personnelle de WITAKER M.J.).

affective, une institution sociale ou culturelle qui lui permettra de s'en sortir.

Dans cette métaphore de l'art de naviguer dans les torrents, l'acquisition des ressources internes a donné au résilient sa confiance et sa gaieté. Ces aptitudes, facilement acquises au cours des petites années, lui ont donné l'attachement sécure et les comportements de charme qui lui permettent d'être à l'affût de toute main tendue. Mais puisque nous avons appris à observer les Hommes avec le mot « devenir », on pourra constater que ceux qui ont été privés de ces acquisitions précoces pourront les mettre en place plus tard mais plus lentement, à condition que le milieu, ayant compris comment se façonne un tempérament, dispose autour des blessés quelques tuteurs de résilience.

Quand la plaie est vive, on est tenté par le déni. Pour se remettre à vivre, on a besoin de ne pas trop penser à la blessure. Mais avec le recul du temps, l'émotion provoquée par le coup tend à s'éteindre lentement pour ne laisser en mémoire que la représentation du coup. Or, cette représentation qui se construit laborieusement dépend de la manière dont le blessé est parvenu à historiser l'événement. Parfois, la culture en fait une blessure honteuse, alors que d'autres circonstances lui auraient attribué la signification d'un acte héroïque. Le temps adoucit la mémoire et les récits métamorphosent les sentiments. À force de chercher à comprendre, trouver les mots pour convaincre et faire des images qui évoquent la réalité, le blessé parvient à panser la blessure et à remanier la représentation du trauma. On accepte sans peine l'idée que la guerre de 14-18 a été une immense boucherie boueuse, mais qui se souvient des souffrances des populations pendant la guerre de Troie ? Le stratagème du colossal cheval en bois a pris un effet de fable, il n'évoque plus la famine des dix années de siège, ni les massacres à l'arme blanche, ni les brûlures de l'incendie qui ont suivi cette belle histoire. Le réel a été transfiguré par les récits de notre culture amoureuse de la Grèce ancienne. La souffrance est éteinte, seule reste l'œuvre d'art. Le recul du temps nous invite à quitter le monde des perceptions immédiates pour habiter celui des représentations durables. Le travail de fiction qui permet l'expression de la tragédie, prend alors un effet protecteur.

Ce qui revient à dire que parler de résilience en termes d'individu constitue une erreur fondamentale. On n'est pas plus ou moins résilient, comme si l'on possédait un catalogue de qualités : l'intelligence innée, la résistance au mal ou la molécule de l'humour. La résilience est un processus, un devenir de l'enfant qui, d'actes en actes et de mots en mots, inscrit son développement dans un milieu et écrit son histoire dans une culture. C'est donc moins l'enfant qui est résilient que son évolution et son historisation.

C'est pourquoi tous ceux qui ont eu à surmonter une grande épreuve décrivent les mêmes facteurs de résilience.

En tête, vient la rencontre avec une personne signifiante. Parfois une seule a suffi, une institutrice qui en une phrase a redonné l'espoir à l'enfant, un moniteur de sport qui lui a fait comprendre que les relations humaines pouvaient être faciles, un prêtre qui a transfiguré la souffrance en transcendance, un jardinier, un comédien, un écrivain, un quidam ont donné corps à la simple signification : « Il est possible de s'en sortir. » Tout ce qui a permis de renouer le lien social a permis de remanier l'image que le blessé se faisait de lui-même. « Se sentir mal et être mauvais [4] » est transformé par la rencontre avec un partenaire affectif qui fait germer le désir de s'en sortir.

---

4. Bourguignon O., 2000, « Facteurs psychologiques contribuant à la capacité d'affronter des traumatismes chez l'enfant », *Devenir*, vol. 12, n° 2, p. 83.

Dessiner, jouer, faire rire permettent de décoller l'étiquette que les adultes collent si facilement : « [...] vivre dans une culture où l'on peut donner sens à ce qui vous est arrivé : historiser, comprendre et donner [5] » constituent les moyens de défense les plus simples, les plus nécessaires et les plus efficaces. Ce qui veut dire qu'une culture de consommation, même quand la distraction est agréable, n'offre pas de facteurs de résilience. Elle soulage quelques minutes, comme le sont les spectateurs anxieux qui ne prennent pas de tranquillisants les soirs où ils regardent la télévision. Mais, pour ne plus se sentir mauvais, pour devenir celui par qui le bonheur arrive, il faut participer à la culture, s'y engager, devenir acteur et pas seulement assisté.

« Ces témoignages, comme celui de Barbara, confirment que la résilience n'est ni un vaccin contre la souffrance, ni un état acquis et immuable, mais qu'il s'agit d'un processus, d'un chemin à parcourir [6] », dit Paul Bouvier.

Comment faire son chemin dans l'écheveau d'une culture ? Comment reprendre son développement quand la route est barrée ? Il semble qu'aujourd'hui nous arrivons à une bifurcation. Ces dernières décennies, les victoires des Droits de l'homme et notre culture technologique nous ont fait croire à une possible éradication de la souffrance. Ce chemin-là nous permettait d'espérer qu'une meilleure organisation sociale et quelques bons produits chimiques supprimeraient nos tourments. L'autre chemin, plus rocailleux, nous montre que le temps de la vie n'est jamais sans épreuve, mais que l'élaboration des conflits et le travail de

---

5. VALENTINE L., FEINAUER L.L., 1993, « Resilience Factors Associated With Female Survivors of Childhood Sexual Abuse », *Am. J. Family Therapy*, 21, p. 216-224.
6. BOUVIER P., 1999, « Abus sexuel et résilience », *in* : *Souffrir mais se construire*, Érès, p. 125-161.

résilience nous permettent de reprendre la route, malgré tout.

Ces deux voies nous proposent des moyens différents pour affronter les inévitables infortunes de l'existence.

Il faudra faire appel à tous ces moyens de défense puisqu'on prévoit qu'au XXIᵉ siècle, les exclusions vont s'aggraver [7]. Quand un enfant sera chassé de son domicile par un trouble familial, quand il sera placé dans une institution totalitaire, quand la violence d'État s'étendra sur la planète, quand il sera maltraité par ceux qui sont chargés de l'entourer, quand chaque souffrance sera issue d'une autre souffrance comme une avalanche, il conviendra d'agir sur tous les moments de la catastrophe : le moment politique pour lutter contre les crimes de guerre, le moment philosophique pour critiquer les théories qui les préparent, le moment technique pour réparer les blessures et le moment résilient pour reprendre le cours de l'existence.

La vie est trop riche pour se réduire à un seul discours [8]. Il faut l'écrire comme un livre ou la chanter comme Brassens qui, à cause de sa propre histoire, a compris qu'un tout petit signe suffit à transformer un vilain petit canard en cygne :

> « *Elle est à toi cette chanson,*
> *Toi l'Auvergnat qui, sans façon,*
> *M'a donné quatre bouts de pain*
> *Quand dans ma vie il faisait faim* [9]. »

---

7. RICALDI-COQUELIN A.-M., 2000, *Poussières de vie*, Thèse de sciences de l'éducation, Paris.

8. VANISTENDAEL S., LECOMTE J., 2000, *Le Bonheur est toujours possible* Bayard, p. 219.

9. BRASSENS G., 1955, *Chanson pour l'Auvergnat*.

BIBLIOGRAPHIE

La bibliographie qui réfère au texte a été inscrite en bas de page. Cette bibliographie, plus générale, en langue française, permettra au lecteur d'aller plus loin ou de vérifier quelques idées.

- ALTOUNIAN Jacqueline, 2000, *La Survivance : traduire le trauma collectif*, Dunod.
- ANDRÉ Christophe et LELORD Françoise, 1999, *L'Estime de soi. S'aimer mieux pour mieux vivre avec les autres*, Odile Jacob.
- ANTHONY James, CHILAND Colette, 1985, *Enfants dans la tourmente*, PUF.
- ANTHONY James, CHILAND Colette, 1992, *Le Développement en péril*, PUF.
- ANTHONY James, CHILAND Colette, KOUPERNIK Cyrille, 1982, *L'Enfant vulnérable*, PUF.
- AURIAT Nadia, 1996, *Les Défaillances de la mémoire humaine*, PUF.
- BAILLY Lionel, 1996, *Les Catastrophes et leurs conséquences psychotraumatiques chez l'enfant*, ESF.
- BARUDY Jorge, 1997, *La Douleur invisible de l'enfant*, Érès.
- BAUDRY Patrick, 1991, *Le Corps extrême*, L'Harmattan.
- BERTRAND Michèle (dir.), 1997, *Les Enfants de la guerre et les violences civiles*, L'Harmattan.
- BOSHI Roger, 2000, *La Prévention des troubles psychiques chez l'enfant et l'adolescent. Quand faut-il intervenir ?*, L'Harmattan.
- BOURGUIGNON Odile, 2000, « Facteurs psychologiques contribuant à la capacité d'affronter des traumatismes chez l'enfant », *Devenir*, 12, n° 2, p. 77-92.

- Bowlby John, 1978-1984, *Attachement et perte*, 3 tomes, PUF.
- Brauner Alfred et Françoise, 1994, *L'Accueil des enfants survivants*, Librairie Lipsy.
- Briole Guy, Lebigot François, Lafont Bernard, Favre Jean-Dominique, Vallet Dominique, 1994, *Le Traumatisme psychique : rencontre et devenir*, Masson.
- Bureau international catholique de l'enfance, 1994, « Famille et résilience de l'enfant », *L'Enfance dans le monde*, vol. 21, n° 1.
- Castillo Michel del, 1998, *De père français*, Fayard.
- Chiantaretto Jean-François, 1998, *Écriture de soi et trauma*, Anthropos.
- Chouvier Bernard, Green André, Kristeva Julia, 1998, *Symbolisation et processus de création*, Dunod.
- Coppel Marthe, Dumaret Annick Camille, 1995, *Que sont-ils devenus ?* Érès.
- Cramer Bertrand, 1999, « Ceux qui s'en sortent », *in Que deviendront nos bébés ?*, Odile Jacob.
- Crocq Louis, 1999, *Les Traumatismes psychiques de guerre*, Odile Jacob.
- Cyrulnik Boris (dir.), 1998, *Ces enfants qui tiennent le coup*, Hommes et perspectives.
- Cyrulnik Boris, 1999, *Un merveilleux malheur*, Odile Jacob.
- David Myriam, 1989, *Le Placement familial*, ESF.
- Dayan Maurice, 1995, *Trauma et devenir psychique*, PUF.
- De Baecque Antoine, Toubiana Serge, 1996, *François Truffaut*, Gallimard.
- Duperey Anny, 1992, *Le Voile noir*, Seuil.
- Enjolet Catherine, 1997, *Princesse d'ailleurs*, Phébus.
- Fabre Nicole, 1999, *Blessures d'enfances. Les dire, les comprendre, les dépasser*, Albin Michel.
- Fischer Gustave-Nicolas, 1994, *Le Ressort invisible*, Seuil.
- Fortin Laurier et Bigras Marc, 2000, « La résilience des enfants : facteurs de risque, de protection et modèles théoriques », *Pratiques psychologiques*, n° 1, p. 49-63.
- Frank Anne (1947), *Journal*, texte intégral, édition définitive, texte établi par Otto H. Frank et Mirjam Pressler, 1992, Calmann-Lévy, Le Livre de poche.
- Gannagé Myrna, 1997, « L'enfant et la guerre : quelle protection ? », *Psychologie française*, n° 42-43, p. 237-242.
- Gannagé Myrna, 1999, *L'Enfant, les parents et la guerre. Une étude clinique au Liban*, ESF.

– GAULEJAC Vincent DE, 1999, *L'Histoire en héritage*, Desclée de Brouwer.
– GENET Jean, 1949, *Journal du voleur*, Gallimard.
– GUÉNARD Tim, 1999, *Plus fort que la haine*, Presses de la Renaissance.
– GRUYER Frédérique, FADIER-NISSE Martine, SABOURIN Pierre, 1991, *La Violence impensable*, Nathan.
– HABIMANA Emmanuel, ETHIER Louise, PETOT Djaouida, TOUSIGNANT Michel, 1999, *Psychopathologie de l'enfant et de l'adolescent*, Gaétan Morin.
– HALLIT-BALABANE Aïda, 1999, « L'écriture du trauma dans les *Récits de la Kolyma* de Varlam Chalamov », L'Harmattan.
– HALPERIN Daniel, BOUVIER Paul, REY-WICKY Hélène, 1997, « À contre-cœur, à contre-corps », *Médecine et Hygiène*.
– HAYNAL André, 1987, *Dépression et créativité*, Césura.
– HERBAUT Clotilde, WALLET Jean-William, 1996, *Des sociétés, des enfants*, L'Harmattan.
– HIEGEL Jean-Pierre, HIEGEL-LANDRAC Colette, 1996, *Vivre et revivre au camp de Kholo I Pang*, Fayard.
– HOUBALLAH Adman, 1998, *Destin du traumatisme*, Hachette.
– HOUDE Renée, 1999, *Les Temps de la vie*, Gaétan Morin.
– IONESCU Serban, JACQUET Marie-Madeleine, LHOTE Claude, 1997, *Les Mécanismes de défense*, Nathan.
– JULIET Charles, 1992, *L'Inattendu*, POL.
– KREISLER Léon, 1996, « La résilience mise en spirale », *Spirale*, n° 1, p. 162-165.
– LAHAYE Jean-Luc, 1987, *Cent familles*, Carrère.
– LANI-BAYLE Martine, 1999, *L'Enfant et son histoire*, Érès.
– LEVI Primo, 1987, *Si c'est un homme*, Julliard.
– LEWENDEL Isaac, 1996, *Un hiver en Provence*, L'aube.
– LOUTRE DU PASQUIER Nathalie, 1981, *Devenir des enfants abandonnés. Le Tissage du lien*, PUF.
– MANCIAUX Michel et TOMKIEWICZ Stanislas, 2000, « La résilience aujourd'hui », *in* Gabel Marceline, Jésu François et Manciaux Michel, *Bientraitances, mieux traiter familles et professionnels*, Fleurus, p. 313-340.
– MANCIAUX Michel, 2001, *La Résilience : concept et action*, Genève, Médecine et hygiène.
– MAQUEDA Francis (dir.), 1999, *Traumatismes de guerre*, Hommes et perspectives.

- MICHAUD Pierre-André, 1999, « La résilience : un regard neuf sur les soins et la prévention », *Archives pédiatriques*, n° 6, p. 827-831.
- MILLER Alice, 1984, *C'est pour ton bien*, Aubier.
- MILLER Alice, 1998, *Chemins de vie*, Flammarion.
- MOLÉNAT Françoise, 1992, *Mères vulnérables*, Stock.
- MOSCOVICI Serge, 1997, *Chronique des années égarées*, Stock.
- MUXEL Anne, 1996, *Individu et mémoire familiale*, Nathan.
- PEREC Georges, 1975, *W ou le souvenir d'enfance*, Denoël.
- PETIT Michel, LALOU-MOATTI Monique, CLERVOY Pierre, 1999, « Santé mentale. Risque. Vulnérabilité. Ressources », *in* Lebovici Serge, Diatkine René et Soulé Michel, *Nouveau Traité de psychiatrie de l'enfant et de l'adolescent*, PUF, « Quadrige », tome 4, p. 3041-3046.
- POILPOT Marie-Paule (dir.), 1999, *Souffrir mais se construire*, Fondation pour l'enfance, Érès.
- POURTOIS Jean-Pierre (dir.), 1995, *Blessure d'enfant*, De Bœck Université.
- POURTOIS Jean-Pierre, DESMET Huguette, 2000, *Relation familiale et résilience*, L'Harmattan.
- REMOND Jean-Daniel, 1999, *Une mère silencieuse*, Seuil.
- Revue *Art et Thérapie*, 1996, « La création comme processus de transformation », n° 56-57, juin.
- Revue *Autrement*, 1999, « Travail de mémoire 1914-1998 », n° 54.
- Revue *Confrontations psychiatriques*, 1993, « Créativité et psychiatrie », n° 34.
- Revue *Devenir*, 2000, « Résilience : facteurs propres à l'enfant », vol. 12, n° 2.
- Revue *Le Groupe familial*, 1990, « Histoire de vie », n° 126, janvier-mars.
- Revue *Le Groupe familial*, 1995, « Mémoires de vies et identités », n° 147, avril-juin.
- Revue *Pratiques psychologiques*, 2000-2001, « Bien-être subjectif et facteurs de protection », L'Esprit du temps.
- RIVOLIER Jean, 1992, *Facteurs humains et situations extrêmes*, Masson.
- ROY Bruno, 1994, *Mémoire d'asile*, Boréal.
- RUTTER Michael, SADLIER Karen, 1998, « L'enfant et la résilience », *Le Journal des psychologues*, n° 162, p. 46-49.

- SAINT-ANDRÉ (dir.), 1996, « Parents en souffrances – Répercussions sur les liens précoces », *Prisme*, vol. 6, n° 1.
- SARTRE Jean-Paul, 1952, *Saint Genet, comédien et martyr*, Gallimard.
- SARTRE Jean-Paul, 1964, *Les Mots*, Gallimard.
- SCHAFFER Herbert, 1976, *La Psychologie d'Adler*, Masson.
- SEMPRUN Jorge, 1994, *L'Écriture ou la vie*, Gallimard.
- SHENGOLD Léonard, 1998, *Meurtre d'âme*, Calmann-Lévy.
- SNYDERS Jean-Claude, 1999, *Paroles perdues*, Buchet-Chastel.
- SPITZ René, 1963, *La Première Année de la vie de l'enfant*, Préface d'Anna Freud, PUF.
- TELLIER Anne, 1998, *Expériences traumatiques et écritures*, Anthropos.
- TODOROV Tzvetan, 1994, *Face à l'extrême*, Seuil.
- THOMAS R. Murray, MICHEL Claudine, 1994, *Théories du développement de l'enfant*, De Bœck Université.
- TOLSTOÏ Léon, 1961, *Jeunesse. Souvenirs*, Gallimard.
- TOMKIEWICZ Stanislas, 1997, « L'enfant et la guerre », *Forum mondial de la santé*, vol. 18, p. 309-318.
  TOMKIEWICZ Stanislas, 1999, *L'Adolescence volée*, Paris, Calmann-Lévy.
- VANISTENDAEL Stephan, 1996, « La résilience ou le réalisme de l'espérance. Blessé mais pas vaincu », *Les cahiers du BICE*.
- VANISTENDAEL Stephan, LECOMTE Jacques, 2000, *Le Bonheur est toujours possible*, Bayard.
- VILA Gilbert, PORCHE Luc Michel, MOUREN-SIMEONI Marie-Christine, 1999, *L'Enfant victime d'agression*, Masson.
- ZALTZMAN Nathalie (dir.), 1999, *La Résistance de l'humain*, PUF.

TABLE

CHAPITRE PREMIER : *La chenille*

CHAPITRE II : *Le papillon*

Le remaniement de la représentation de la blessure par tous les modes d'expressions permet, plus tard, de lever le déni qui, comme un plâtre sur une fracture, protège en altérant.

Mémoire de singe et paroles d'homme, Hachette, 1983 ; Hachette-Pluriel, 1984

Sous le signe du lien, Hachette, 1989 ; Hachette-Pluriel, 1992 (Prix Sciences et Avenir 1990)

Les Nourritures affectives, Odile Jacob, 1993 (Prix Blaise Pascal 1994) ; « Poches Odile Jacob », 2000

L'Ensorcellement du monde, Odile Jacob, 1997 (Prix Synapse 1997)

Un merveilleux malheur, Odile Jacob, 1999

OUVRAGES COLLECTIFS :

De l'inceste, Odile Jacob, 1994, avec Françoise Héritier, Aldo Naouri

Ces enfants qui tiennent le coup (dir.), Hommes et perspectives, 1998

Si les lions pouvaient parler (dir.), Gallimard, 1998

Dialogue sur la nature humaine, L'aube, 2000, avec Edgar Morin

La plus belle histoire des animaux, Seuil, 2000 (Prix Littré), avec Pascal Picq, Jean-Pierre Digard, Karine Lou Matignon

Ouvrage proposé par Gérard Jorland
et publié sous sa responsabilité éditoriale.

Cet ouvrage a été réalisé par

FIRMIN DIDOT

GROUPE CPI

Mesnil-sur-l'Estrée

pour le compte des Éditions Odile Jacob
en janvier 2003

Imprimé en France
Dépôt légal : février 2001
N° d'édition : 7381-0944-19 - N° d'impression : 62598